PT・OTビジュアルテキスト 専門基礎

運動学

著
山﨑 敦

第2版

序

～第２版の発行に寄せて～

運動学がリハビリテーションの根幹をなす科目であることは，衆目の一致するところであろう．しかし，物理学や解剖学，生理学など多岐にわたる知識が必要とされるため，苦手意識をもっている学生も多い．さらに教える側も，運動学全般にわたって精通している教員ばかりとはいい難い．「運動学」というワードが入った書籍は多々みられるし，これまでに分担執筆をさせていただいたこともある．しかしそれらをもってなお，養成校の教員と話をすると，テキストに加えて追加資料を配布している，名著ではあるがどう教えていいかわからないといった意見を耳にすることが多い．さらには，臨床現場に出てからこそ必要とされる運動学の知識であるにもかかわらず，若手セラピストには養成校で学んだ情報を確認，あるいは更新する機会がない現状を目にしてきた．このような状況であるにもかかわらず，打開策がみえず手をこまねいていた．

そのようななか，第１版出版に向けて動き出した．運動学の最新知見を含めて実践の文脈上で語る，つまりPT・OT養成に必要な運動学の集大成は大変だった．医学・工学を含めた広義の自然科学の発展に伴い，運動学の内容はブラッシュアップされている．しかし，PT・OTに必要な運動学の全体像を捉えられているセラピストは少ない．ここには，運動学は難しい，苦手だという思い込みも少なからず影響しているように思われる．本書の章立ては，私自身が学生向けに講義している「運動学」の内容をベースに，エッセンスを網羅することにした．これまでは他の書籍を教科書指定していたのだが，その内容のすべてを教えられたわけではない．時間的な制約はもちろん，内容が難解であることも大きな理由であった．そのため第１版の執筆に際しては，運動器の基本から姿勢・歩行まで，運動学の重要ワードをカバーしつつも，必要以上の知識は省き，できるだけコンパクトにまとめることを意識した．また，カラーのイラストや写真を多用することで，ビジュアル面でも学びやすくなるよう工夫した．さらには解剖学書を並べて見なくても済むよう，筋の図など巻末付録も充実させた．本書は養成校での講義用テキストとしての使用を想定しているが，現職のセラピストが運動学の知識を振り返るための書籍としても有用なはずである．

さて，第１版が発行されて２年が経過し，第２刷発行の予定であることを羊土社編集部より2021年10月末に連絡いただいた．編集部としては，すでに判明している誤植の修正確認のつもりであったと思われるが，私がやっかいな返信をしてしまったのである．というのも，2022年４月改訂の「関節可動域表示ならびに測定法」の内容を踏まえた修正依頼を提案したからである．

日本整形外科学会，日本リハビリテーション医学会（1995）による足関節および足部における運動の定義が広く使用されているが，英語圏および英語文献での定義と異なっていた．そのため，書籍・雑誌の引用や翻訳の際に混乱を招いていた．しかし今回，日本足の外科学会が作成した「足関節・足部・趾の運動に関する新たな用語案」をもとに，「関節可動域表示ならびに測定法」が改訂される運びとなった．長年使用してきた用語が変更されることに対しては，臨床に従事する医療・保健・福祉の専門職，そして教育現場の方々にとって，ショッキングなことといえる．このような背景から，「第２刷」ではなく「第２版」として発行する運びとなったのである．

第１版執筆時には細心の注意を払ったつもりではあったが，やはり（？）誤植はあるもの．開き直るつもりはないが，この機会により学生目線で本文の修正・加筆をすることとした．またわずかではあるが，図表を追加した．現時点で可能な修正・加筆を時間の許す限り行ったつもりではあるが，まだまだ不備も散見することが予想される．手に取っていただいた方から，ご意見，ご指摘をいただければと思っている．

最後に，本書の編集にあたっては多くの方々のお力をいただいている．谷田惣亮先生，宇於崎 孝先生，高田雄一先生，そして同僚の中俣 修先生には，授業中に学生が簡単な実技を行えるように設けた「Let’s Try」，臨床医学に接続するための「臨床で重要！」の執筆協力，そして本文に対する助言，アドバイスをいただき，大変感謝している．また，私の意見に耳を傾けたうえで，適切な助言をいただいた羊土社編集部の冨塚達也氏，望月恭彰氏に深謝する．

2021年12月

山﨑　敦

PT・OTビジュアルテキスト 専門基礎

運動学 第2版

contents

第3章　上肢帯・上肢の構造と運動

第4章　頭部・顔面の構造と運動

第5章　体軸骨格・骨盤帯の構造と運動

第6章 下肢帯・下肢の構造と運動

第7章 姿勢

第8章 正常歩行

巻末付録

Let'sTry

臨床で重要！

正誤表・更新情報

https://www.yodosha.co.jp/textbook/book/7059/index.html

本書発行後に変更，更新，追加された情報や，訂正箇所のある場合は，上記のページ中ほどの「正誤表・更新情報」を随時更新しお知らせします．

お問い合わせ

https://www.yodosha.co.jp/textbook/inquiry/other.html

本書に関するご意見・ご感想や，弊社の教科書に関するお問い合わせは上記のリンク先からお願いします．

PT・OT ビジュアルテキスト 専門基礎

運動学

第2版

第 1 章

身体運動学の基礎

学習のポイント

- バイオメカニクス（生体力学）の基本概念を認識する
- 身体運動の表記に必要な基礎知識を理解する
- 身体運動に影響を与える力について説明できる
- 身体運動とモーメントの関係について説明できる

1 身体運動の捉え方

1）基本肢位

- 骨や関節，筋などの運動器によってなされる身体運動を研究する学問を**身体運動学**という．このうち，運動を時空間で記述する学問を**運動学**，運動を引き起こす力を対象にした学問を**運動力学**という．
- 運動学は取り扱う対象の違いから，2つに分類される．対象が骨体の運動（骨運動）であれば**骨運動学**，関節面に生じる運動（関節包内運動）であれば**関節運動学**という．

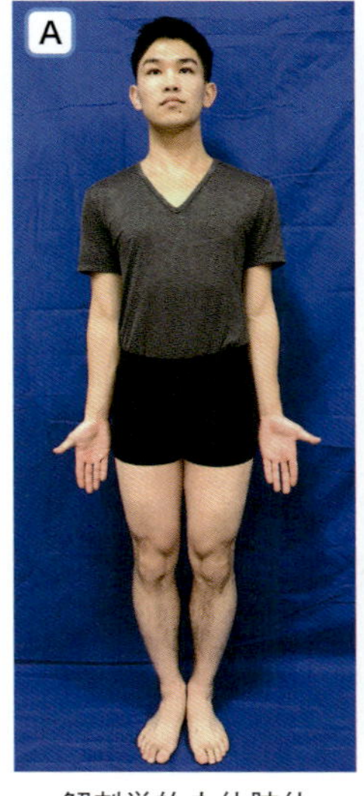

解剖学的立位肢位

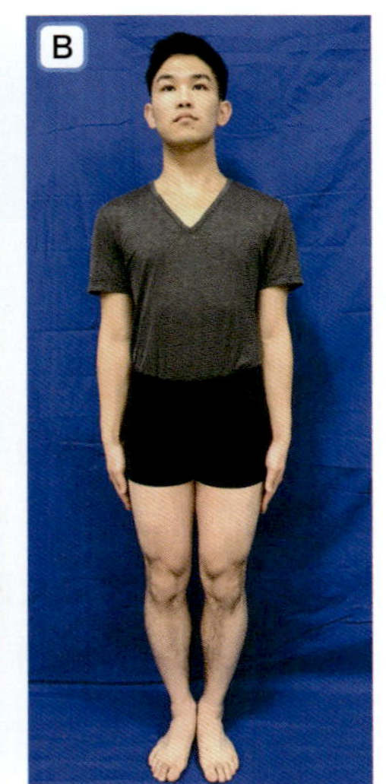

基本的立位肢位

図 1-1 基本肢位

- 身体の相対的位置の時間的変化を表現するためには，その基準となる姿勢を定義する必要がある．これを**基本肢位**という（図1-1）．
- 体幹正中位で顔面を正面に向け，上肢は手掌を前方に向けて下垂し，下肢は平行にして足趾（そくし）を前方に向けた直立位を**解剖学的立位肢位**，あるいは解剖学的正位という．解剖学における内側－外側，腹側（前方）－背側（後方），頭側（上方）－尾側（下方）といった表現は，この肢位を基準にしている．
- もう1つの基本肢位を**基本的立位肢位**というが，解剖学的立位肢位との違いは手掌面が体側に向いている点にある．運動学で用いるのは，基本的立位肢位である．
- 身体が重力の方向とどのような関係にあるかを示すものを**体位**という．

Let'sTry 主な体位を確認しよう

寝た状態を**臥位**（がい）というが，身体の背側を下にした臥位を**背臥位**もしくは**仰臥位**，腹側を下にした臥位を**腹臥位**という．また，腹臥位と背臥位との中間の状態で横向きに寝た臥位を**側臥位**という．なお，体幹を起こし主に殿部で体重を支持する体位を**座位**というが，特に椅子に腰かけた座位は椅座位（きざい）ともよばれる．さらには，足をまっすぐに投げ出し床面に座った座位を**長座位**という．一方，足底で支持して立った体位を**立位**という．

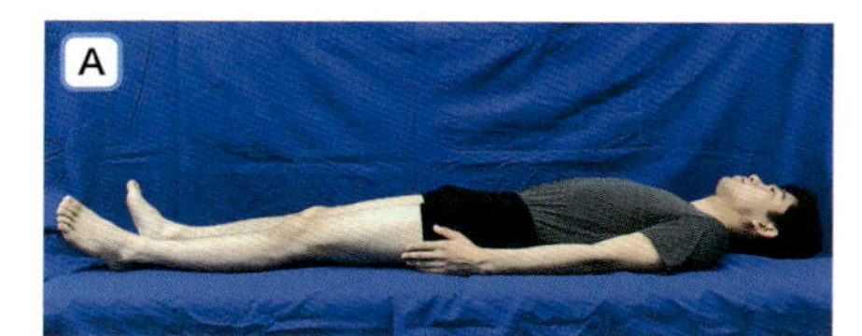

背臥位

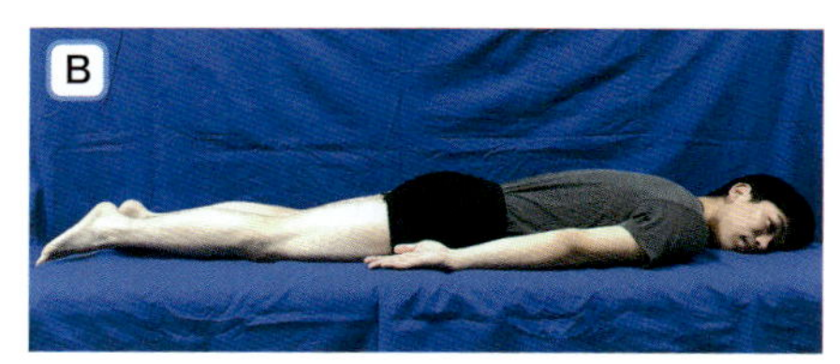

腹臥位

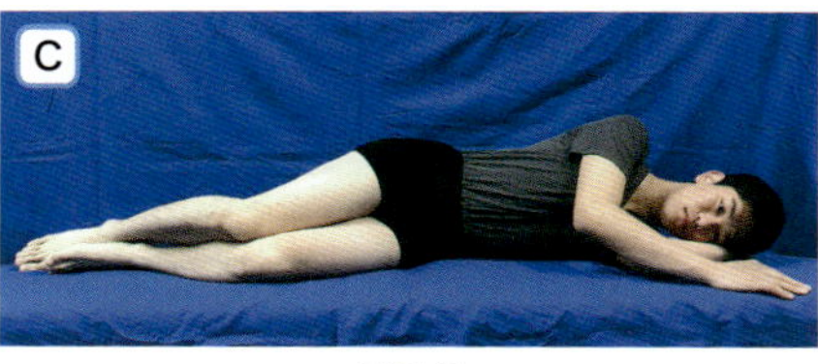

側臥位

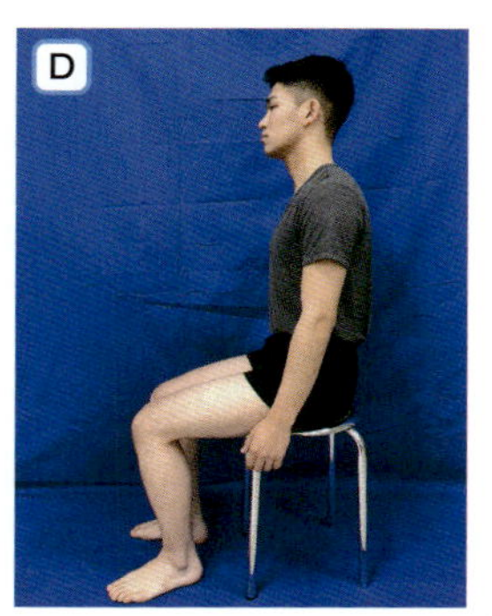

座位

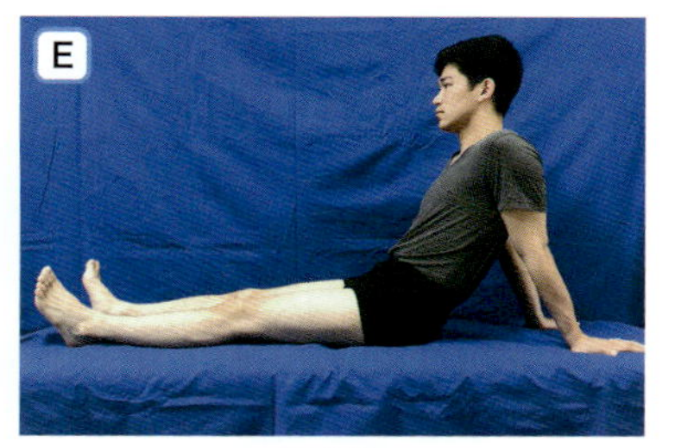

長座位

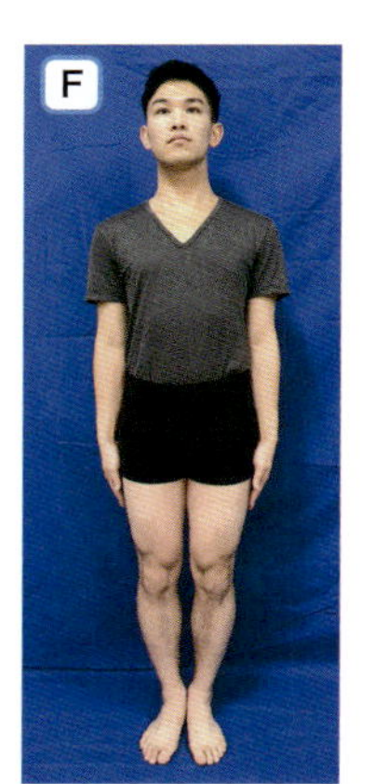

立位

図1-2　主な体位

2）運動と変位

- 空間内における物体のある場所を**位置**という．また，物体の位置の時間的変化を**運動**という．物体が運動を行い，最初の位置から他の位置に移動した場合の変化量は**変位**と称される．
- 自然科学分野で運動を捉える場合には，並進運動と回転運動に大別される（図1-3）．
- **並進運動**とは，物体上のすべての点が平行に同じ距離を移動する運動である．並進運動には，物体の移動軌跡が直線の場合と曲線の場合がある．
- 一方，物体上のすべての点が空間に固定された回転中心のまわりを回転する運動を**回転運動**という．このときの物体の移動軌跡は，円弧上の曲線となる．

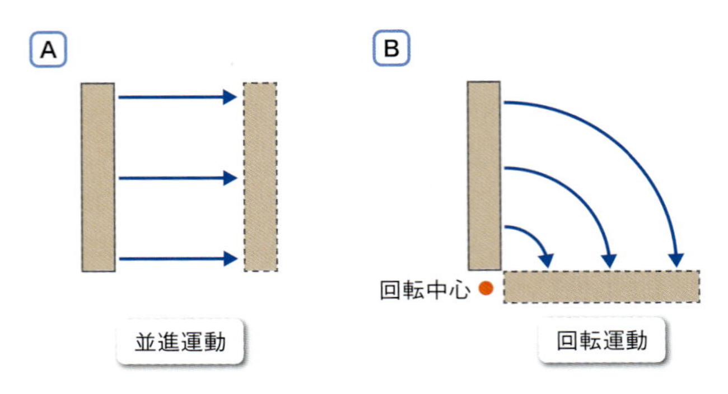

図1-3　並進運動と回転運動

並進運動では，物体上のすべての点が平行に同じ距離を移動する．一方の回転運動では，物体上のすべての点が空間に固定された回転中心を軸として回転する．

- 物体の移動軌跡が直線である運動（直線運動）を行った場合，単位時間あたりの変位は，**速度**として示される．また，単位時間あたりの速度の変化量を**加速度**という．静止している物体が運動を行って静止するまでの変位と速度，加速度の関係を図1-4に示す．
- これに対して，物体が回転運動を行った場合の変位は角度で表現される．単位時間あたりの角度の変化量を**角速度**，単位時間あたりの角速度の変化量を**角加速度**という．

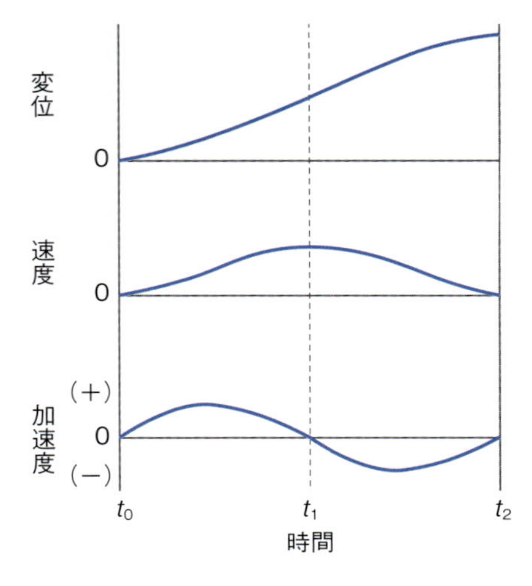

図1-4　直線運動における変位，速度，加速度

物体が静止している状態（t_0）から運動を開始して，再び静止するまで（t_2）の運動を行った場合のグラフを示す．運動の前半では速度が増加するため，正の加速度を示す．後半では速度が減少するため，負の加速度を示す．なお，速度が最大となる時点（t_1）では，加速度がゼロとなる．

臨床で重要！

関節運動時に生じる並進・回転運動

人体の多くの関節では，回転運動と並進運動が複合した運動が生じている．回転中心を軸とした回転運動では，骨の変位はみられない（A）．このとき，並進運動が同時に生じると骨の変位が生じる（B）．この例では上方への移動が示されている．

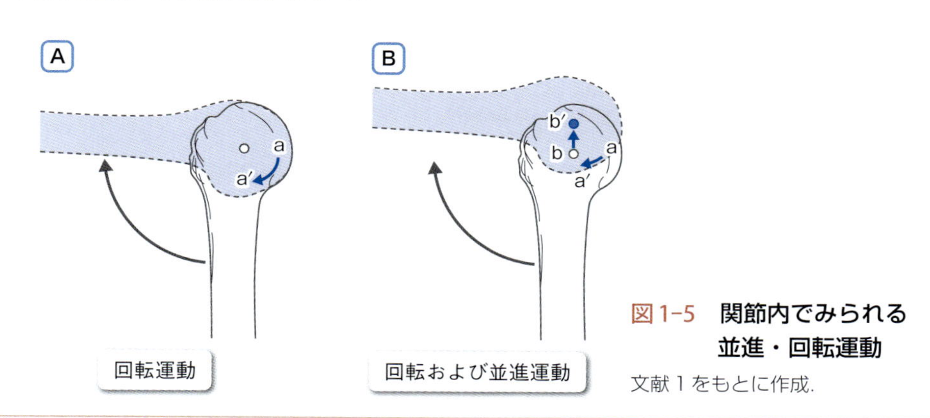

図1-5　関節内でみられる並進・回転運動

文献1をもとに作成．

3）運動の面と軸

- 動作を構成する各体節の位置変化が運動である．その記述は，頭部，体幹，四肢の各部分の相対的位置関係で表現するが，これを**構え**という（例：肩関節90°屈曲位）．
- 身体運動を表現するためには，三次元での座標系が必要となる．3つの**運動面**を規定し，それぞれの面に直交する直線を**運動軸**として捉える（図1-6）．身体運動は複雑であるため，空間における運動を運動面に投影して表現することが一般的である．
- 床面に対して垂直で左右に二分する面を**矢状面**（しじょう）という．この面に直交する左右方向の運動軸を**前額軸**（前額－水平軸）という．屈曲－伸展運動は，原則として矢状面上の運動になる．
- 床面に対して垂直で前後に二分する面を**前額面**あるいは冠状面という．この面に直交する前後方向の運動軸を**矢状軸**（矢状－水平軸）という．外転－内転運動は，原則として前額面上の運動になる．
- 床面に対して平行で上下に二分する面を**水平面**という．この面に直交する上下方向の運動軸を**垂直軸**という．外旋－内旋運動は，原則として水平面上の運動になる．
- これら3つの面が身体重心の位置で相互に直交する場合には，特に身体の**基本面**という．つまり，基本矢状面，基本前額面，基本水平面がこれに相当する．
- 一部の関節運動では特別な表現，あるいは複合運動としての表現が存在する．前腕の回内－回外，足部の回内－回外などがその例である．

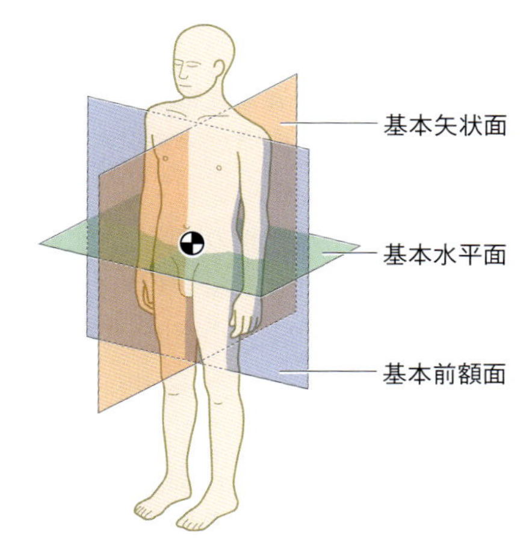

図1-6　身体の運動面

身体重心（◐）の位置で3つの面が直交する場合にのみ，身体の基本面と表現する．それぞれの基本面に平行な面は単に，矢状面，前額面，水平面という．

Let'sTry 肩関節における運動の面と軸を確認しよう

上肢を前方に挙上する運動を**屈曲**，後方に挙上する運動を**伸展**という．この場合の運動面は矢状面，運動軸は前額軸となる（A）．また，上肢を外側に挙上する運動を**外転**，内側に近づける運動を**内転**という．この場合の運動面は前額面，運動軸は矢状軸となる（B）．さらには，上肢の前面が外側へ向く運動を**外旋**，内側へ向く運動を**内旋**という（肘関節が屈曲した状態での肩関節の運動）．この場合の運動面は水平面，運動軸は垂直軸となる（C）．

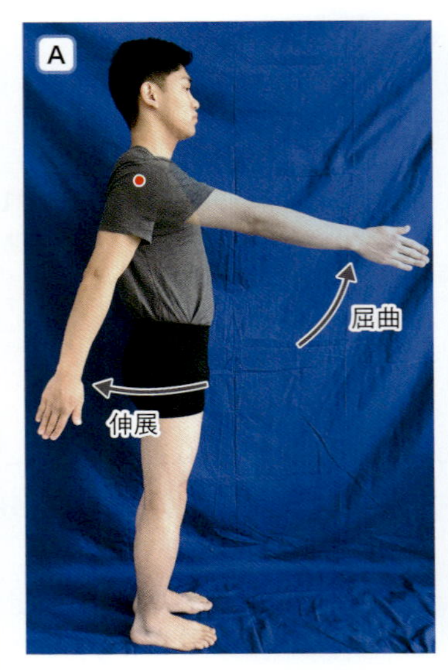

前額軸による矢状面での運動

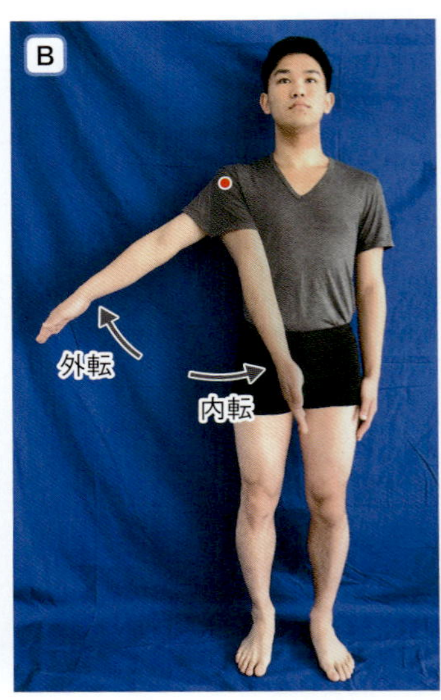

矢状軸による前額面での運動

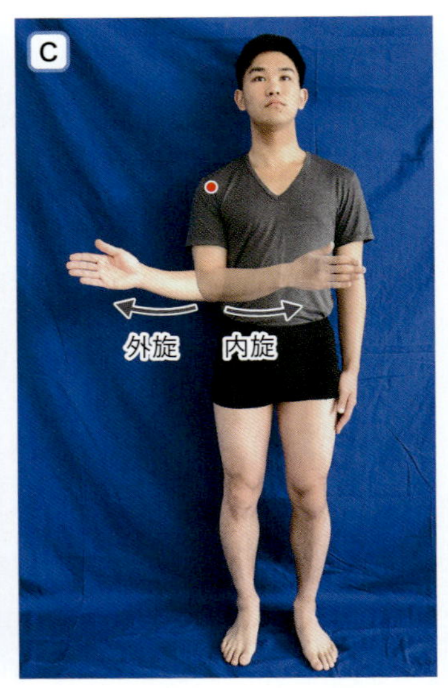

垂直軸による水平面での運動

図1-7 **運動の面と軸**

4）運動連鎖

- **運動連鎖**とは，複合した運動単位が構成する一連の関節運動によって決定される共同した運動を意味する．ヒトの動作の多くは，1つの関節が単独で運動することは少なく，複数の関節が連動して運動がなされる．この運動連鎖は2つに大別される．
- 末梢の関節が自由な状態にあるものを**開放運動連鎖**（open kinetic chain：OKC）という．手を振る動作は，肩関節，肘関節，手関節による開放運動連鎖である．
- 末梢の関節が自由運動を抑制する大きな外部抵抗を受けるものを**閉鎖運動連鎖**（closed kinetic chain：CKC）という．閉鎖運動連鎖は，外部抵抗の大きさによって運動様式が変化する．
- カートを押す動作や自転車のペダリング動作は，外部抵抗に打ち勝って運動をなす閉鎖運動連鎖である．一方，鉄棒での懸垂や腕立て伏せは，絶対的な外部抵抗により中枢側の関節が運動をなす閉鎖運動連鎖である．

Let'sTry 膝関節運動をとおして運動連鎖を体感しよう

大腿前面に位置する大腿四頭筋（膝関節伸展筋）のエクササイズを示す．膝関節に作用する負荷が大きく異なるため，発揮する大腿四頭筋の筋力にも差異が生じる．開放運動連鎖では，膝関節よりも遠位部（下腿および足）の重さに抗した運動になる（A）．一方の閉鎖運動連鎖では，膝関節よりも近位部（主に上半身）の重さに抗した運動になる（B）．つまり，AよりもBの方がより大きな大腿四頭筋の活動が必要となるため，大腿前面がつらいと感じる．

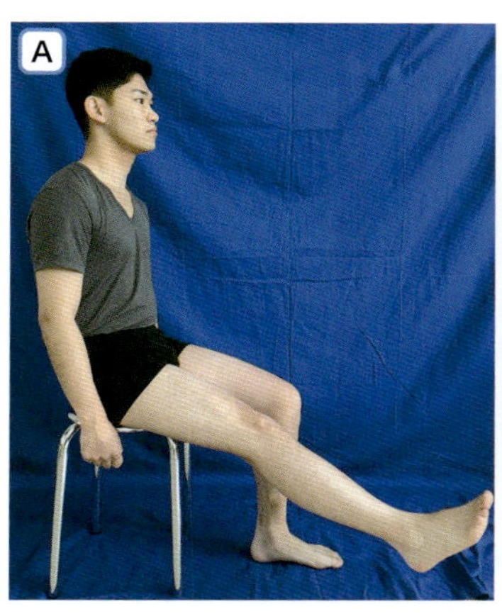

開放運動連鎖

閉鎖運動連鎖

図1-8　臨床場面にみられる運動連鎖

2 運動力学

1）力の概念

- **力**とは，運動を引き起こしたり変化させたりする能力のある量である．静止した物体に力を加えると運動が開始され，運動中の物体に力を加えると運動に変化が生じる．
- 力の単位はニュートン（N）である．1 Nは，質量1 kgの物体に1 m/s^{2}の加速度を生じさせる力の大きさに相当する．わが国では，kg重あるいはkgw（kilogram–weight），kgf（kilogram–force）とも表現する．
- 質量と重量は概念が異なるため，区別する必要がある．**質量**は物体を構成する物質の量をあらわし，その単位はkgである．一方の**重量**は，物体に作用する重力とよばれる力（重さ）であり，質量と重力加速度の積となる．地球における重力加速度は9.8 m/s^{2}であるため，質量1 kgの物体に作用する力は9.8 Nになる．なお，9.8 Nは1 kg重に相当する．
- 力は大きさと向きをもっている．力や速度のように大きさに向きを付加した量を**ベクトル**という．多くの場合，ベクトルは矢印を用いて表現するが，この矢印を含めた直線を力の**作用線**という（図1-9）．これに対して，大きさだけをあらわす量を**スカラー**といい，時間や温度がその例である．
- ベクトルの合成は，平行四辺形法や三角形法を用いることで可能となる（図1-10）．物体に作用する複数の力を合成力として表現する際には，ベクトルの合成を行う．合成した後のベクトルは合成ベクトルと称される．

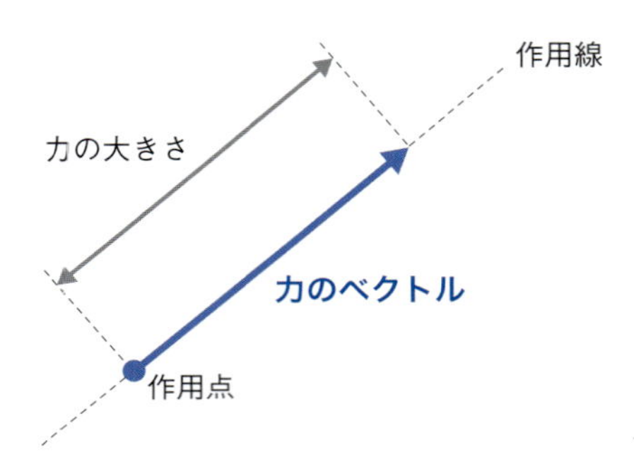

図 1-9　ベクトルの図式

力の大きさ，向き，作用点を力の３要素という．力の大きさは矢印の長さで，力の方向は矢印の向きで示される．力の作用する起点が作用点となり，この点から矢印を引く．また，ベクトルの延長線を作用線という．なお作用線上において作用点を移動させても，力が物体に及ぼす働きは変化しない．

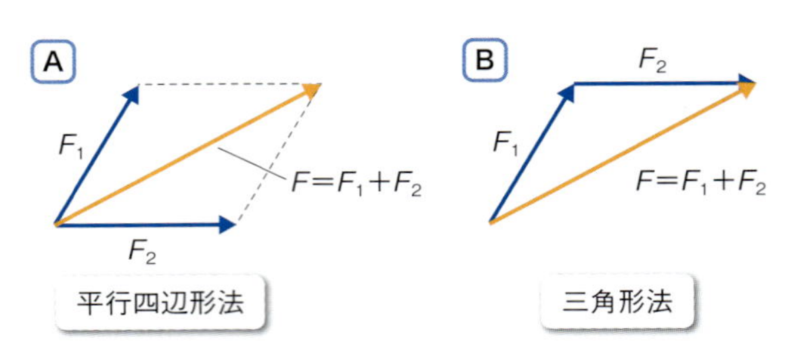

図 1-10　ベクトルの合成

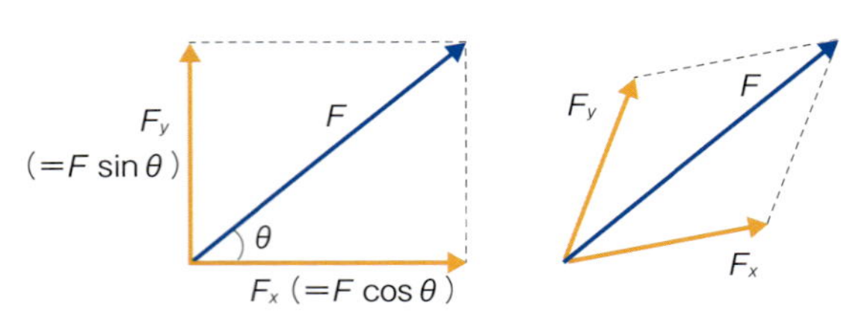

図 1-11　ベクトルの分解

- 平行四辺形法を用いることで，ベクトルを分解することも可能である（図1-11）．垂直・水平方向への2つのベクトルに分解する場合には，長方形を利用する．このとき，ベクトルがx軸となす角度（θ）がわかっていれば，三角関数を用いて$F_x = F\cos\theta$，$F_y = F\sin\theta$と表現できる．

臨床で重要！

斜面台に乗った際に作用する力

下肢の骨折に対する手術後の患者においては，手術による固定性や骨折治癒の状況に応じて少しずつ下肢に体重をかけることがある．多くの場合，平行棒を用いてまずは練習を行うが，自力で立位をとることが困難な場合においては斜面台を利用することがある．この場合の荷重量は，三角関数を用いて算出することができる．斜面台の角度がθであった場合，体重によって生じる力Wが地球の中心に向かって作用する．このベクトルを分解すると，ベッド面を押す力$W\cos\theta$（垂直分力）と，ベッドを滑り落ちようとする力$W\sin\theta$（水平分力）に分解される．この$W\sin\theta$が下肢への荷重量となる．つまり30°の傾斜で体重の50％，45°で体重の約70％，60°で約87％の荷重が可能となる．

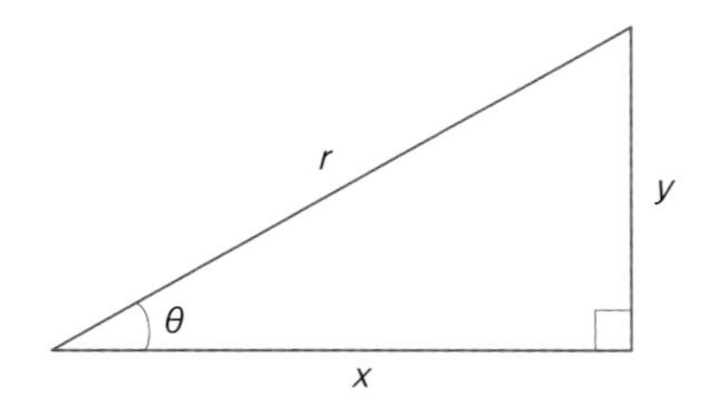

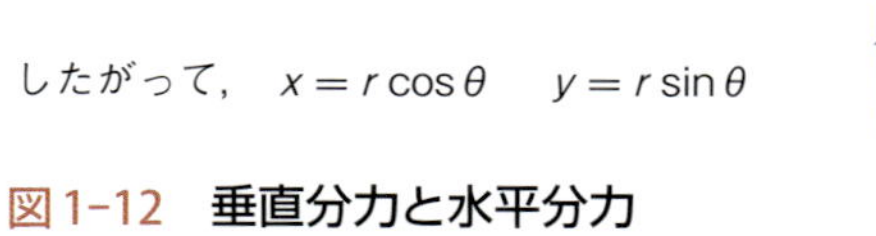

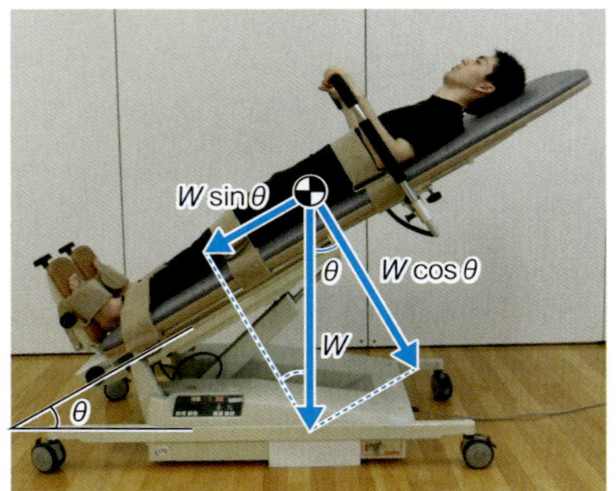

図 1-12　垂直分力と水平分力

2）力と運動

- ニュートンは力と運動の関係を体系化し，3つの法則にまとめた．この法則は，運動力学を理解するために不可欠である．
- 物体が運動状態を変えることに抵抗する性質を**慣性**という．そのため，物体に外力が作用しなければ，静止している物体は静止し続け，運動している物体は等速直線運動を行う．この法則を**運動の第1法則**，あるいは**慣性の法則**という．静止時はもちろん，等速直線運動では，時間あたりの速度の変化量である**加速度**はゼロである．
- 物体に力が作用すると力の方向に加速度を生じるが，この加速度はその物体が受ける力に比例し，物体の質量に反比例する．この法則を**運動の第2法則**，あるいは**運動の法則**という．したがって，力F，質量m，加速度aの関係は，以下の式（運動方程式）であらわされる．

  ▶ $F = ma$

- すべての作用に対して等しく，かつ反対向きの反作用が常に存在する．言い換えれば，あらゆる力に対して，同じ大きさで反対向きの力が必ず働く．この法則を**運動の第3法則**，あるいは**作用反作用の法則**という．
- 運動に伴い，身体にはさまざまな力が作用する（図1-13）．このとき，物体に加えられた単位面積あたりの力を**応力**あるいはストレスという．応力は重力や外からの負荷による**外力**によって生じる場合と，身体内部で産生される**内力**で生じる場合がある．内力には，筋の収縮によって生じる自動的内力と，靱帯や関節周囲組織の弾性によって生じる他動的内力がある．

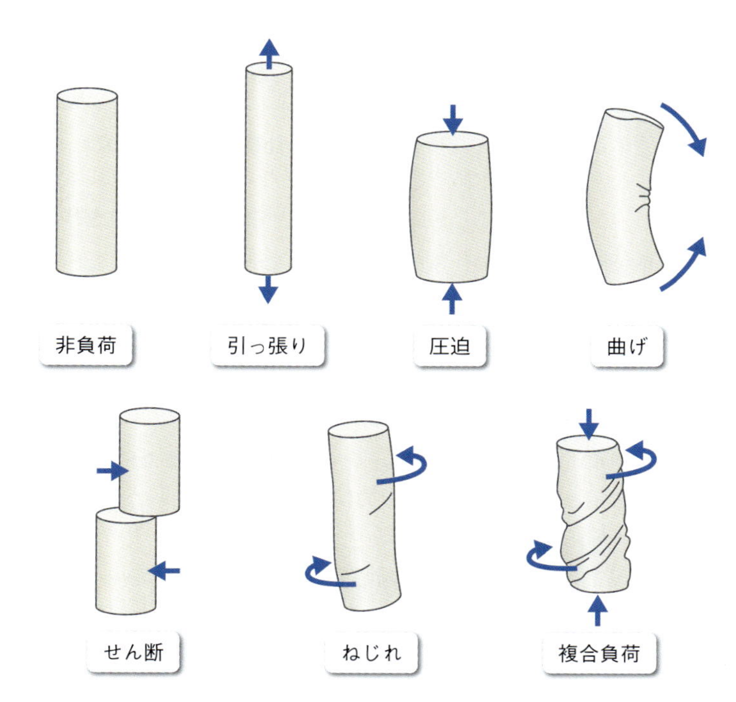

図1-13　さまざまな負荷様式

外的な応力（外力）あるいは内的な応力（内力）によって物体に作用する負荷には，さまざまな様式がある．引っ張り（張力），圧迫（圧縮），曲げ，せん断，ねじれを基本とするが，多くの場合には組合せによる負荷（複合負荷）が作用する．

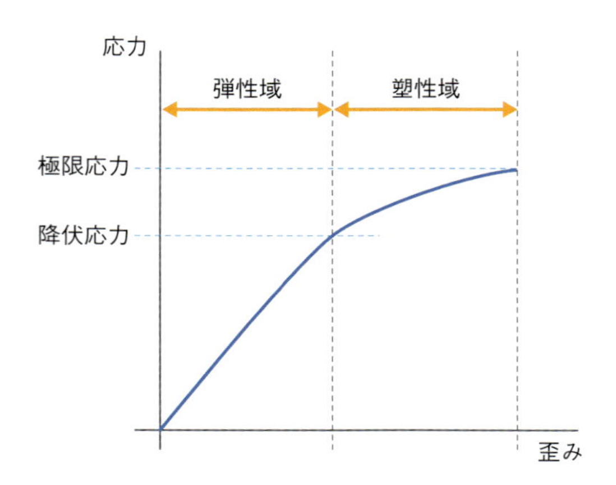

図 1-14　応力－歪み曲線

物体に作用する力が降伏応力以下であった場合を弾性域といい，応力が除かれると元の状態に戻る（変形は残らない）．しかし，降伏応力を超えると塑性域に達し，応力が除かれても永久的に歪みが残存する（塑性変形）．さらに負荷を大きくして極限応力を超えると，その物体は破壊される．この特性は，物体の弾性率（ヤング率）で大きく異なる．

- 弾性域内での応力では，組織に歪(ゆが)みが生じても応力が除かれると元の状態に戻る．しかし応力が増大すると，応力が除かれても永久的に歪みが残存するが，これを**塑性**(そせい)という．生体においては，骨折や靱帯断裂などがその例としてあげられ，物理学的には塑性変形あるいは破壊を意味する（図 1-14）．

3）仕事とエネルギー

- 物体に力を加えて変位させることを**仕事**という．仕事は，力と変位した距離の積として求めることができるため，その単位はニュートン・メートル（N・m）となる．しかし，ジュール（J）と表現することが多い．1 Nの力で1 mだけ物体を移動させたときの仕事は1 Jとなる．
- 単位時間あたりの仕事の量が**仕事率**である．**パワー**とも称される仕事率の単位はワット（W）である．1秒間に1 Jの仕事をしたときの仕事率が1 Wである．
- 物体がもつ仕事をする能力を**エネルギー**という．つまり，エネルギーをもつ物体は，仕事をする能力をもっていることになる．仕事の総量とエネルギーの総量は等しく，単位も仕事と同じジュール（J）を用いる．
- エネルギーには，熱，電気，化学など，さまざまな種類がある．このうち，力学的な量によって決定されるエネルギーを**力学的エネルギー**という．力学的エネルギーは，運動エネルギーと位置エネルギーからなる．
- **運動エネルギー**とは，運動している物体がもつエネルギーである．速い運動をするほど，運動エネルギーは大きくなる．物体が静止している状態での運動エネルギーはゼロになる．物体の質量をm，速度をvとした場合，運動エネルギー（KE）は以下の式で算出される（詳細は成書を参照）．

  ▶ $KE = \frac{1}{2}mv^2$
- **位置エネルギー**とは，物体がその占める位置のためにもっているエネルギーである．物体が高い位置にあるほど位置エネルギーは大きくなり，高さがゼロの場合に位置エネルギーはゼロとなる．物体の質量をm，重力加速度をg，基準点からの高さをhとした場合，位置エネ

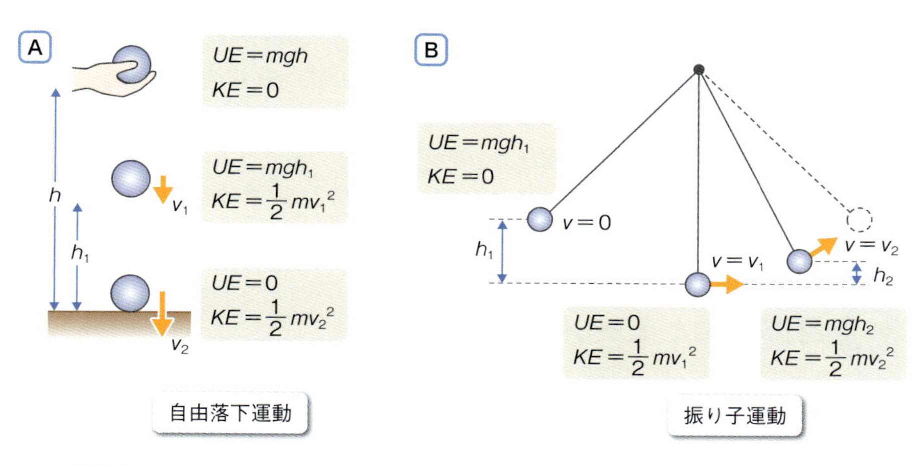

図1-15　力学的エネルギー保存の法則

運動エネルギーと位置エネルギーを合わせたものを力学的エネルギーという．非保存力（摩擦力，空気抵抗など）が物体に作用しない場合には，運動エネルギーと位置エネルギーの総和は一定である．文献2をもとに作成．

ルギー（*UE*）は以下の式で算出される（詳細は成書を参照）．

▶ $UE = mgh$

- その力による位置エネルギーが定義できる力を**保存力**（重力や弾性力など）といい，それ以外の力を**非保存力**という．摩擦力や空気抵抗などの非保存力が物体に作用しない場合，つまり保存力のみを受けて運動を行う場合には，運動エネルギーと位置エネルギーの和（力学的エネルギー）は一定に保たれる．これを**力学的エネルギー保存の法則**という（図1-15）．

4）力と滑車

- 滑車は，軸のまわりを回転することができる円板であり，力の方向や大きさを変えることができる．このうち，軸が固定されているものを**定滑車**，固定されていないものを**動滑車**という（図1-16）．

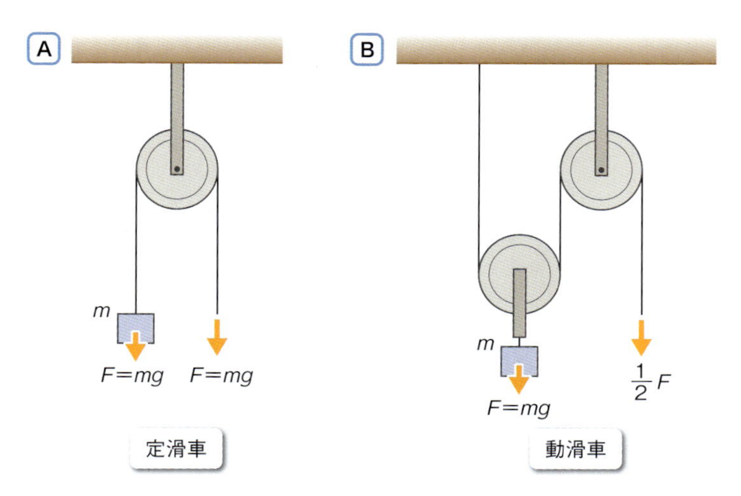

図1-16　定滑車と動滑車

質量mの物体を定滑車で吊り下げる場合，つり合うための力Fは質量mと重力加速度gの積となる．しかし，動滑車を利用した場合には，力が半分でつり合う．

- 定滑車は，力の大きさは変化しないものの，力の方向を変えることができる．一方の動滑車は，力の大きさを減少させることができるが，長い距離を引く必要がある．つまり力が半減すれば，距離は2倍になる．
- 前述したように，仕事は力と変位した距離の積で求められる．つまり，動滑車を用いて力が半減して力学的に有利になっても，距離は2倍になるので仕事の量としては変化がない．

3 身体運動とモーメント

1）力のモーメント

- 多くの身体運動は，関節によって生じる回転運動による．この運動を考える際には，各体節を剛体として捉える必要がある．**剛体**とは，外力が加わっても形や大きさの変わらない力学上の仮想的な物体を意味する．
- ある回転軸のまわりに剛体を回転させる作用の大きさを**力のモーメント**という．工学では**トルク**とも表現されるが，一般には同義語として使用されている．
- 回転軸で固定されている物体に力が作用した場合には，物体に回転運動が生じる．もしその物体が回転していた場合には，その回転速度に変化が生じる．この回転運動に影響を与える要素には，①力の大きさ，②力の向き，③モーメントアームがある．**モーメントアーム**は，回転軸から力の作用線までの垂直距離であり，**レバーアーム**ともよばれる（図1-17）．
- 力のモーメントは，力の大きさとモーメントアームの積で算出される．その単位は，ニュートン・メートル（N・m）である．物体を回転させる向きを明示する際には，反時計まわりのときを正とし，時計まわりのときを負とする．
- また，回転運動においても慣性の影響が及ぶ．回転運動の角速度変化に対して抵抗性を示す量を**慣性モーメント**という．並進運動とは異なり，慣性モーメントには質量だけでなく，回転軸まわりの質量分布が大きく影響する．質量が同じであっても，回転軸からの距離が長いほど，慣性モーメントは大きくなる（図1-18）．

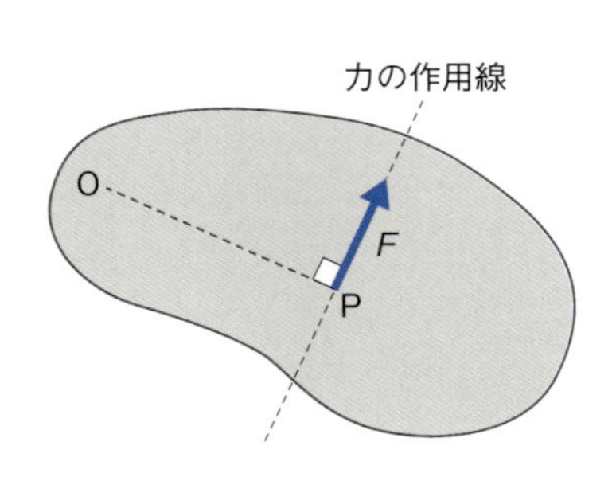

図1-17　剛体に作用する力のモーメント

回転軸（O）が固定されている物体に力（*F*）が作用した場合，物体に回転運動が生じる．このときのモーメントアームは，直線OPとなる．

図1-18　慣性モーメント

フィギュアスケートのジャンプ動作では，左図のように上肢を回転軸の存在する体幹に近づけて回転すると慣性モーメントが小さくなり，回転速度が速くなる．

2）重心

- 物体の質量の正確な中心とみなせる点を**質量中心**（COM：center of mass）という．しかし，重力の影響を受ける場面においては重心と称することが多い．**重心**（COG：center of gravity）は，物体の各部に働く重力をただ1つの力で代表させるとき，それが作用する点である．
- 剛体における重心は定点であるため，位置や方向を変化させても重心の位置は変化しない．また，剛体に作用する重力はすべて重心に集中していると考えることができる．したがって，重心においては重力のモーメントがゼロとなる．
- 剛体でない物質の重心は定点でないため，変形によって移動する．静止立位におけるヒトの重心は骨盤内に存在する．しかしヒトの身体は剛体でないため，姿勢によっては身体外に重心が変位することもある（図1-19）．
- 重心から地球の中心に向かう仮想の直線を**重心線**という．また，物体が床面と接触している部分から生じる反力を**床反力**という．歩行などの身体運動では，床面から足底に作用する力となる．
- 床反力のベクトル，すなわち床反力ベクトルの起始部を，**床反力作用点**（COP：center of pressure），あるいは足圧中心という．静止した剛体においては，重心線上に床反力作用点が一致する．また，重力によるベクトルとこれに対する垂直抗力である床反力ベクトルは，大きさが同じである（図1-20）．

図1-19　姿勢変化に伴う重心の移動
立位におけるヒトの重心（⊕）は骨盤内に存在する．しかし姿勢によっては，身体外に重心が変位することもある．

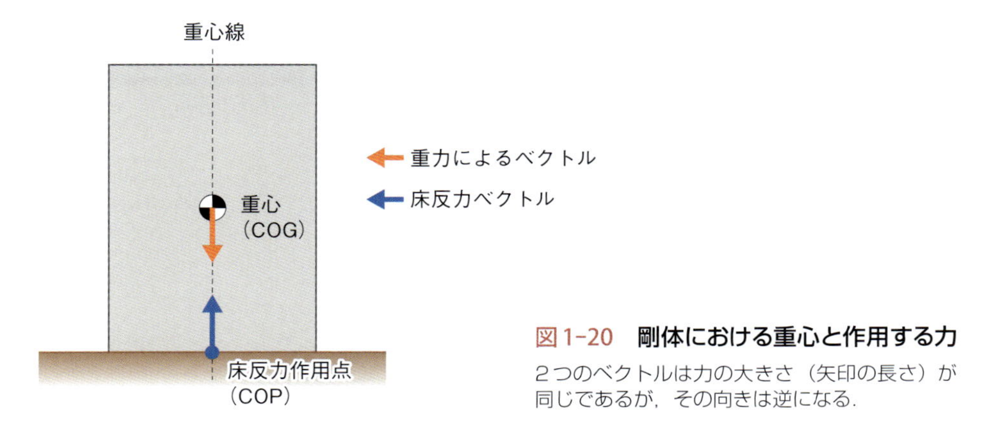

図1-20　剛体における重心と作用する力
2つのベクトルは力の大きさ（矢印の長さ）が同じであるが，その向きは逆になる．

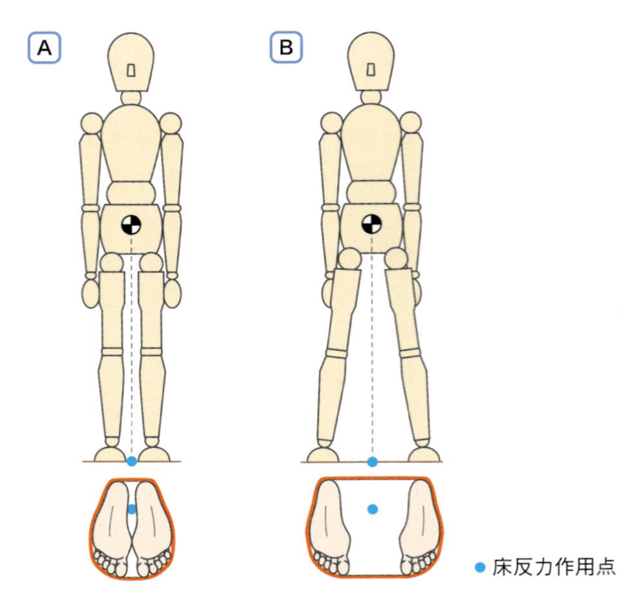

図 1-21　**静止立位時の支持基底面**

床面と接している足部の面積が同じであっても，足の幅を広げて立つことで支持基底面（赤の領域）は広くなる．したがって，足を閉じているより軽く開いた方が，立位の安定性は高まる．

- 隣接する接触面の外周によってつくられる領域を**支持基底面**という（図 1-21）．一般に，支持基底面は広い方が安定性は高まる．なお，静止している物体では，重心線は常に支持基底面内に投影されている．重心線が支持基底面の中心に存在するほど，安定性は高くなる．

臨床で重要！

歩行時にみられる床反力

歩行において，踵を接地した際には接触面から無数の床反力ベクトルが生じる．これらを1つにまとめた合成ベクトルを単に，床反力ベクトルと称する．床反力は三次元での座標系に存在する合成ベクトルであるため，前後，側方，垂直分力に分けることが可能である．この床反力ベクトルと関節位置を計測することにより，後述する関節モーメントや関節応力の算出が可能になる．

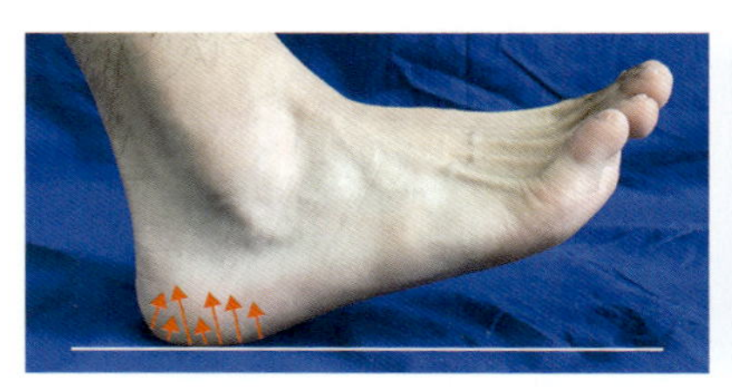

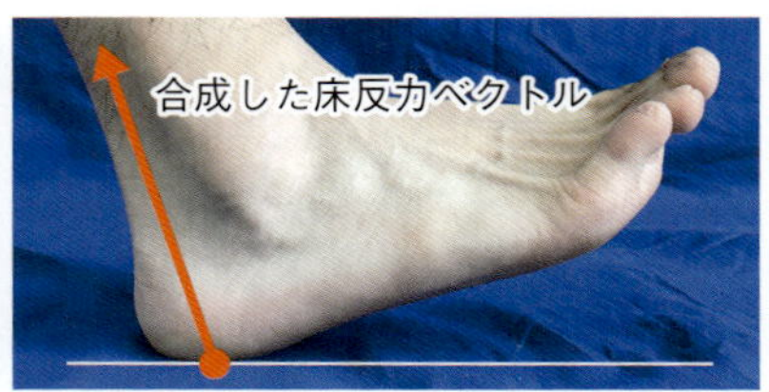

図 1-22　**踵が床面に接した際の床反力**

4 身体運動とてこ

1）3種類のてこ

- **てこ**は，てこを支え回転の中心になる**支点**，てこに力を加える**力点**，そして加えた力が働く**作用点**（荷重点）からなる．支点から作用点までの距離，支点から力点までの距離は，それぞれのモーメントアームとなる．てこには3つの種類がある（図1-23）．
- **第1のてこ**は，支点が力点と作用点の間にあるてこである．バランスのてことも称され，その特徴は安定性にある．
- 作用点が支点と力点の間にあるてこは，**第2のてこ**である．支点から力点までの距離が，支点から作用点までの距離よりも長いため，力に有利なてこである．
- 力点が支点と作用点の間にあるてこは，**第3のてこ**である．人体にみられるてこの大部分は，この第3のてこである．支点から作用点までの距離が，支点から力点までの距離よりも長いため，力には不利であるが速さに有利なてこである．

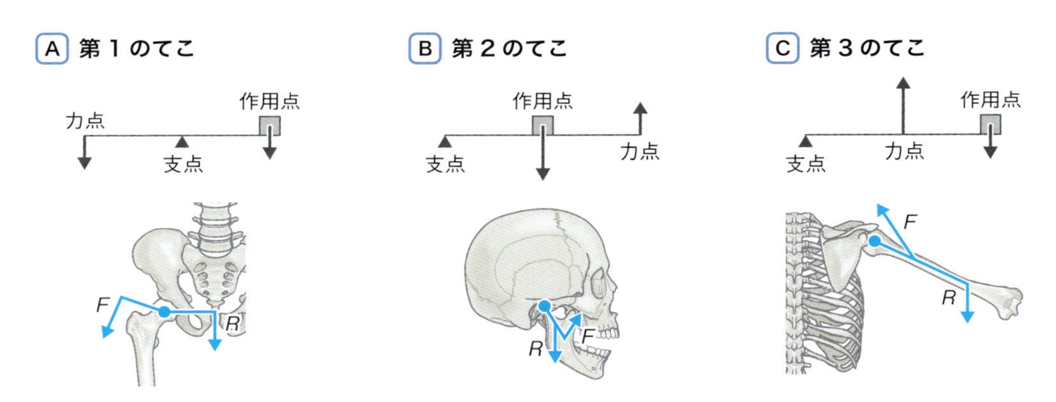

図1-23　3種類のてこ

*R*は作用点に作用する力，*F*は力点に作用する力を示す．Aの力*F*は股関節外転筋，Bの力*F*は咬筋，Cの力*F*は三角筋の筋力を意味する．文献3をもとに作成．

2）関節モーメントと関節応力

- 身体外部から加わる外力によって産生されるモーメントを**外部モーメント**という．これに対して，身体内部で生じる内力によって産生されるモーメントを**内部モーメント**という（図1-24）．この内部モーメントのなかでも，関節を回転させる力のモーメントを**関節モーメント**と称する．関節モーメントにおいても，外部関節モーメントと内部関節モーメントが存在するが，特に断りがないときには後者を指すことが一般的である．

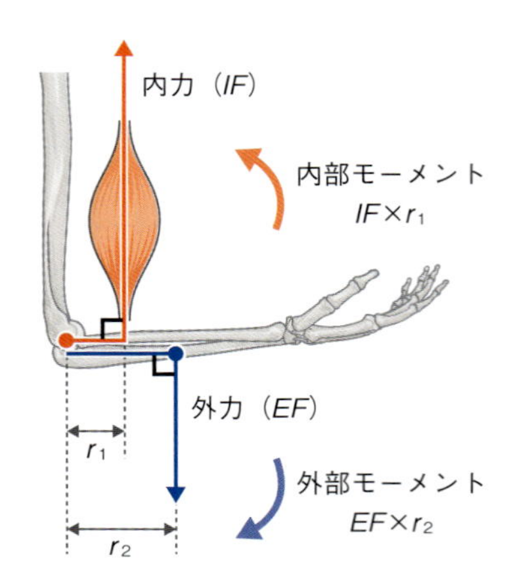

図1-24　関節に作用するモーメント

力のモーメントは，力（N）とモーメントアーム（m）の積で算出されるため，その単位はNmとなる．関節に作用する内部モーメントは反時計まわりに，外部モーメントは時計まわりに作用しているが，その大きさは同じであるため，関節運動は生じない．

臨床で重要！

モーメントアームの変化による関節モーメントへの影響

肘関節を90°屈曲位として荷物を前腕に提げるとき，遠位部（**A**）にかけるよりも近位部（**B**）にかけた方が，肘関節屈筋の筋力は少なくて済む．これは，**A**に比して**B**では外部モーメントアームが短くなったために，肘関節の外部モーメントが減少したことにより，必要とされる内力（肘関節屈筋力）を減少させることができた結果である．

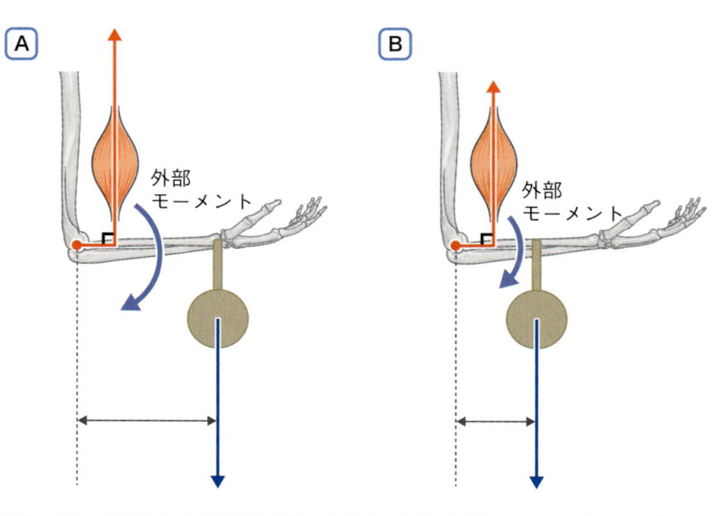

図1-25　荷物をかける位置の変化による内部モーメントの変化

- 関節に作用する外力，あるいは内力により，関節面には力が負荷される．この応力に対して，関節面に生じる抵抗力を**関節応力**という．てこで関節応力を考える場合には，力のベクトルの向きが大きく影響する．つまり，てこの支点に作用する応力が関節応力に相当する．

- 第1のてこでは，力点，作用点に作用する力のベクトルの向きの両者が，関節応力のベクトルの向きと同じになるので，そのまま力の大きさを加算すればよい．しかし第2・3のてこでは，力点に作用する力のベクトルの向きが，関節応力のベクトルの向きと同じになる（作用点に作用する力は反対）．したがって，関節面を離開させる力と考えて，その大きさを減算する必要がある（図1-26）．

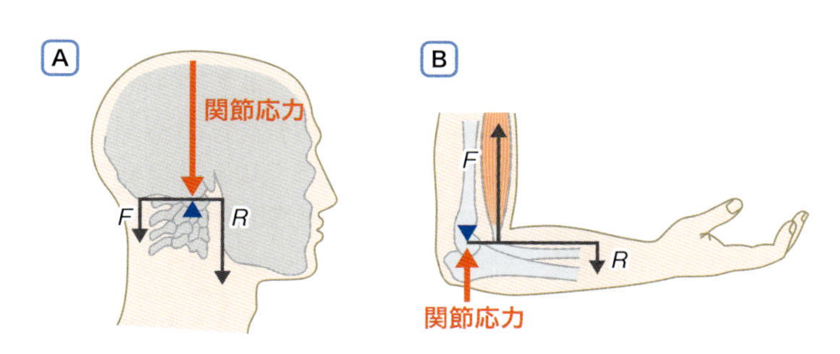

図1-26　関節応力

Aは第1のてこであり，力点と作用点に作用する2つの力が同じ方向である．したがって関節応力は$F+R$となる．Bは第3のてこであり，力点と作用点に作用する2つの力が反対方向であるため，関節応力は$F-R$となる．なお，Fは力点に作用する力，Rは作用点に作用する力，▲は支点をあらわしている．

- 一般には瞬発力と考えられている関節モーメントのパワーは，関節モーメントと関節の角速度の積で算出される（図1-27）．パワーが正の値であった場合には，筋の付着部が近づく収縮（求心性収縮）とすでに伸張された結合組織からのエネルギー放出を反映している．一方，負の値であった場合には，筋の付着部が遠ざかる収縮（遠心性収縮）と結合組織の他動的伸張を反映している．

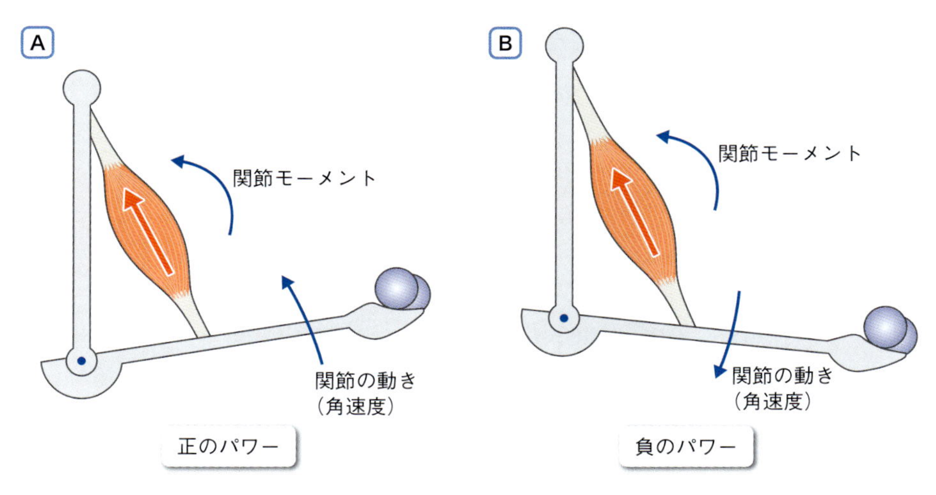

図1-27　関節モーメントのパワー

関節モーメントのパワーは，関節モーメントと関節の角速度の積で算出される．したがって，互いの符号が同じであれば正のパワー，符号が異なれば負のパワーとなる．文献4をもとに作成．

Let'sTry スクワット時の関節モーメントを体感しよう

立位を開始肢位として，ゆっくりとスクワットを行う．このとき，体幹を前傾させて足の前方で荷重を意識しながらスクワットを行うと，大腿前面への負荷を感じる．スクワット時の床反力ベクトルは，膝関節の後方を通るので外部膝関節屈曲モーメントが作用するため，身体内では内部（膝関節伸展）モーメントを産生しなくてはならない．このモーメント産生には，膝関節伸展筋（大腿四頭筋）の筋力が必要である．

次に，体幹を直立したままスクワットを行ってみよう．このとき，足の前方に荷重が大きく移動しないよう，踵に重心を落とすことを心がける．床反力ベクトルは，膝関節のより後方を通ることになるため，外部膝関節屈曲モーメントはさらに大きくなる．後方に転倒しないようにするためには，内部モーメントを増大させなくてはならないため，膝関節伸展筋（大腿四頭筋）の筋力も増大させなくてはならない．したがって，大腿前面への負荷が大きくなったことを体感できる．

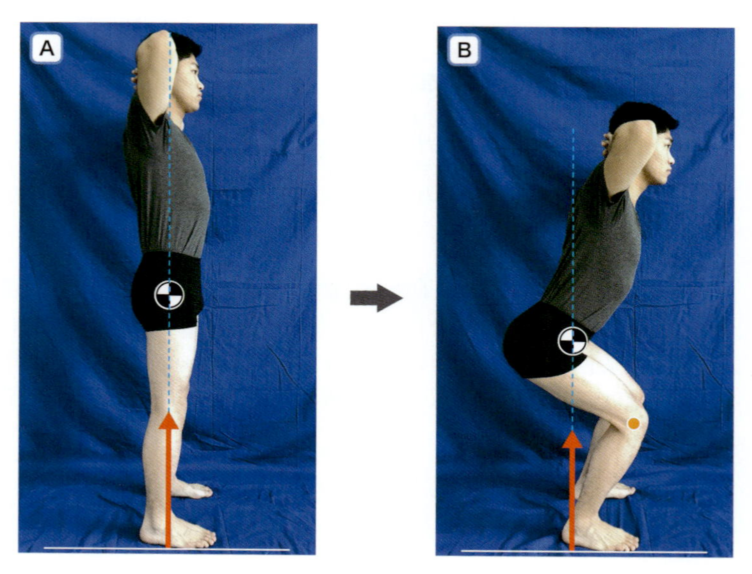

図1-28　体幹を前傾させながら行うスクワット

■ 文献

1）「オーチスのキネシオロジー 身体運動の力学と病態力学 原著第2版」（山﨑 敦，他/監訳），ラウンドフラット，2012

2）「標準理学療法学・作業療法学 専門基礎分野　運動学」（伊東 元，高橋正明/編），医学書院，2012

3）「基礎運動学 第6版」（中村隆一，他/著），医歯薬出版，2003

4）「臨床歩行計測入門」（臨床歩行分析研究会/監，江原義弘，山本澄子/編），医歯薬出版，2008

第2章

運動器の構造と機能

学習のポイント

- 骨の基本構造や機能，代謝について説明できる
- 滑膜性関節の基本構造，機能について説明できる
- 骨格筋の基本構造，興奮収縮連関の概要を説明できる
- タイプ別にみた筋線維の特徴を説明できる
- 筋収縮様式について，具体例をあげて説明できる

1 骨の構造と機能

1）骨の役割と分類

- 骨格を形成する支持組織が骨であり，一般には体重の15～18％に相当する．新生児の骨は約350個も存在するが，成人ではその一部が癒合（ゆごう）して206個となる．
- 骨の役割としては，①骨格を形成し身体を支持すること，②体腔を形成し臓器を保護すること，③骨格筋の収縮により関節を介して受動的運動に寄与すること，④カルシウムやリンなどの無機質（ミネラル）を貯蔵すること，⑤骨髄において血液を産生することがある．
- 骨はその配置から，**体軸骨格**と**付属骨格**に大別される．身体の中心に位置する頭蓋骨，椎骨，肋骨および胸骨は，体軸骨格と称される．一方の付属骨格は，上肢および下肢（四肢）の骨に相応する．
- 一方で，骨をその形状から分類することができる．一般的には，表2-1のように分類される．

表2-1　形状からみた骨の分類

	特徴	具体例
長骨	長い管状の骨で，両端は膨大した形状を示す	大腿骨，脛骨
短骨	長軸が短く，その大部分を海綿骨が占める	手根骨，足根骨
扁平骨	板状で薄い形状を示す	胸骨，頭蓋骨の一部
不規則骨	不規則で複雑な形状を示す	椎骨，肩甲骨
含気骨	外気を含む空洞を有する	蝶形骨などの副鼻腔の骨
種子骨	腱の内部に存在し，力の伝達効率を高める	膝蓋骨，豆状骨

四肢の骨に多くみられる**長骨**は，長管骨や管状骨ともよばれるが，大きさにかかわらず両端が膨大した円柱状の形態を示す．

2）骨の基本構造

- 骨の構造は，長骨を基本として捉えることが一般的である（図2-1）．長骨は，その中央部を**骨幹**，両端の膨大部を**骨端**という．骨幹の両端を特に**骨幹端**と称する．なお，長骨における骨幹を**骨体**，骨端のうちの近位部を**骨底**，遠位部を**骨頭**ともいう．
- 骨の主体をなす部分を**骨質**というが，表層部の**緻密骨**（緻密質）とより内部に位置する**海綿骨**（海綿質）に区分される．この骨質には**骨細胞**が存在するものの，骨質全体に占める割合は小さい．骨質に占める割合が多い**骨基質**（細胞間質）には，有機成分と無機成分が存在する．有機成分の主体となるのはⅠ型コラーゲンであるが，わずかながら糖タンパク質複合体である**プロテオグリカン**が存在する（⇨詳細はp.38）．一方，無機成分の主体はカルシウムとリン酸であり，その大部分はハイドロキシアパタイトとよばれる結晶構造として存在する．
- **骨膜**は，関節軟骨の表面を除くすべての骨表面を覆う結合組織であり，血管や神経が豊富に存在する．髄腔側の骨表面，つまり海綿骨の表面を覆う**内骨膜**も存在するため，特に**外骨膜**と称することもある．この骨膜と緻密骨は，発達したコラーゲン線維束からなる**シャーピー線維**によって強く結合されている．また，関節部では骨膜が関節包の線維膜に移行する（⇨図2-10）．
- 骨膜は外層の**線維層**と，内層の**骨形成層**から構成される．線維層は，線維芽細胞を含んだ線維組織の層である．一方の骨形成層は，血管に富む疎性結合組織の層であり，胚芽層とも称される．骨形成細胞を含んでおり，骨の横径の成長に大きく関与する（⇨詳細はp.31）．小児の骨形成層は厚く，血管が豊富で骨形成能も旺盛であるが，成長期を過ぎると薄くなり骨形成能も乏しくなる．
- 骨幹内部の腔所を**髄腔**という．髄腔と海綿骨の小腔内には，細網組織からなる**骨髄**が存在する．造血機能を営む骨髄は，その色調から**赤色骨髄**と称される．生後4～5歳まで骨髄はすべて赤色骨髄であるが，成長に伴い脂肪化する．視覚的に黄色を呈し造血機能を停止した骨髄は，**黄色骨髄**とよばれる．ただし，頭蓋骨，胸骨，椎骨，寛骨などでは，成人においても赤色骨髄として存在する．

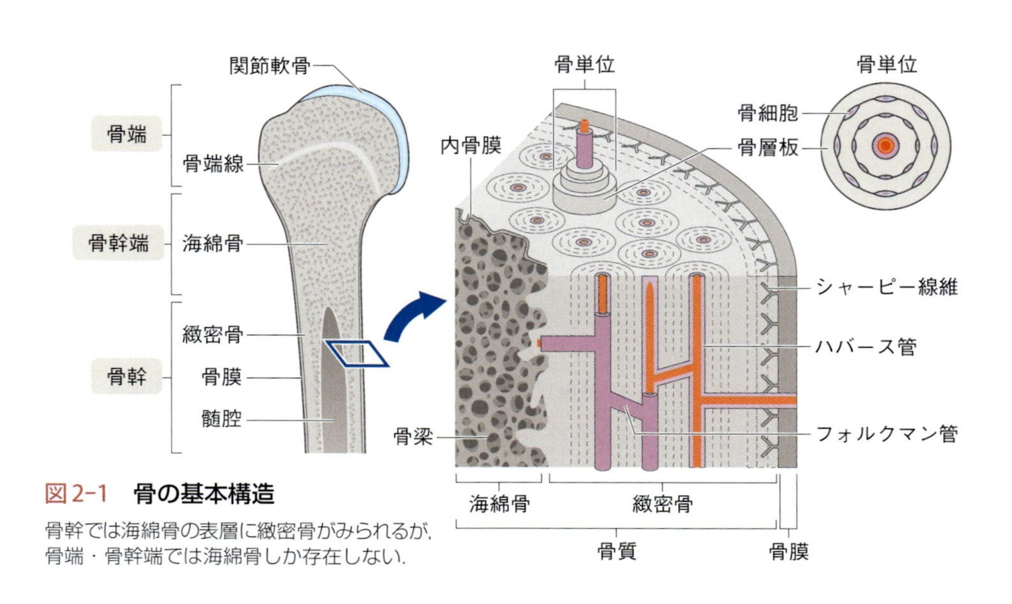

図2-1　骨の基本構造

骨幹では海綿骨の表層に緻密骨がみられるが，骨端・骨幹端では海綿骨しか存在しない．

臨床で重要！

軟骨組織

結合組織の一種である軟骨組織は，軟骨細胞とコラーゲンやプロテオグリカン（⇨p.38）などを含んだ細胞間質からなる．組織学的には，細胞間質にみられる線維成分の性状から硝子軟骨（しょうしなんこつ），弾性軟骨，線維軟骨に分類される．

表 2-2　軟骨組織の種類

	硝子軟骨	弾性軟骨	線維軟骨
軟骨の種類	細胞間質　軟骨細胞	弾性線維　軟骨細胞	線維芽細胞　軟骨細胞　膠原線維
特徴	・生体で最もよくみられる ・大部分の骨で骨格の原型となる ・細胞間質には微細なコラーゲン線維が存在する	・外見は硝子軟骨に類似するが，弾性線維が豊富という点で異なる ・細胞間質には弾性線維が多く含まれるため，柔軟性に富む	・細胞間質には太いコラーゲン線維束が多量に存在するため，外力に対する抵抗が強い
具体例	関節軟骨，肋軟骨，骨端軟骨，気管・気管支軟骨	耳介軟骨，喉頭蓋軟骨	椎間円板，恥骨結合，関節円板，関節唇，関節半月

文献 1 をもとに作成.

3）骨質の構造

- 骨質を形態的にみると，表層の緻密骨，深層の海綿骨に分類されるが，明確な境界があるわけではない．また，両者の量的比率は骨によって，あるいは同一の骨でも部位によって異なる．そのため，強度にも差異が生じる．
- 緻密骨は**皮質骨**とも称される．骨の長軸方向に走行する**ハバース管**の周囲を，同心円状に配列し層板構造を呈する骨組織が**骨層板**を形成して取り巻き，全体としては円柱となる．このハバース管を中心とした層板構造を**骨単位**とよぶ（図 2-1）．また，ハバース管を骨表面や髄腔，さらには他のハバース管と連絡するための管が，ハバース管とほぼ直交して存在する．この管を**フォルクマン管**という．これら2つの管内を，血管やリンパ管，神経が走行している．
- 海綿骨の構造は，本質的に緻密骨と同一である．ただし海綿骨では，円柱状の骨単位を形成せずに骨層板が形成されるため，空洞部分が総体積に対して占める割合（多孔度）は緻密骨に比して高い．この骨層板は，網目状に小柱配列をなすことから，**骨梁**（こつりょう）あるいは**骨小柱**とよばれている．その走行は，重力を中心とした応力に対応すべく，力学的配列がなされている（⇨図 2-3）．
- 成人における骨の栄養の約70％は，骨表面の栄養孔から入り骨質を貫いて骨髄に達する**栄養動脈**が担う．栄養動脈は通常1本であるが，複数本の場合もある．残り30％は**骨端・骨幹端動脈**によって栄養される．成長期におけるこの動脈は，骨端動脈と骨幹端動脈に分かれているが，骨端線閉鎖の時期に吻合してしまう（図 2-2）．また，骨膜を中心に分布する骨膜動脈も，緻密骨の一部を栄養する．なお静脈は，動脈に伴走して分布する．

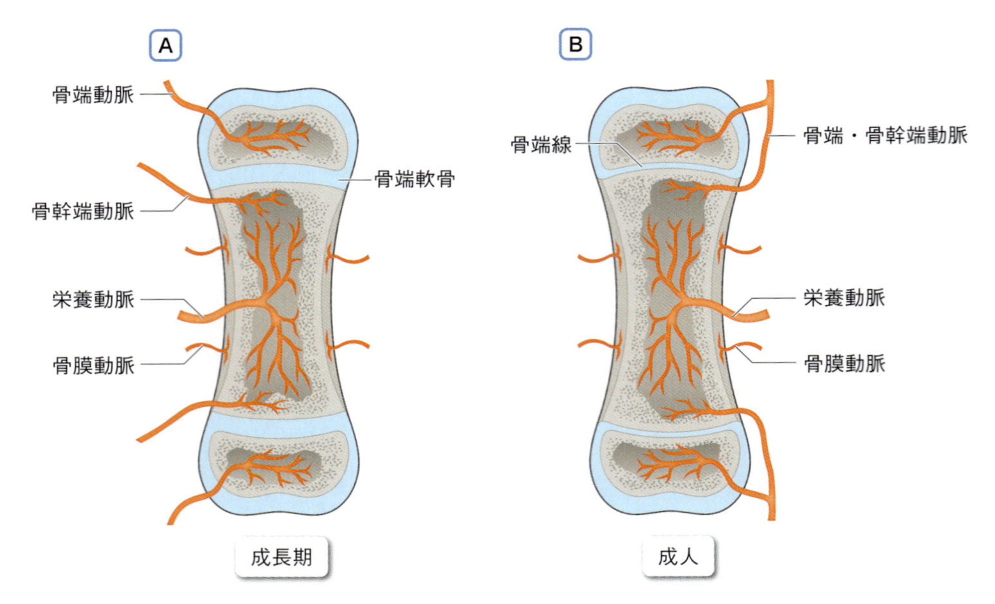

図2-2　長骨の動脈

成長期の骨端動脈と骨幹端動脈は，骨端線閉鎖の時期に吻合して骨端・骨幹端動脈となる．成人における骨の栄養の約70％は栄養動脈が，約30％は骨端・骨幹端動脈が担う．また，骨膜動脈からも若干の栄養を受ける．文献2をもとに作成．

- 骨に分布する神経には，大きく2種類がある．1つは疼痛を受容する感覚神経であり，特に骨膜への分布が多い．もう1つは，血管作動性の自律神経であり，骨の循環に関与する．さらには，骨代謝や造血に関与する神経も存在するが，不明な点が多い．

臨床で重要！

骨梁の走行

骨梁は，重力によって骨に加わる外力，さらには筋の発揮張力などの内力に対応した走行配列を示す．特に大腿骨近位部では，力学的負荷に適応して発達した骨梁の流れがみられる．

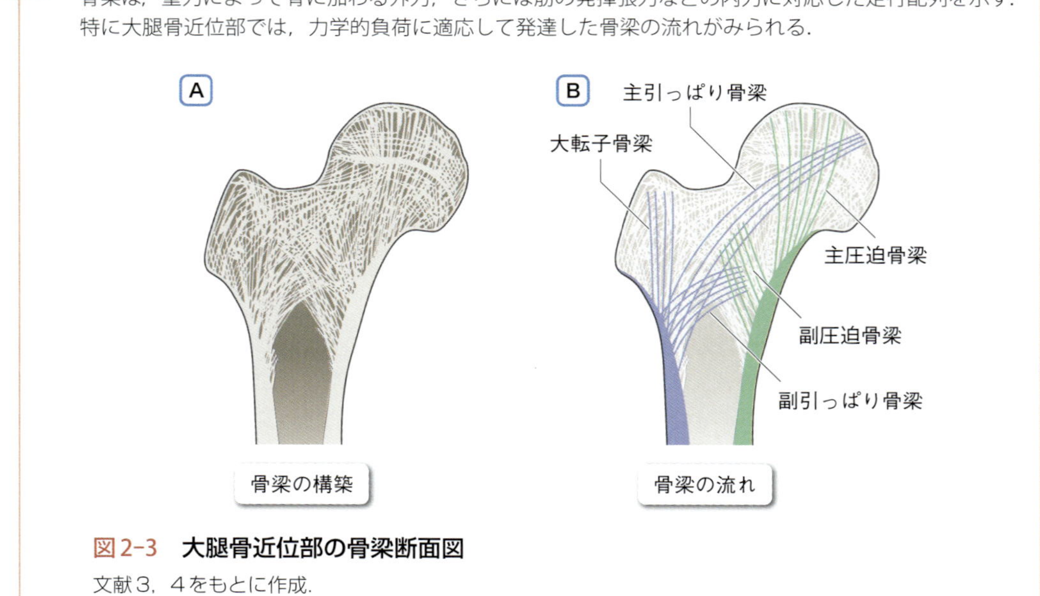

図2-3　大腿骨近位部の骨梁断面図

文献3，4をもとに作成．

4）骨のモデリング，リモデリング

- 骨組織における細胞成分である**骨細胞**は，骨層板の間に存在する（⇨図2-1）．骨細胞は多数の細胞突起を伸ばし，隣接する骨細胞とギャップ結合で連結する．血管内の栄養や酸素を骨層板周辺に運搬すること，さらには骨細胞で産生した物質を拡散することに関与している．
- 骨基質形成や石灰化促進に関与するのが，**骨芽細胞**である．骨基質の有機成分の大部分は，骨芽細胞によって合成・分泌される．また，破骨細胞の分化・活性化の調整役を担っている．骨芽細胞の一部は，自身で形成した骨基質の中に埋め込まれ，骨細胞となる．
- 大型の多核細胞である**破骨細胞**は，骨組織を吸収する細胞である．有機成分の分解と無機成分の溶解により，骨基質が破壊され骨吸収がなされると，骨芽細胞が骨基質をつくり替え骨形成がなされる．不動により，骨芽細胞による骨形成の低下と破骨細胞による骨吸収の亢進が生じる．
- 骨の発生には2つの様式がある．1つは頭蓋骨や鎖骨でみられる**膜内骨化**であり，もう1つは**軟骨内骨化**である．全身の骨の多くは，この軟骨内骨化によって発生する．
- 膜性骨化，結合組織性骨化とも称される膜内骨化は，胎生期において結合組織への分化能を有する中胚葉細胞である間葉細胞が密集するところから始まる．このように，間葉細胞が集まる部分を**骨化中心**，あるいは骨化核という．間葉細胞は次第に大型化し，骨芽細胞へと分化する．骨芽細胞はその周囲に骨基質を産生するが，後にこれが**石灰化**する．骨芽細胞自身は骨基質に取り囲まれて，骨細胞へと分化する（図2-4）．この膜内骨化は，骨の成長においては，骨の太さの成長に関与する．
- 軟骨性骨化とも称される軟骨内骨化では，胎生期にいったんつくられた軟骨が骨へと置換される．骨の原型として発生した軟骨細胞が変性・死滅するのと同時に，結合組織を伴った血管が侵入してくる（**原始骨髄**）．このときに侵入した間葉細胞が**一次骨化中心**を形成し，骨芽細胞へと分化する．この過程は骨幹部中央で生じるが，徐々に骨化が長軸方向に進行する．また出生後には，骨端に**二次骨化中心**が出現して骨化がなされる（図2-5）．この二次骨化中心の周囲には，軟骨がわずかに残存したままで骨化過程を終了するため，これが将来の**関節軟骨**となる．この軟骨内骨化は，骨の成長における長さの成長に大きく関与する．

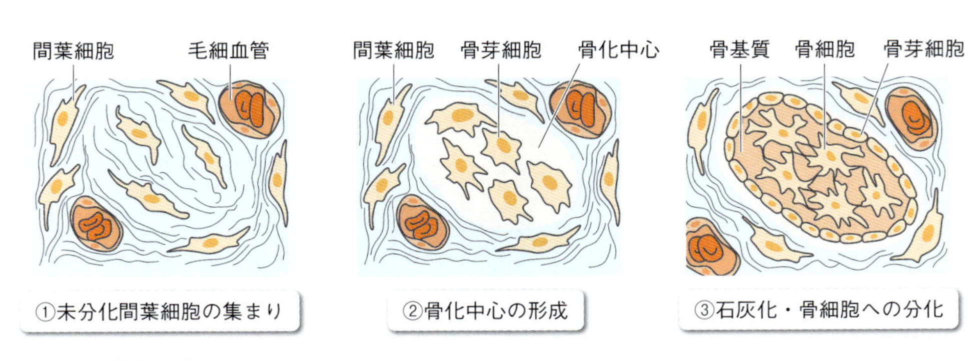

図2-4　膜内骨化

未分化な間葉細胞が凝縮して，直接骨芽細胞に分化し骨組織を形成する．文献5をもとに作成．

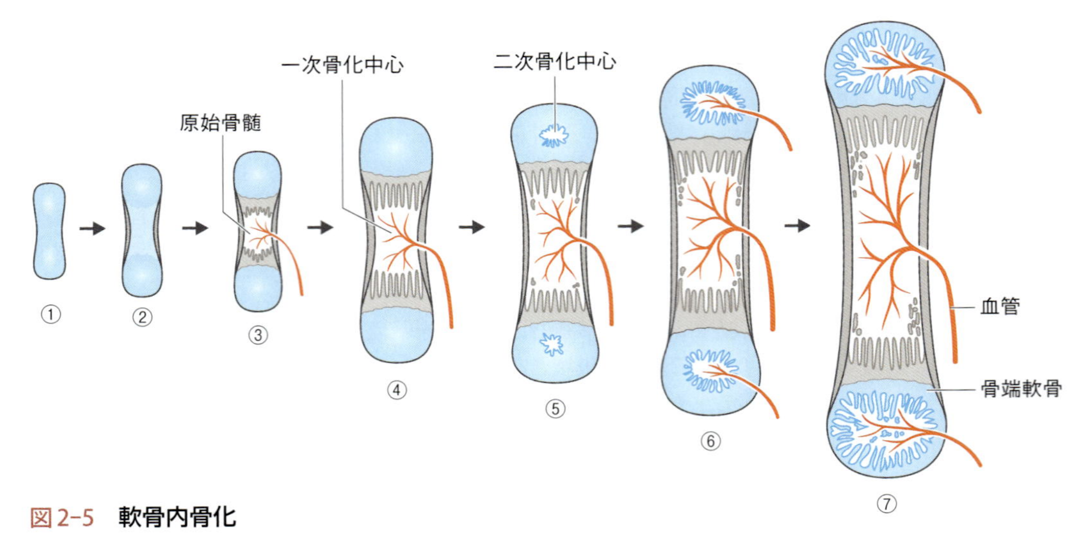

図 2-5　軟骨内骨化

未分化な間葉細胞から分化した軟骨細胞が，骨組織に置換される．文献６をもとに作成．

- 一次骨化中心と二次骨化中心の間に位置する軟骨層を，**骨端軟骨**あるいは**軟骨成長板**という．硝子軟骨からなる骨端軟骨は４層に分類されるが，骨幹部における長さの成長は増殖層の細胞分裂と肥大層の軟骨細胞成熟に依存する（図 2-6）．しかし，成長期を終えると骨化してしまい，その痕跡として**骨端線**が生じる（⇨図 2-1）．このように，成長過程にみられる骨の代謝を**モデリング**という．
- 骨は成長後においても，骨吸収と骨形成をくり返している．この新陳代謝機構を**リモデリング**という．リモデリングの１サイクルは２〜５年であるが，骨の吸収・形成が起こっている時期は６〜９カ月である．つまり，そのほとんどは休止期ということになる．

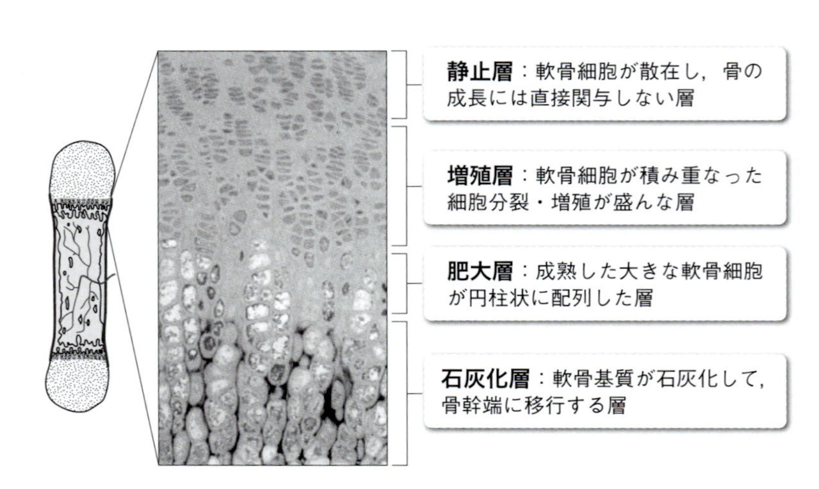

図 2-6　骨端軟骨の構造

骨端軟骨は一次骨化中心と二次骨化中心の間に位置する．成長期を過ぎると骨化し，その痕跡として骨端線が残る．文献７をもとに作成．

臨床で重要！

骨折の治癒過程

通常の骨折治癒過程では，膜内骨化と軟骨内骨化がほぼ同時に進行する．骨折直後には，主に骨髄からの出血が生じて血腫が形成される．炎症期には，血腫の凝固塊に炎症細胞や破骨細胞が集まり，骨片などを貪食（どんしょく）する．修復期には，骨膜が増殖・肥厚して膜内骨化が生じ，初期の仮骨である線維性骨が形成される．また，血腫内には肉芽組織が形成される．さらには，血腫内や軟部組織内では軟骨細胞が形成され，軟骨内骨化によって徐々に骨へと置換される．改変期では骨吸収と骨形成がくり返され，本来の骨構造に修復される．

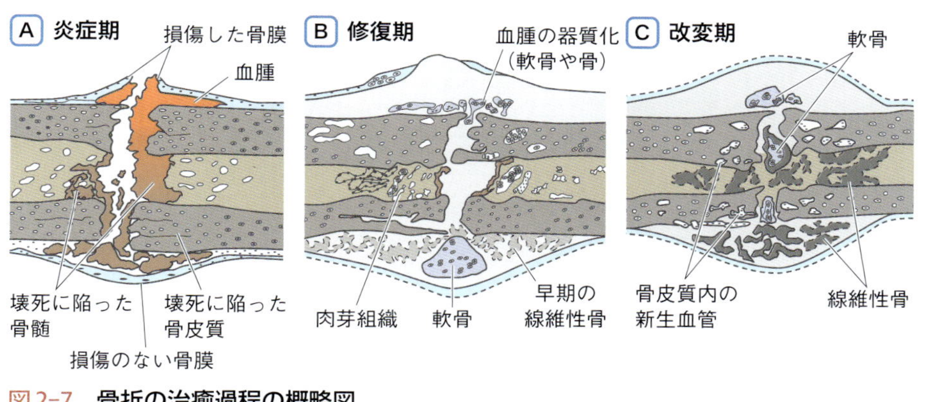

図2-7　骨折の治癒過程の概略図
文献8をもとに作成．

5）骨代謝

- 骨のモデリング，リモデリングはもとより，無機成分の恒常性を維持するためには，骨の吸収・形成の活性調整が必要となる．特に血清中のカルシウム濃度は，9～10 mg/dLの範囲に維持する必要があり，ここには特定のビタミンやホルモンが関与する（図2-8）．
- 食物摂取等で得られた**ビタミンD**は，肝臓と腎臓における酵素の働きを受けて活性型ビタミンDに変化する．この活性型ビタミンDは，小腸におけるカルシウムの吸収を促進させる．また，骨に直接作用してカルシウムを遊離させることで，血清中のカルシウム濃度を上昇させる．さらには，腎臓によるカルシウムの再吸収促進，副甲状腺ホルモンの分泌抑制に関与する．
- **副甲状腺ホルモン**（上皮小体ホルモン）である**パラソルモン**は，血清カルシウム濃度が低下することで分泌される．骨に直接作用することで，破骨細胞を活性化し骨吸収を促進させる．また，腎臓における活性型ビタミンDの合成を促進し，小腸におけるカルシウム吸収を間接的に増加させる．
- **カルシトニン**は，血清カルシウム濃度上昇により甲状腺で産生・分泌される．骨に直接作用することで，破骨細胞の活性を低下させて骨吸収を抑制する．また，骨芽細胞を活性化させることで骨形成を促進する．
- 副腎皮質ホルモンの1つである**糖質コルチコイド**は，腸管からのカルシウム吸収を抑制するため，血清カルシウム濃度は低下する．さらには，腎臓におけるカルシウム排泄を促進するため，骨吸収が促進される．
- 脳の下垂体前葉から分泌される**成長ホルモン**は，尿中へのカルシウム排泄を増加させるが，同時に腸管での吸収を促進するため，結果的には体内におけるカルシウム蓄積が促進される．また，血液を介して肝臓に運搬されると，IGF-1（インスリン様成長因子1）が産生され，骨形成が促進される．

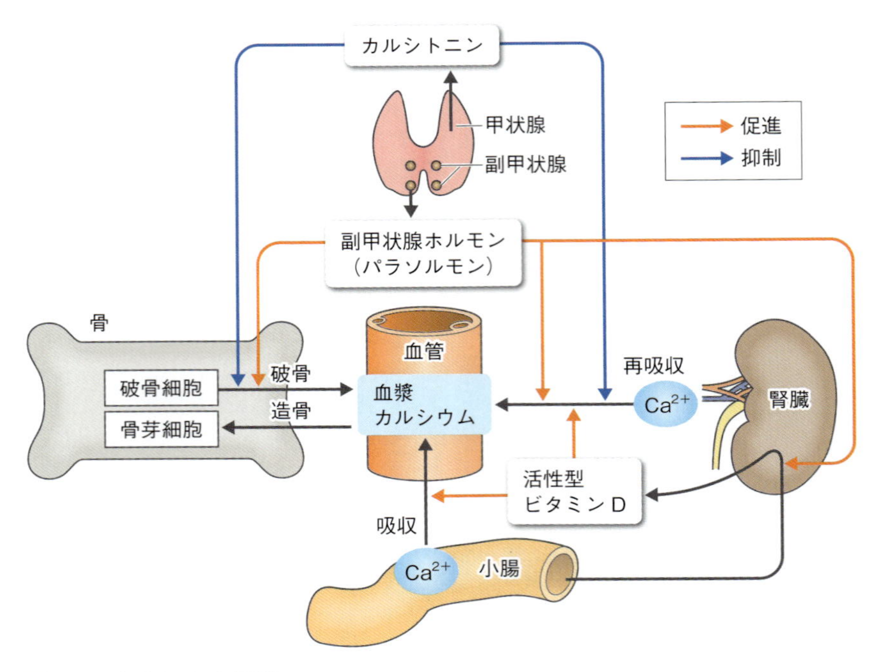

図2-8　カルシウム代謝

骨には生体内に存在するカルシウムの約99％が貯蔵されている．このカルシウムの代謝には，ホルモンやビタミンが複雑に関与している．文献9より引用．

臨床で重要！

骨粗鬆症（こつそしょうしょう）

骨粗鬆症は，さまざまな要因により骨強度が低下して，骨折の危険性が高まる骨格の疾患である．加齢や閉経が関連する原発性骨粗鬆症と，ホルモンの異常や不動などの二次的要因が関連する続発性骨粗鬆症に大別される．ステロイドの長期使用によるステロイド性骨粗鬆症は，骨密度が高いにもかかわらず骨折の危険性が高い特徴をもつ．

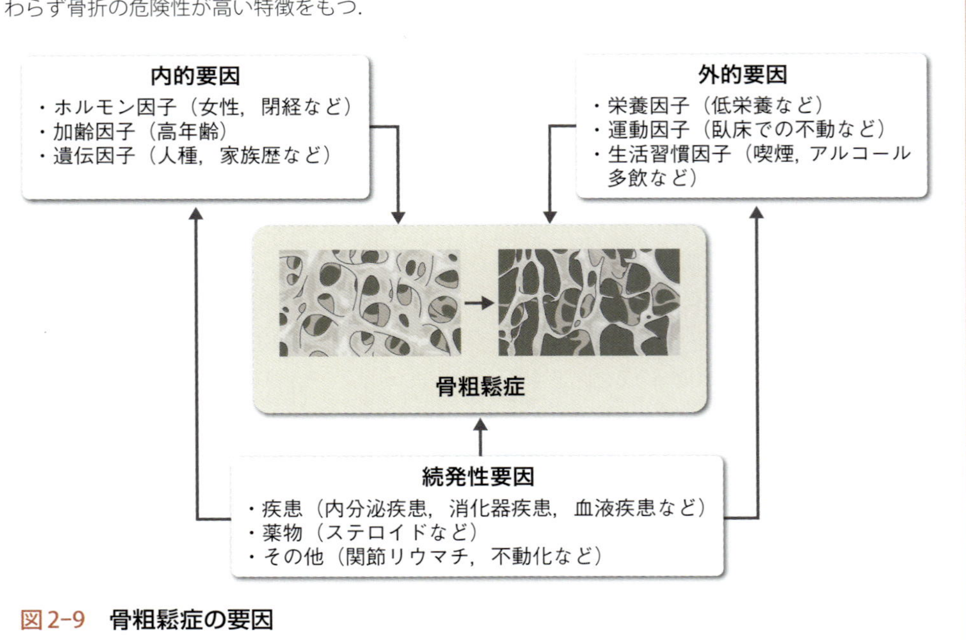

図2-9　骨粗鬆症の要因

2 関節の構造と機能

1）広義の関節分類

- 広義の関節は，2つ以上の骨が連結することを意味し，**骨の連結**とも称される．一方，狭義の関節は**滑膜性関節**を示しており，単に関節とよばれることも多い．骨の連結部に明確な間隙があって，その内面に滑膜を有する連結が滑膜性関節である（⇨詳細はp.40）．この滑膜性関節以外の骨の連結には，線維性連結と軟骨性連結がある（表2-3）．
- 線維性組織で結合された骨の連結を**線維性連結**といい，可動性は著しく低い．頭蓋のみに存在する**縫合**（ほうごう）は，ごくわずかの線維性結合組織によって連結されるが，成長期を過ぎると骨化する．また，歯根が歯槽にはまり込んだ歯根膜による連結を**釘植**（ていしょく）という．さらには，強靱な結合組織である靱帯や骨間膜を介した連結を**靱帯結合**という．脛骨と腓骨の遠位部に存在する脛腓靱帯結合が，その例としてあげられる．
- 軟骨を介在した連結を**軟骨性連結**といい，わずかながら可動性を有する．硝子軟骨による連結を**軟骨結合**といい，その例としては，骨端軟骨による長骨の骨幹端での連結や，坐骨－恥骨－腸骨の連結などがあげられる．これらはすべて，成長終了後には骨結合となる．また線維軟骨が介在し，生涯にわたって存在する連結を**線維軟骨結合**という．恥骨結合や椎間円板による椎体間連結がその例としてあげられる．

表2-3　広義の関節の分類

大分類	小分類	具体例
線維性連結	縫合	頭蓋骨の縫合（冠状縫合など）
	釘植	歯根と歯槽の連結
	靱帯結合	脛腓靱帯結合
軟骨性連結	軟骨結合	小児期の坐骨－恥骨－腸骨の連結
	線維軟骨結合	恥骨結合，椎間円板による椎体間連結
滑膜性関節		一般に関節と称しているもの

2）関節の基本構造

- 多くの関節面は，凸面をなす**関節頭**と凹面をなす**関節窩**（か）から構成される．この関節面には，硝子軟骨から構成される**関節軟骨**が存在する．互いの関節面には**関節腔**（くう）という間隙があり，ここに**滑液**を入れる（図2-10）．また，関節は**関節包**によって覆われているが，これを**靱帯**が補強する．これらの関節構成要素の詳細は，項目ごとに後述する．

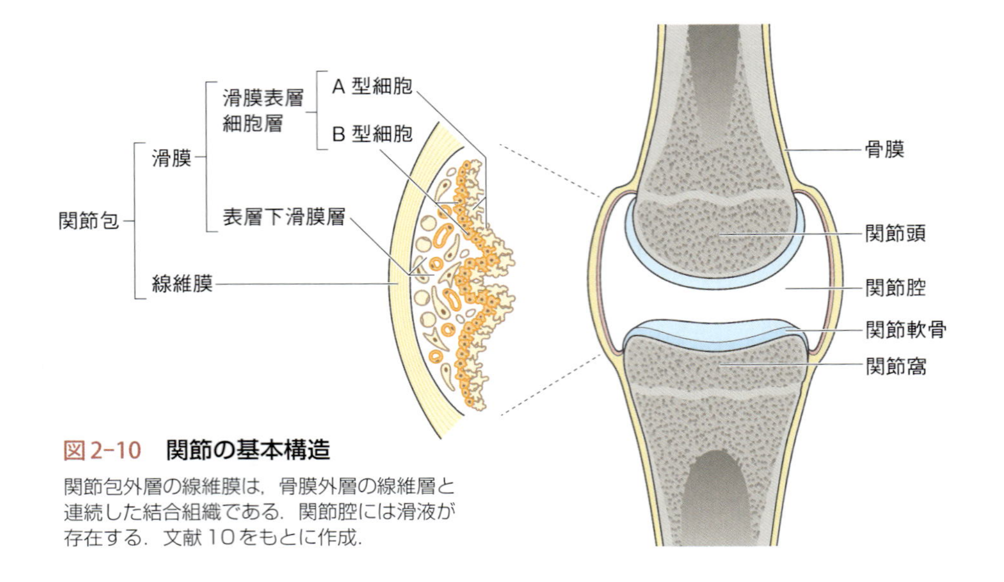

図 2-10　関節の基本構造

関節包外層の線維膜は，骨膜外層の線維層と連続した結合組織である．関節腔には滑液が存在する．文献 10 をもとに作成．

- 関節の近傍には，滑液を入れた小嚢（しょうのう）である**滑液包**が存在する．主に筋や腱の直下に位置し，その運動を円滑にする役割を担う．この滑液包には，痛覚受容器である自由神経終末が高密度に分布する．滑液包が，手指などに存在する腱を取り巻いたものを**滑液鞘**（しょう）という．
- 一部の関節には，膠原（こうげん）線維を含んだ線維軟骨性結合組織からなる小板が存在する．その形状により，**関節円板**，**関節唇**，**関節半月**（半月板）と称される．これらの役割には，①関節面の適合性を良好にすること，②関節面への圧迫力を緩衝すること，③関節の可動性を適正化すること，④滑液を分散することがある（図 2-11）．

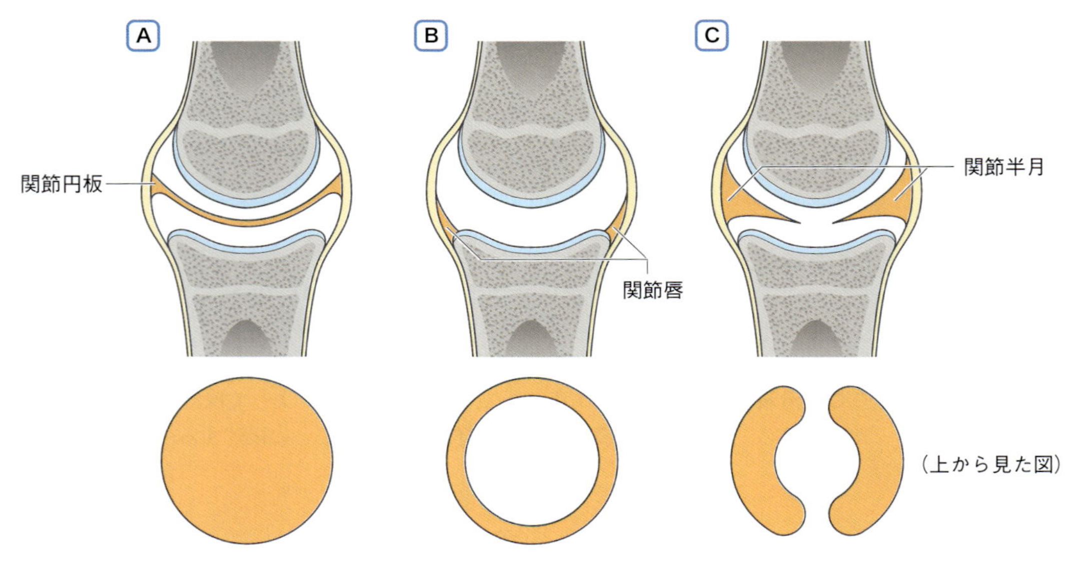

図 2-11　関節内の線維軟骨性組織

膠原線維を含んだ線維軟骨性組織が関節内に存在し，3 つのタイプがある．文献 11 をもとに作成．

臨床で重要！

人体における滑液包

滑液包には，関節腔と交通するもの（交通性滑液包）としないもの（非交通性滑液包）がある．滑液包は組織間の摩擦を軽減させるが，過剰な摩擦で炎症が生じると滑液が貯留し，滑液包の腫大が生じる．滑液包には自由神経終末が多く存在するため，炎症に伴い疼痛を引き起こす（滑液包炎）．

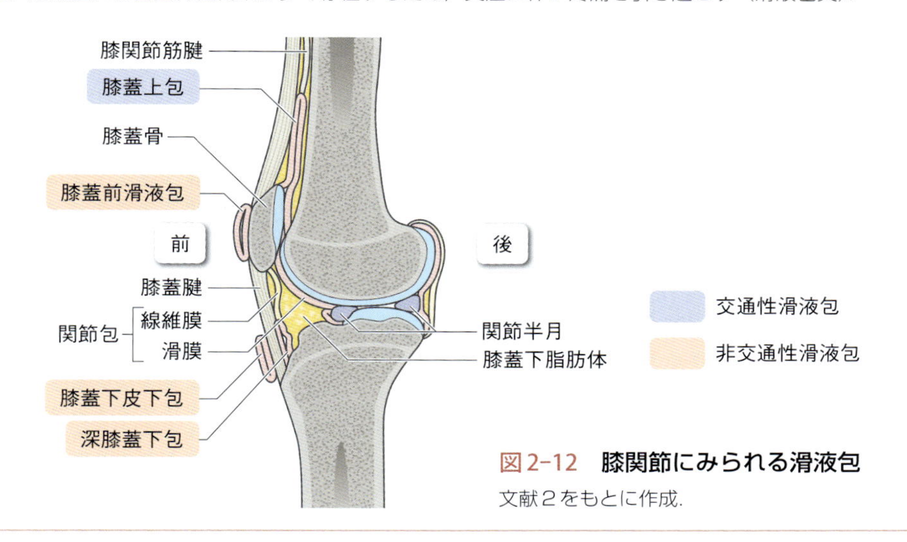

図 2-12　膝関節にみられる滑液包

文献2をもとに作成．

3）関節包と滑液

- 関節腔を覆う**関節包**は，外層の線維膜と内層の滑膜からなる．線維関節包あるいは単に関節包とも称される**線維膜**は，骨膜外層の線維層の延長でもある．一方の**滑膜**は，関節腔に面する滑膜表層細胞層と，線維膜側に位置する表層下滑膜層から構成される（⇨図 2-10）．
- 強靱な結合組織である線維膜の主成分は膠原線維であり，関節の安定性に大きく関与する．神経終末は豊富に存在し，痛覚や関節の位置覚・運動覚といった固有感覚情報を受容・伝達する．しかし，血液供給に乏しいため，損傷後の修復には時間を要する．
- 滑膜表層細胞層には毛細血管が発達した絨毛（じゅうもう）がみられ，滑液の分泌・吸収を行う．この層には，マクロファージに類似したA型細胞，線維芽細胞に類似したB型細胞が存在する．ゴルジ装置やライソゾームが発達したA型細胞は，関節内の異物の貪食・処理を行う．一方，粗面小胞体やゴルジ装置が発達したB型細胞は，滑液の主成分である**ヒアルロン酸**などを産生する．また，疎性結合組織からなる表層下滑膜層には線維性組織や脂肪組織が存在し，豊富な毛細血管が分布する．この滑膜には線維膜と同様，痛覚や固有感覚の神経線維が豊富に存在する．
- 線維膜と滑膜の間には**脂肪体**が存在する．膝関節や足関節，肘関節で発達していて（⇨図 2-12），円滑な関節運動に関与する．具体的な内容は，膝関節の項に記述する（⇨第6章 2）．
- 関節腔に存在する**滑液**は弱アルカリ性（pH 7.2〜7.4）で，透明な淡黄色を呈する．滑膜の毛細血管からの血漿濾過液（けっしょうろかえき）に加えて，ヒアルロン酸や糖タンパク質が存在するために粘稠性（ねんちゅうせい）が高い．滑液の作用は，血管を有さない関節軟骨に栄養を与えること，関節に作用する応力を減弱させることにある．つまり，関節への衝撃吸収，関節運動の潤滑に関与する．
- ヒアルロン酸は，ムコ多糖とも称されるグリコサミノグリカンの一種で，高い粘性と弾性，さらには水分保持機能を有している．ヒトでは皮膚や眼の硝子体，関節液などに分布するが，年齢とともに減少する．

臨床で重要！

関節の炎症・変形

関節リウマチでは，滑膜炎とそれに引き続く関節軟骨の変性や破壊を生じる．滑膜細胞の異常増殖により滑膜が肥厚し血管透過性が高まると，滑液が増加し関節の腫脹（しゅちょう）を生じる（関節水腫）．さらに，増殖した滑膜組織がパンヌスとよばれる炎症性肉芽組織になると，関節軟骨の破壊を起こす．

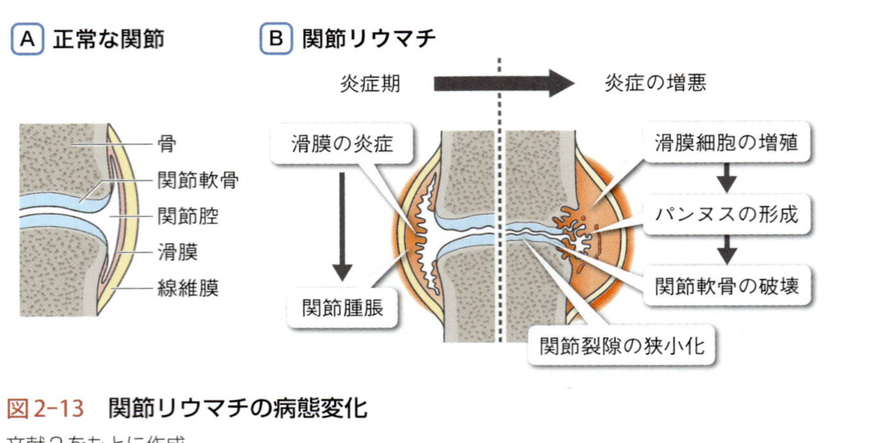

図2-13　関節リウマチの病態変化

文献2をもとに作成．

4）関節軟骨

- 硝子軟骨からなる**関節軟骨**は，部位によって0.5〜4 mmとその厚さは異なるが，一般に大きな負荷のかかる関節で厚い．関節軟骨の主な役割には，関節の適合性を高めること，関節面に加わる応力を吸収することがある．関節軟骨全容量のうち軟骨細胞は1〜4％と少なく，多くは**軟骨基質**（細胞間質）が占める（⇨表2-2）．一般に関節軟骨は4層に分類されるが，軟骨細胞および軟骨基質の分布は部位によって大きく異なる（図2-14）．
- 軟骨基質の70〜80％は水分であるが，水以外の成分としては**コラーゲン**，無定形物質がみられる．関節軟骨に弾性を与えるコラーゲンは主にII型コラーゲンからなり，軟骨基質の約20％を占める．深層のコラーゲン線維は関節に対して垂直に走行することで，荷重による圧縮応力に抵抗する構造を示している．
- 無定形物質の大部分は，**プロテオグリカン**が占める．プロテオグリカンとは，コアタンパク質にコンドロイチン硫酸やケラタン硫酸といった**グリコサミノグリカン**（ムコ多糖）が結合し，1つのユニットを形成したものである．リンクタンパク質が，プロテオグリカンとヒアルロン酸を結合させて，アグリカンとよばれる巨大集合体を形成する（図2-15）．グリコサミノグリカンは陰性荷電状態にあるため，陽イオンを有する水を引き寄せて保有する．この水分子の存在が，軟骨の弾性に大きく影響する．
- 幼若な関節軟骨は，周囲の血管によって栄養される．しかし，成人では血管・リンパ管が存在しないため，歩行のような間欠的荷重による滑液拡散が基礎代謝の維持には不可欠である．なお，血管が分布していないことや軟骨細胞の増殖能が低いことから，関節軟骨の再生能は低い．また，神経線維は存在しないため，一般にいわれる関節痛では関節軟骨が痛いわけではない．

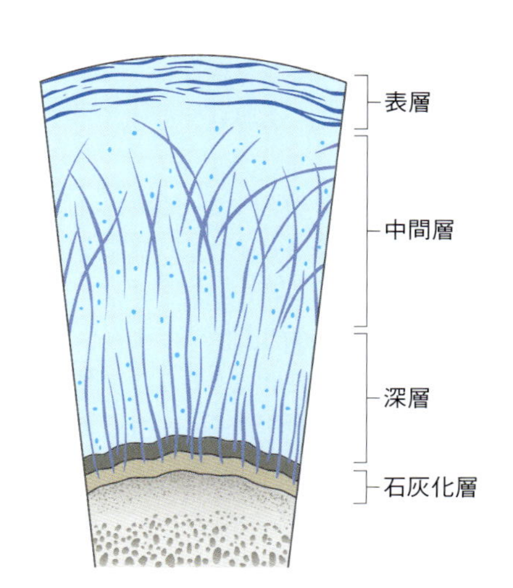

図2-14　関節軟骨の構造

表層のコラーゲン線維は，軟骨表面と平行に走行する．深層になるほどコラーゲン線維は縦走化し，プロテオグリカン含有量が増大する．文献12をもとに作成．

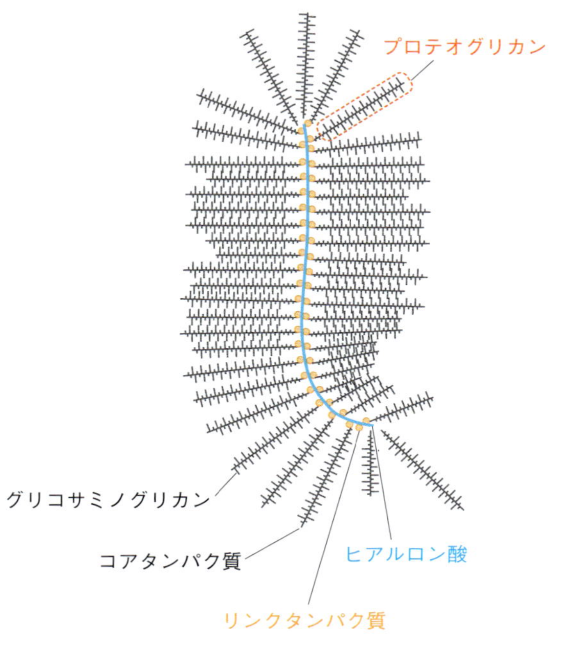

図2-15　プロテオグリカンとヒアルロン酸

グリコサミノグリカンとよばれるアミノ糖からなる多糖がコアタンパク質に結合し，プロテオグリカンという糖タンパク質を形成する．このユニットはリンクタンパク質によってヒアルロン酸と結合し，アグリカンとよばれる巨大集合体を形成する．

臨床で重要！

関節軟骨の変性

正常な場合，関節に加わる応力は軟骨と軟骨下骨（軟骨下海綿骨梁）で緩衝される．しかし関節軟骨の変性で弾性が低下すると，軟骨下骨への応力が増加し，反応性に骨硬化が起こる．この骨硬化に伴う軟骨下骨の緩衝作用低下は，関節軟骨への応力を高め，関節軟骨の破壊を引き起こす．

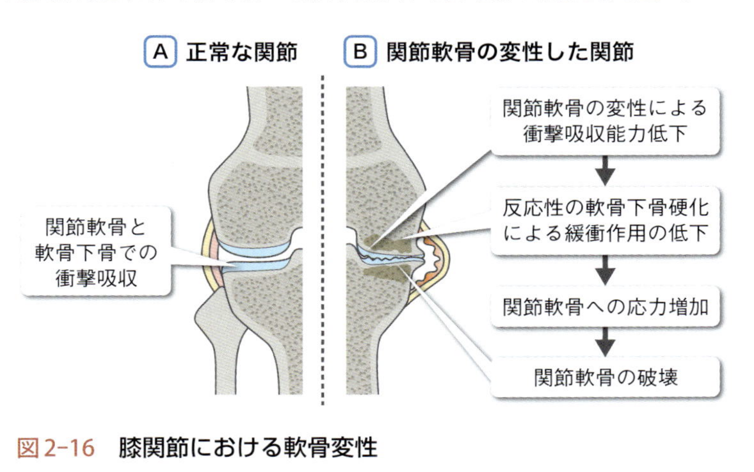

図2-16　膝関節における軟骨変性

5）靱帯

- 靱帯（じんたい）は関節近傍に位置し，コラーゲンを主体とする線維性結合組織である．栄養血管はその線維と平行に存在するが，その数はきわめて少ない．また，固有感覚に関する神経終末が多数分布するものの，痛覚に対する受容性は低い．
- 靱帯の役割には，①骨間の連結を強固にすること，②関節運動を制限して生理的な運動を誘導すること，③関節の固有感覚情報を受容・伝達すること，④血管や神経を関節内に導くことがあげられる．
- 解剖学的にみて，靱帯は関節包靱帯と副靱帯の２種類に分類される．関節包外層の線維膜の一部が特に肥厚して，強靱な組織になったものを**関節包靱帯**という．肘関節の橈骨輪状靱帯や，手関節部に存在する多くの靱帯がその例としてあげられる．
- 関節包靱帯とは区別される**副靱帯**は，その一部または全体が関節包とは独立したものである．副靱帯のうち，線維膜の内側にあるものを**関節包内靱帯**，外側にあるものを**関節包外靱帯**という．関節包外靱帯の例としては肘関節や膝関節の側副靱帯がある．一方の関節包内靱帯の例として，膝関節内の前・後十字靱帯がある．

臨床で重要！

靱帯損傷

第１章p.18でも述べたように，弾性域内での応力では，組織に歪みが生じても応力が除かれると元の状態に戻る．しかし応力が増大して降伏応力を超えると，負荷を除去しても永久的な変形が残存する（塑性）ため，靱帯は断裂する．

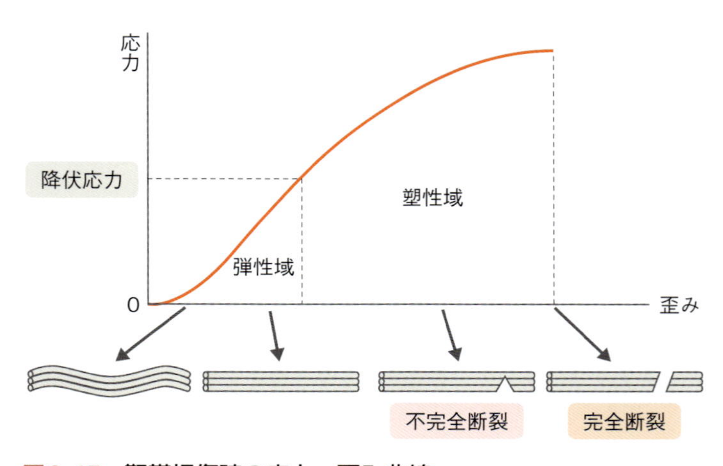

図2-17　**靱帯損傷時の応力－歪み曲線**

文献13をもとに作成．

6）滑膜性関節の分類

- 関節の分類方法はいくつか存在する．関節を構成する骨の数による分類では，２つの骨からなる**単関節**，３つ以上の骨からなる**複関節**がある．また，運動軸の数から**1軸性関節**，**2軸性関節**，**多軸性関節**にも分類される．本項では，運動軸の数による分類をもとにして関節面の形状による分類を概説する（図2-18）．
- 1軸性関節には，蝶番関節と車軸関節がある．骨の軸と直交する円筒状の関節面を有する関節を**蝶番関節**（ちょうばん）という（例：指節間関節）．この蝶番関節の変形で，運動方向がらせん様とな

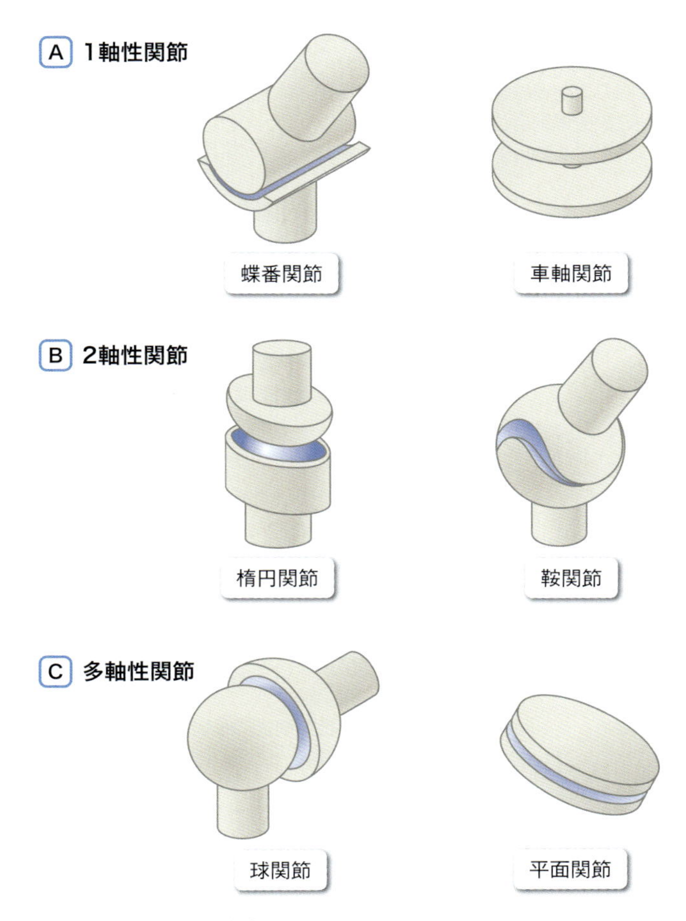

図2-18　**形状による関節の分類**

関節面の形状による分類が，一般的に使用される．ここでは，主たる関節の分類のみを示す．文献2，14をもとに作成．

り骨の長軸と直交しないものを**らせん関節**と称することもある（例：腕尺関節，距腿関節）．また，骨の軸と平行な円筒状の関節頭を有し，関節窩のまわりを回転する関節を**車軸関節**という（例：正中環軸関節）．

- 2軸性関節には，楕円関節と鞍関節がある．関節頭が楕円形を呈し，関節窩がこれに応じた凹面をなす関節を**楕円関節**という（例：橈骨手根関節）．この楕円関節の同義語として**顆状関節**がある．以前は，関節頭の形状が楕円形のものを楕円関節，球形のものを顆状関節として区別されていた．また，2つの顆状を呈する関節面が並んで存在する関節を**双顆関節**という（例：膝関節）．もう1つの2軸性関節である**鞍**（あん）**関節**では，馬の鞍（くら）のような曲線を描く関節面が直交して存在する．したがって，それぞれの関節面が凹面と凸面を有し，直交する2方向に運動が生じる（例：母指の手根中手関節）．
- 多軸性関節には，球関節と平面関節が存在する．**球関節**は関節頭が半球状で，それに応じた浅い凹状の関節窩を有する（例：肩関節）．この球関節の一種であり，関節窩が非常に深く関節頭がこの中に入り込んだものを**臼状**（きゅうじょう）**関節**という（例：股関節）．また，相対する平面な関節面を有する関節を**平面関節**という（例：椎間関節）．平面関節のうち，靱帯による補強で著しく運動が制限されるものを**半関節**と称することもある（例：仙腸関節）．

関節の分類

関節の運動軸の数により1軸性関節，2軸性関節，多軸性関節に分類される．関節に許された独自の運動の数を運動自由度という．関節面の形状による分類では球関節に相当する肩関節は多軸性関節であり，その運動自由度は3となる．

表2-4　関節の分類と運動自由度

関節の分類と代表例	運動自由度
1軸性関節 ・蝶番関節：指節間関節 　らせん関節：腕尺関節，距腿関節 ・車軸関節：正中環軸関節	1
2軸性関節 ・楕円関節：橈骨手根関節 　双顆関節：膝関節 ・鞍関節：母指の手根中手関節	2
多軸性関節 ・球関節：肩関節 　臼状関節：股関節 ・平面関節：手根間関節，椎間関節 　半関節：仙腸関節	3

7）関節包内運動

- 通常，関節運動は骨の動きを対象としたものであり，これを**骨運動**とも称する．骨運動が生じる場合には，関節面相互の運動が生じる．この関節包内で生じる関節面の運動は，正常な関節運動を保証するために重要な要素であり，**関節包内運動**とよばれている．関節包内運動は，構成運動と副運動に分類される．
- 骨運動に伴って生じる関節面の運動を**構成運動**といい，転がり，滑り，軸回旋がその基本要素となる（図2-19）．接触している関節相互の面が常に移動し変化する運動を**転がり**という．また**滑り**とは，関節面の接触部のうち一方が不動で，もう一方が常に移動して滑るような運動をいう．さらには，関節における接触面の1点が移動せずに，その接触点を中心軸として回旋する運動を**軸回旋**という．これら3つの構成運動は，2つ以上の組合せ運動として生じることが多い．したがって，軸回旋を中心とした運動であっても，転がりや滑りを伴えばその運動軸は定点ではない．そのため，ある一瞬に捉えられる運動軸のことを**瞬間回転中心**という．一方，随意運動では起こりえないものの，骨運動に伴って生じる関節面の運動を**副運動**という（⇨図2-21）．
- 関節包内運動においては，運動する関節面が凹面もしくは凸面であるかによって一定の法則性が認められるが，これを**凹凸の法則**という（図2-20）．関節頭を有する骨が固定されて関節窩を有する骨が運動する場合，関節面（凹面）は骨体の運動方向と同じ方向へ滑る．これを**凹の法則**という．関節窩を有する骨が固定されて関節頭を有する骨が運動する場合，関節面（凸面）は骨体の運動方向と逆の方向へと滑る．これを**凸の法則**という．いずれの運動においても，運動軸は関節頭の中に存在する．

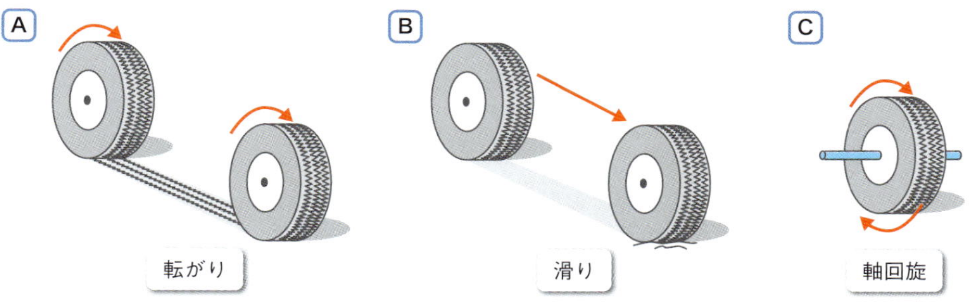

図2-19 3つの構成運動

骨運動に伴って生じる3つの構成運動は，2つ以上が組合わさって生じることが多い．文献15をもとに作成．

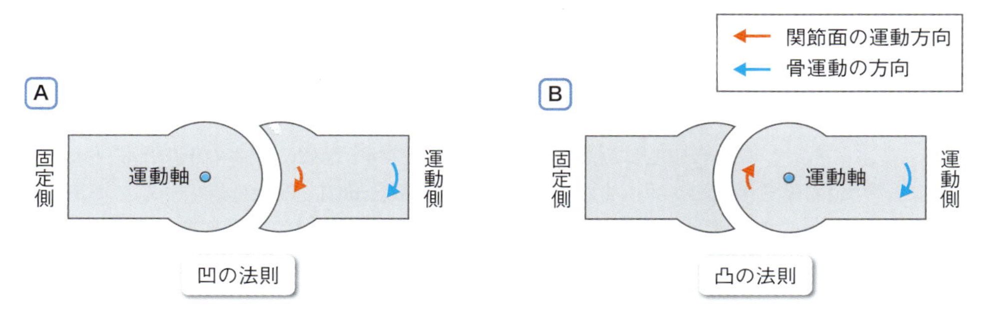

図2-20 凹凸の法則

運動軸は常に関節頭（凸側）に存在する．

Let'sTry 副運動を確認しよう

手を軽く握った状態からさらに固く握ると，第4・5指の手根中手関節の屈曲・回旋がわずかながら生じる（副運動の第1型）．また，リラックスさせた状態で第2中手骨頭を固定（×印）して，示指の基節骨底を把持して牽引する（→）と関節面が離開される．これを副運動の第2型といい，一般には関節の遊びと称される．これらの副運動を随意運動として単独で行うことは不可能である．

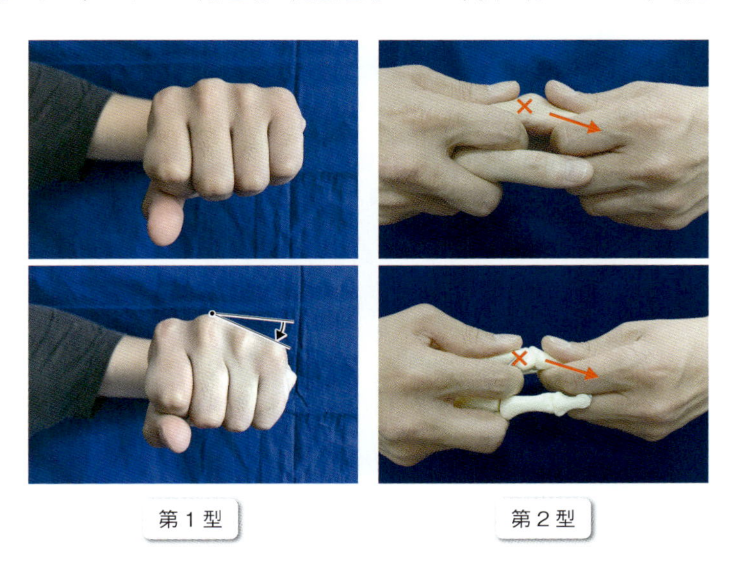

図2-21 副運動

3 骨格筋の構造と機能

1）骨格筋の概要

- 中胚葉に由来する筋はその形態特性から，大きく2種類に分類される．1つは内臓や血管の壁を形成する**平滑筋**であり，もう1つは**横紋筋**である．文字どおり，横紋構造を呈する横紋筋には，心臓の壁を形成する**心筋**と心筋以外の**骨格筋**がある．つまり骨格筋とは，心筋以外の横紋筋を形成する筋組織の総称である．なお，平滑筋と心筋は，意志による収縮・弛緩が不可能な**不随意筋**である．
- 骨格筋は，運動神経の支配を受け，意志によって収縮・弛緩が可能な**随意筋**である．600個以上の数を有する骨格筋は，成人では体重の40～50％，小児では25％を占める．ヒトを含めた脊椎動物は，骨の外面に骨格筋を有する内骨格系の動物であり，骨格筋の多くは後述する**腱**（⇨p.60）を介して骨に付着する．なお，骨格筋のなかには筋の一端が皮膚に侵入し，皮膚を動かす**皮筋**も含まれる（例：頸部に存在する広頸筋）．
- 一般に，身体の中心に近く動きの小さな付着部を**起始**，身体の末梢部にあって動きの大きな付着部を**停止**という．また，起始に近い筋端を**筋頭**，停止に近い筋端を**筋尾**，さらにはその中間部を**筋腹**という．骨格筋は，その走行により1つの関節をまたぐ**単関節筋**と，2つの関節をまたぐ**二関節筋**に分類されることもある．しかし実際には，3つ以上の関節をまたぐ骨格筋も多数存在する（例：手や足の外在筋）．
- 骨格筋の形は各筋によって異なるが，外形（紡錘状，菱形，帯状，鋸状など），筋頭・筋尾・筋腹の数（二頭，多尾，多腹など），腱に対する筋線維の走行方向（羽状，半羽状など）などの観点から分類される．しかし，個々の筋が必ずいずれかの分類にあてはまるわけではなく，複数の分類に該当することもある．

2）骨格筋の基本構造

- 骨格筋の主体をなすのは，言うまでもなく**筋細胞**である．筋細胞は細長い形状を呈するため，**筋線維**と称されることが多い．筋線維内には，複数の核や小胞体などの細胞内小器官や，収縮要素である**筋原線維**が存在する．
- 筋線維は，結合組織によって束ねられる（図2-22）．複数の筋線維は**筋内膜**によって束ねられて，**筋線維束**を形成する．これを一次筋束，あるいは単に筋束と称する．筋内膜は，筋線

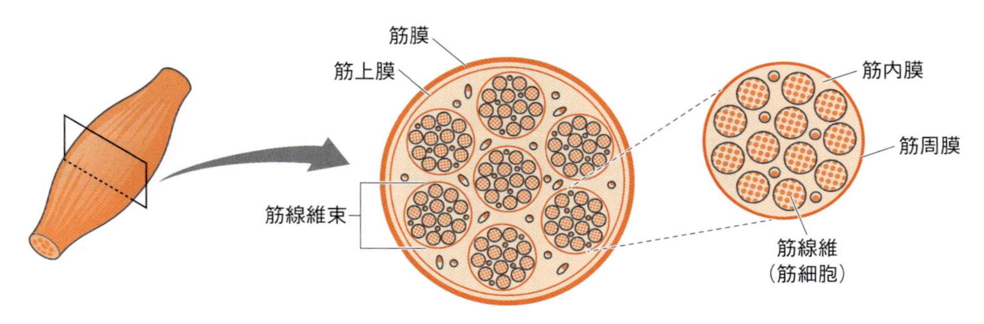

図2-22　骨格筋にみられる結合組織

骨格筋の断面図．筋線維は結合組織によって束ねられて，筋線維束をなす．この筋線維束が多数集まって筋を構成する．文献11をもとに作成．

維を包む薄い結合組織であり，個々の筋線維を分離する．

- また，筋線維束を覆う結合組織を特に**筋周膜**，あるいは内筋周膜という．筋周膜内はヒアルロン酸を多く含んでいて，筋線維の滑走を助ける．さらに，複数の筋線維束は**筋上膜**，あるいは外筋周膜（筋外膜）と称される結合組織で束ねられる．この筋上膜は周囲の線維性結合組織とともに**筋膜**を形成する（例：大腿筋膜）．
- 皮下組織とその下の筋層を境する膜を**浅筋膜**，あるいは皮下筋膜と称することがある．一方，浅筋膜の深層に位置するのが筋膜であり，浅筋膜と区別して**深筋膜**とよばれる．深筋膜は，骨間を結ぶ結合組織である**骨間膜**とともに，作用の異なる筋群を隔離するために**筋区画**（コンパートメント）を形成する．この筋区画を形成する深筋膜を特に，**筋間中隔**と称する．
- 手や足といった四肢遠位部の関節近傍では，腱を覆う線維性結合組織がみられる．これを**支帯**あるいは**筋支帯**という．筋上膜が肥厚して形成されたものであり，腱が浮き上がることを防止している．伸筋支帯，屈筋支帯がこれに相当する．
- 多くの筋は，強靱な結合組織である腱を介して骨に付着する．しかし一部の筋は，隣接する筋の筋上膜や筋間中隔などの結合組織と結合することもある．このような筋の接続を**筋連結**という．このことから，ある筋の収縮が他の筋の収縮に影響を及ぼすことがうかがえる．
- これらの結合組織内には，神経や血管が存在する．筋内の血管は末梢ほど細くなり，さらには数多くの枝分かれをすることで，網状構造の毛細血管となる．細動脈と細静脈をつなぐ毛細血管とその周囲の組織によって構成される領域を**血管床**という．この血管床により，酸素の運搬や代謝産物の交換がなされる．
- 骨格筋に分布する神経線維は**筋枝**と称される．ここには運動神経線維はもちろん，感覚神経線維，さらには血管に分布する交感神経線維が含まれる．感覚神経線維は後述する筋紡錘（⇨ p.58）を支配するものに加え，筋膜や筋自体を支配する線維が存在する．その多くは皮膚の感覚神経からの分枝であり，温・痛覚や圧覚を受容する．また，血管壁の平滑筋を支配する交感神経線維は，骨格筋内の血流を調節する役割を担う．

臨床で重要！

筋サテライト細胞の役割

骨格筋は中胚葉から分化した筋芽細胞から生じる．筋芽細胞が直線状に融合して筋管細胞を形成し，別の筋管細胞や筋芽細胞と融合して多核の筋線維となる．筋線維の形成過程で筋管細胞と融合しなかった未分化細胞を筋サテライト細胞（筋衛星細胞）といい，筋の肥大や再生，損傷後の修復に関与する．

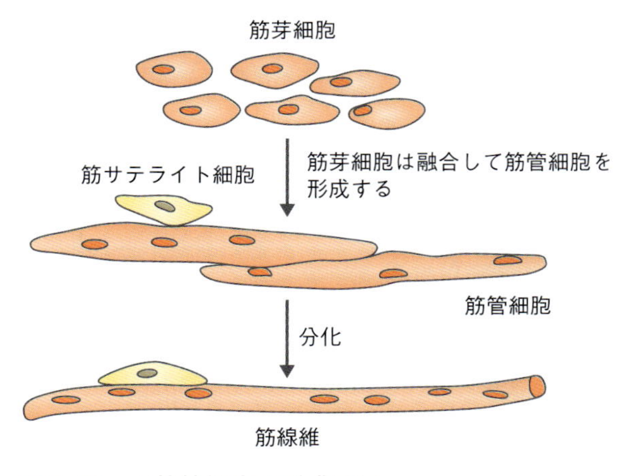

図 2-23　骨格筋細胞の形成過程

文献16をもとに作成．

3）骨格筋の微細構造

- 筋線維の表層には，筋細胞膜である**形質膜**が存在する．筋に分布する運動神経の神経線維（軸索）が，**神経筋接合部**と称されるシナプスを形成するのが，この形質膜である（⇨図2-26）．その表層には糖タンパク質に富んだ層があり，これを**基底膜**という．基底膜と形質膜を合わせて**筋鞘**（きんしょう）と称する（図2-24A）．
- 筋線維における細胞間質の大部分は，**筋原線維**が占める．筋原線維は主に2種類の**筋フィラメント**から構成される（図2-24B）．太いフィラメントは，主にミオシンとよばれるタンパク質から構成され，**ミオシンフィラメント**と称される．その基本形は，球形の頭部と棒状の尾部が2本セットになったものである．ミオシン頭部には，**アデノシン三リン酸**（**ATP**）を加水分解する酵素，つまりATPアーゼを含んでいる．一方の細いフィラメントは，主に球状タンパク質のGアクチンが連結してできた線維状のFアクチンが，二重らせん構造になったものである．これを**アクチンフィラメント**と称する．
- アクチンフィラメントが結合する膜状の構造物を**Z帯**あるいはZ線という．Z帯と隣りのZ帯までの間を**筋節**（サルコメア）といい，筋線維における構造上の基本単位となる（図2-24B）．この筋節が連結することで，筋線維が構成される．成長に伴い筋線維が長くなるのは，主に筋節の数が増大することによる．
- 顕微鏡で筋線維をみると，太いミオシンフィラメントが存在する部分は光の透過性が悪く暗いため，これを**A帯**（暗帯）という．一方，細いアクチンフィラメントしかない部分は光の透過性がよく明るくみえるため，この部分を**I帯**（明帯）という．なお，A帯においてアクチ

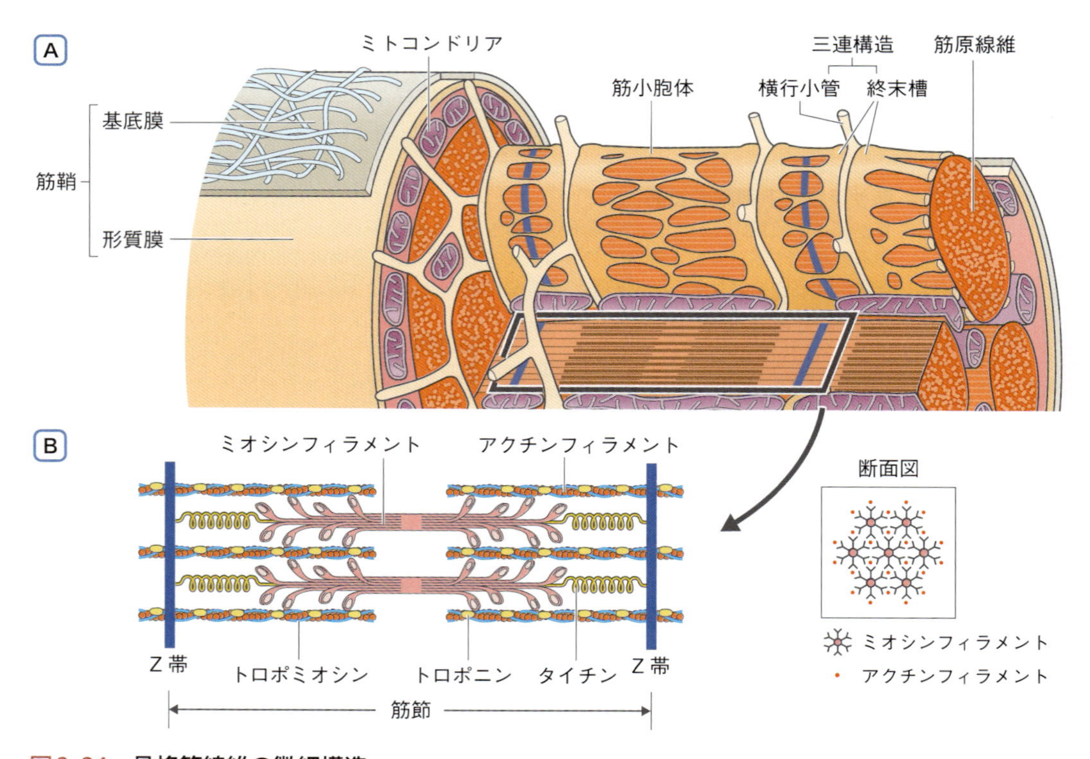

図2-24　骨格筋線維の微細構造
筋線維における構造上の基本単位は，Z帯からZ帯までの間の筋節からなる．文献11，17をもとに作成．

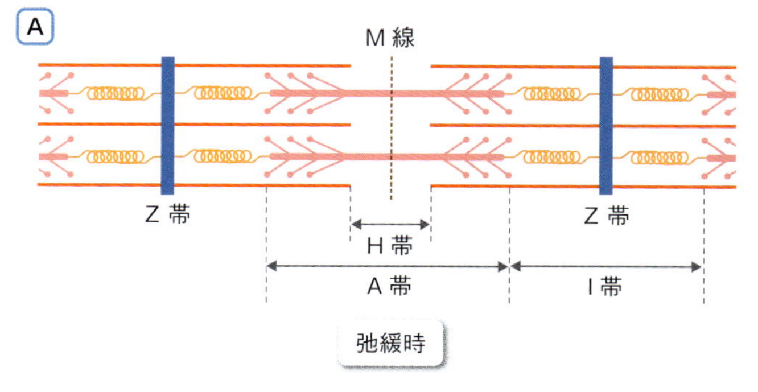

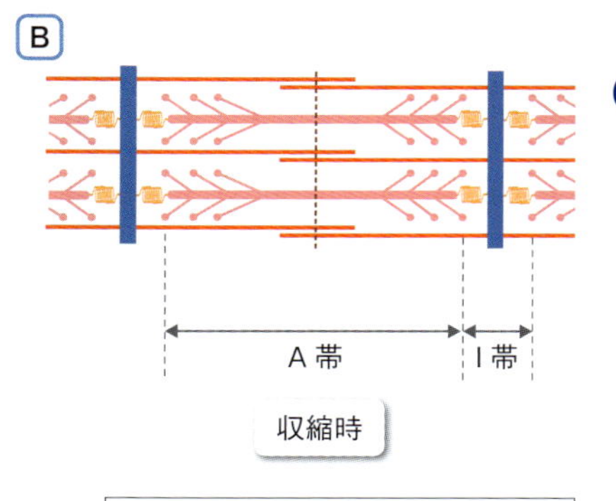

図2-25　フィラメント滑走説

アクチンフィラメントがミオシンフィラメントの間に滑り込むことによって，筋は収縮し張力を発生させる．求心性収縮ではI帯の長さが短縮する（A帯の長さは変化しない）．

ンフィラメントとの重なりがない中央部分はやや明るくみえるため，ここを**H帯**という．H帯の中央部分にはごく細い暗線がみられるが，これを**M線**という（図2-25）．M線は，隣接するミオシンフィラメントを互いに結合させる部分になる．

- ミオシン，アクチン以外のタンパク質には，トロポミオシン，トロポニン，タイチンなどがある（図2-24B）．**トロポミオシン**は細長い棒状の分子からなり，アクチンフィラメントを取り巻いている．また，**トロポニン**は3つの小さな球状分子からなり，トロポミオシンを介してアクチンフィラメントと結合する．コネクチンとも称される**タイチン**は弾性に富んだタンパク質であり，ミオシンフィラメントをZ帯につなぎ止める役割を担っている．

4）骨格筋の収縮機序

- 筋の収縮は，アクチンフィラメントがミオシンフィラメントの間に滑り込むことによって生じる．これを**フィラメント滑走説**という．この際，両フィラメントの長さは変化しないためにA帯の長さは変化しないが，I帯の長さには変化がみられる（図2-25）．後述する求心性収縮では短縮し，遠心性収縮では延長する（⇨p.55）．
- 骨格筋が収縮する際には，**脊髄前角**あるいは**脳神経核**に存在する運動神経が興奮して，その刺激が神経筋接合部を介して筋線維の形質膜を興奮させる（図2-26）．運動神経の末端まで興奮が伝導すると，**神経終末**から**アセチルコリン**という神経伝達物質が放出され，**運動終板**とも称される形質膜に結合する．
- 運動神経の末端と運動終板の連結は，興奮性シナプスによる結合である．アセチルコリンが結合した形質膜では，電位依存性のナトリウムチャネルが開いて，脱分極が生じる．このときに生じる電位を**終板電位**という．
- 運動神経（運動ニューロン）には，Aα線維とAγ線維の2種類が存在する．脊髄前根においては，Aα線維が約70％，Aγ線維が残りの約30％を占める．一般に関節運動の力源として捉える筋線維は**錘外筋線維**（すいがい）であり，これを支配するAα線維は**α（アルファ）運動ニューロン**とよぶことが多い．一方，**γ（ガンマ）運動ニューロン**とよばれるAγ線維は，骨格筋の受容器として存在する**筋紡錘**を構成する**錘内筋線維**（すいない）を支配する．
- 筋線維の細胞膜である形質膜（運動終板）に終板電位が生じると，形質膜が筋線維内に陥入して形成された**横行小管**に興奮が伝導する．この活動電位の持続時間は2～4ミリ秒である．

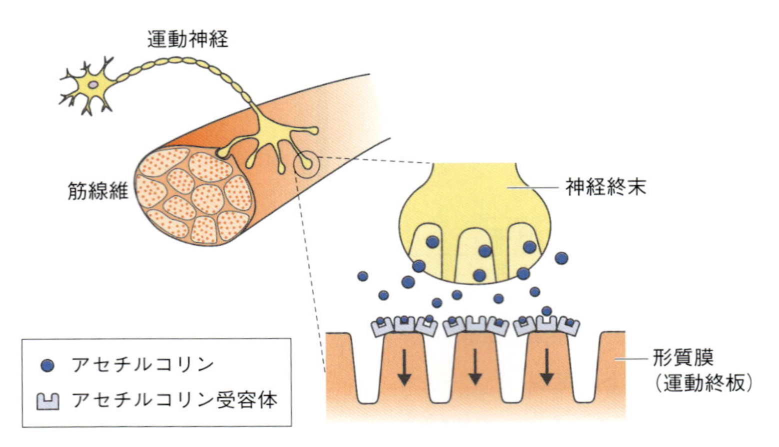

図2-26　神経筋接合部

興奮性シナプスである神経筋接合部では，筋線維の形質膜がアセチルコリンという神経伝達物質を受容すると脱分極が生じる（終板電位の発生）.

筋線維内部で筋フィラメントが存在しないところには，カルシウムイオンをいれた滑面小胞体が発達しており，これを**筋小胞体**という（⇨図2-24A）．その両端の膨大部は**終末槽**とよばれ，横行小管をはさみ込む形態をとる．これを**三連構造**あるいは三つ組と称する．横行小管が脱分極すると，三連構造における終末槽のチャネルが開き，カルシウムイオンが筋線維内に放出される（図2-27左）.

- 筋細胞内に遊離したカルシウムイオンは，トロポニンと結合する．この反応により，トロポミオシンの位置がずれてアクチン分子のミオシン結合部が露出され，ATPの加水分解が生じる．ATPの加水分解とは，ATPの脱リン酸化を引き起こし，**アデノシンニリン酸**（ADP）と**無機リン**（P_i）に分解することを意味する．このときに生じるエネルギーの半分以上は熱となるが，残りの一部が筋収縮のための力学的エネルギーとなる．つまり，ミオシン頭部がアクチンフィラメントに接近して**連結橋**を形成し，筋収縮が生じる．このような終板電位の発生から筋収縮に至る一連の過程を**興奮収縮連関**という.
- この筋収縮反応が終了すると，カルシウムイオンが筋小胞体に取り込まれ，筋は弛緩する．この反応は，筋小胞体に存在するカルシウムポンプの作用による．つまり，1分子のATPを分解して，2分子のカルシウムイオンを取り込む（図2-27右）.

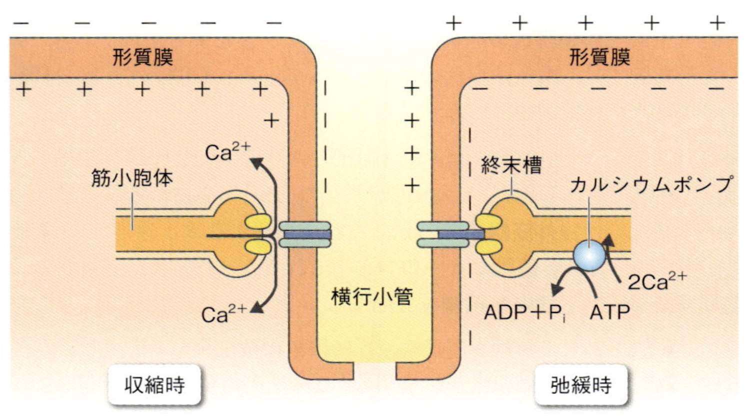

図2-27
興奮収縮連関

形質膜の興奮が横行小管に伝導すると，筋小胞体の終末槽に存在するチャネルが開き，カルシウムイオン（Ca^{2+}）が筋線維内に放出される（左）．筋収縮反応が終了すると，筋小胞体に存在するカルシウムポンプの作用により，カルシウムイオンが取り込まれる（右）.

骨格筋を支配する運動ニューロン

大脳からの運動指令を骨格筋に伝える経路は，大脳皮質から脳神経核または脊髄前角まで運動指令を伝える上位運動ニューロンと，その情報を骨格筋に伝える下位運動ニューロンからなる．主に頭部・顔面の骨格筋は脳幹の脳神経核，頸部から下の領域の骨格筋は脊髄前角に起始する下位運動ニューロンの支配を受ける．

	上位運動ニューロン	下位運動ニューロン
頸部より頭側の筋	名称：皮質核路 経路：大脳皮質から脳幹（中脳・橋・延髄）の脳神経核へ	経路：脳神経核から骨格筋へ（脳神経の運動神経） 支配筋：眼球，顔面，舌，頸部筋の一部など
頸部より尾側の筋	名称：皮質脊髄路（錐体路） 経路：大脳皮質から脊髄前角へ	経路：脊髄前角から骨格筋へ 支配筋：四肢・体幹の筋

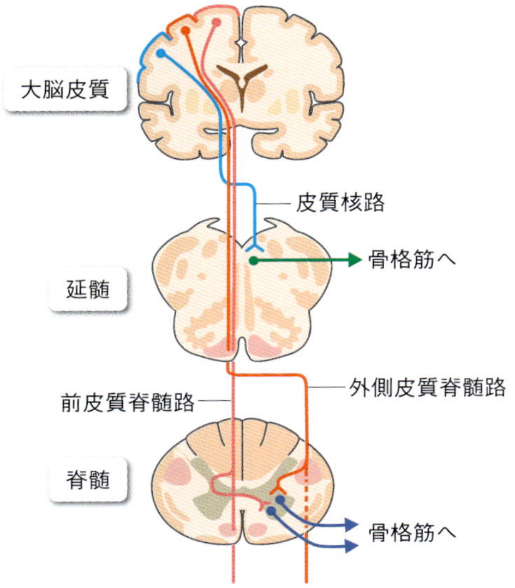

大脳皮質
皮質核路
骨格筋へ
延髄
外側皮質脊髄路
前皮質脊髄路
脊髄
骨格筋へ

図2-28　主な下行性ニューロン

5）筋収縮のためのATP供給・生成過程

- 筋収縮の直接的なエネルギー源はATPである．ごく短時間（1～2秒）の運動であれば，筋線維内に貯蔵されているATPの利用が可能である．これを**ATP系**という（図2-29）．しかしながら，筋線維内には多くのATPを貯蔵できないため，ATP生成が必要とされる．

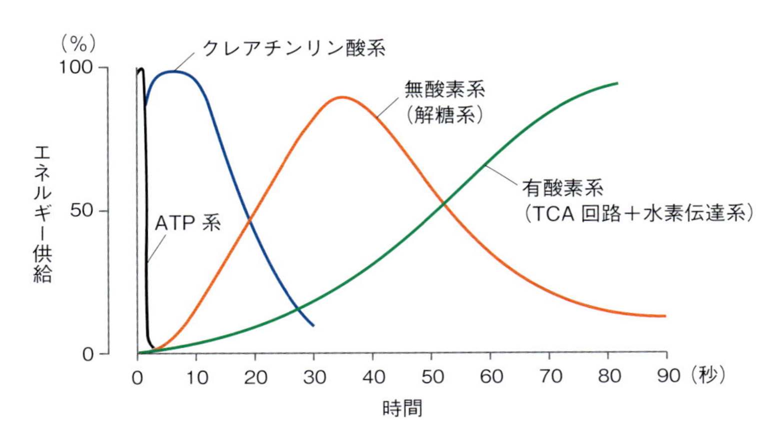

図2-29　筋における運動時のATP供給・生成過程

運動の持続時間の変化とともに，筋収縮のエネルギー源であるATPの生成過程の比率が変化する．有酸素系のATP供給には，呼吸・循環器の機能が大きく影響する．文献11をもとに作成．

- 20～30秒の短時間の運動では，クレアチンリン酸を介してATPを再合成することができる．これを**クレアチンリン酸系**という（図2-29）．ATP分解によって生じたP_iがクレアチンと結合してクレアチンリン酸となれば，これを分解することでP_iをADPに結合することが可能となる．このエネルギー要らずのATP再合成過程は，**ローマン反応**とも称される．
- ATP系およびクレアチンリン酸系でのATP対応が不可能となれば，主に食事によって摂取したグルコース（ブドウ糖）を分解してATPを生成する．筋線維における細胞質基質で生じるこのATP生成過程では，酸素を必要としない．そのため**無酸素系**，**嫌気性解糖**あるいは単に**解糖系**と称されるが，その供給時間は40～60秒である（図2-29）．なお，この過程での最終代謝産物は乳酸である．
- 長時間に及ぶ運動では，酸素を利用した筋線維内のミトコンドリアにおけるATP生成がなされる．これを**有酸素系**あるいは**好気性解糖**と称する（図2-29）．この過程には，ミトコンドリアの内腔（マトリックス）で生じる**TCA回路**（トリカルボン酸回路）と，内板（クリステ）で生じる**水素伝達系**がある．※

※書籍によっては，前者を**クレブス回路**，**クエン酸回路**，後者を**電子伝達系**，**呼吸鎖**とも記されている．

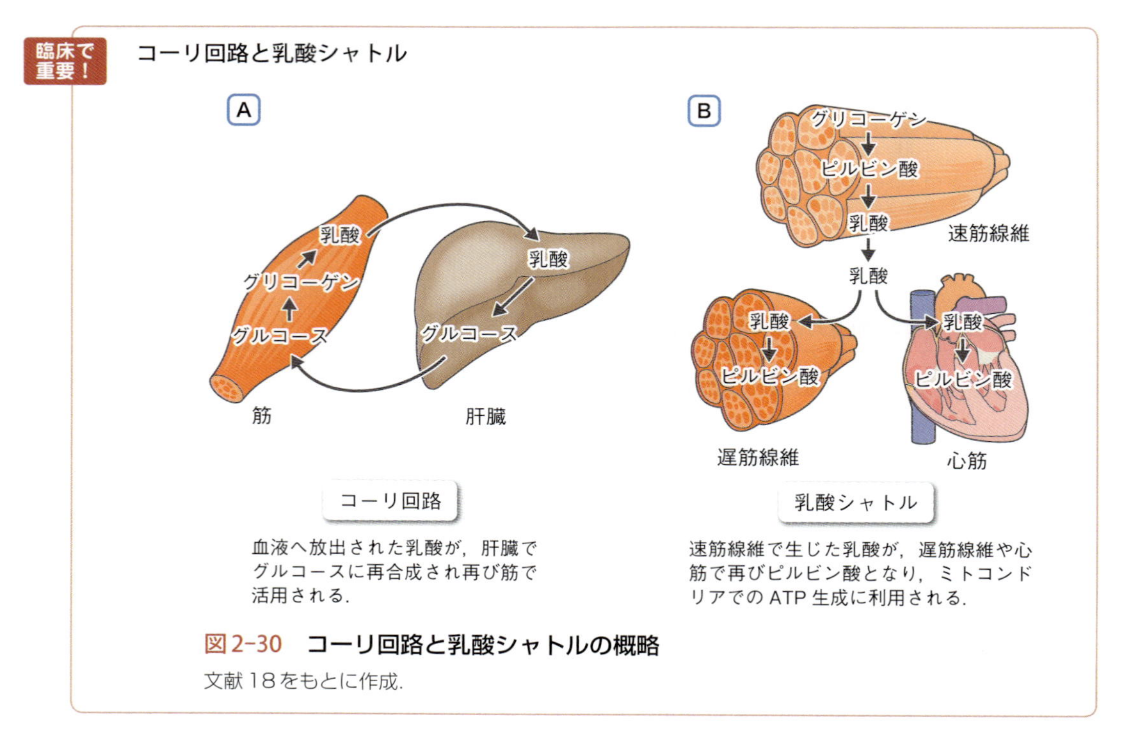

図2-30　コーリ回路と乳酸シャトルの概略
文献18をもとに作成．

6）筋線維のタイプ

- 筋に単一の刺激を与えた際，1個の活動電位が発生して生じる1回だけの筋収縮を**単収縮**という．例えば運動神経に刺激を与えた場合，神経線維を興奮が伝導して神経筋接合部ではその興奮が伝達され，結果的に筋線維は収縮を行う．なお，活動電位の持続時間に比較すると，単収縮の持続時間は長い．
- 筋細胞に複数の刺激を加えた場合，その効果が単独の刺激の効果の和よりも大きくなる現象を**収縮の加重**という．なお，強縮を起こす頻度よりわずかに低い頻度で刺激を与えると，毎

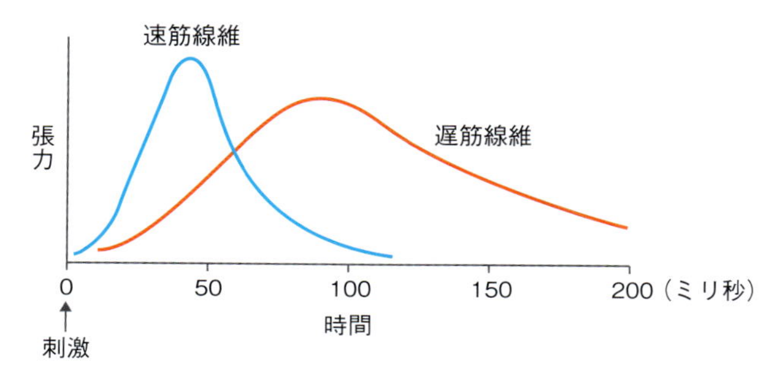

図2-31　単収縮速度による筋線維のタイプ分類

単収縮における収縮速度が速く，弛緩に至る時間が短い速筋線維は発揮される張力が大きい．一方の遅筋線維は，収縮速度が遅く張力が小さいものの，弛緩に至る時間が長い．なお，骨格筋の活動電位の持続時間は２～４ミリ秒と短い．

回の単収縮の張力が次第に増加していくが，この現象を**階段現象**という．このような加重現象によって得られる筋収縮を**強縮**という．

- 筋収縮が速い筋線維を**速筋線維**，遅い筋線維を**遅筋線維**という（図2-31）．速筋線維は単収縮時の収縮速度が速く張力が大きいが，弛緩に至るまでの時間も短い．一方の遅筋線維は，収縮速度が遅く張力が小さい．しかしながら，弛緩に至るまでの時間が長いため1回の刺激で比較的長い時間の筋収縮が得られる．このため，速筋線維に比較して遅筋線維では強縮を生じやすい．また，速筋線維は筋収縮までの潜時が短い運動神経によって支配され，この運動単位を**Fタイプ**という．一方，遅筋線維は筋収縮までの潜時が長い運動神経によって支配され，この運動単位を**Sタイプ**という（表2-5）．

表2-5　筋線維タイプの特徴

	遅筋線維	速筋線維	
運動単位タイプ	Sタイプ	Fタイプ	
色調でみたタイプ	赤筋線維	白筋線維	
ATPアーゼの作用でみたタイプ	タイプⅠ線維	タイプⅡA線維	タイプⅡB線維
運動神経の細胞体サイズ	小型	中型	大型
運動神経の軸索径	小径	中径	大径
神経支配比	小さい	中間	大きい
筋線維サイズ	小さい	中間	大きい
収縮張力	小さい	中間	大きい
解糖系酵素活性	低い	中間	高い
酸化系酵素活性	高い	中間	低い
疲労耐性	高い	中間	低い
毛細血管密度	大きい	中間	小さい
ミトコンドリア含有量	多い	中間	少ない
筋小胞体でのCa^{2+}取り込み速度	遅い	中間	速い

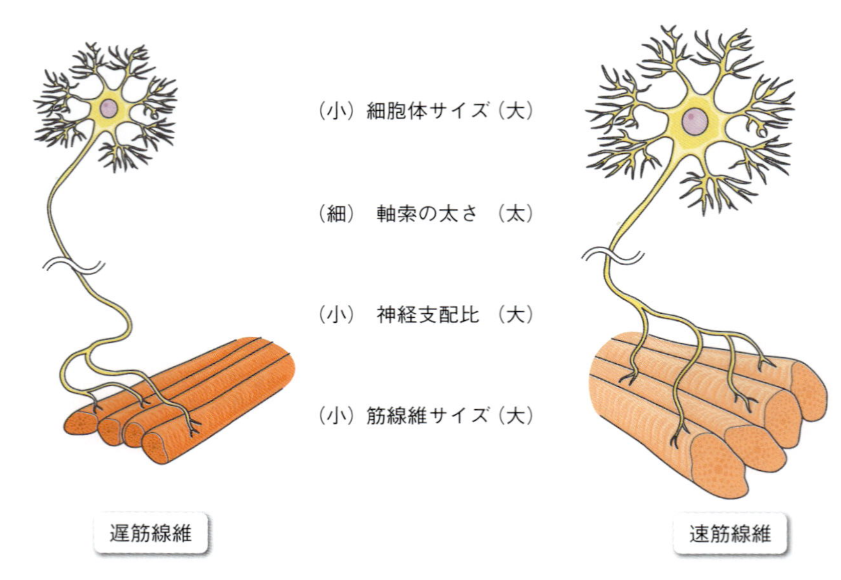

図2-32　遅筋線維と速筋線維の比較

瞬間的に大きな力の発揮が必要な場合には，大型の運動神経（Fタイプ）を興奮させて，神経支配比・筋線維サイズが大きな速筋線維を動員させる．ただし，小型の運動神経（Sタイプ）ほど細胞体が脱分極に至る閾値は低いため，基本的には遅筋線維が速筋線維に先行して動員される（サイズの原理）．文献19をもとに作成．

- 筋線維サイズ，つまり筋線維の大きさはタイプによって異なるが，その要因は筋原線維の量に依存する．遅筋線維と比較すると，速筋線維は筋線維サイズが大きい．さらには，それを支配する運動神経の細胞体は大きく，神経線維も太い．したがって，速筋線維では運動神経が興奮してから収縮に至るまでの時間が短く，その発揮応力が大きくなる（図2-32）．しかし，運動神経の細胞体が小さいほど脱分極に至る閾値（いきち）は低い．そのため基本的には，細胞体サイズが小さな遅筋線維が，速筋線維に先行して動員される．これを**サイズの原理**という．
- 酵素タンパク質が示す特定反応に対する媒介機能を酵素活性という．解糖系酵素活性が高い場合には無酸素系での代謝能力が，酸化系酵素活性が高い場合には有酸素系での代謝能力が高いことを意味する．したがって，酸化系酵素活性が低い速筋線維では疲労耐性が低い，つまり疲労しやすいことになる．
- 筋線維を，その色調から分類することもできる（表2-5）．筋線維には，酸素親和性が高いタンパク質複合体であるミオグロビンが含まれている．ミオグロビンは酸化状態で褐色を呈するため，その含有量が多い遅筋線維は赤くみえることから**赤筋線維**と称される．これに対して速筋線維は**白筋線維**に相当する．
- また，組織化学的性質や代謝活性の差異から分類することも可能である．ミオシン頭部におけるATPアーゼの差異から遅筋線維を**タイプⅠ線維**，速筋線維を**タイプⅡ線維**と分類できる．このうち，タイプⅡ線維をいくつかのサブグループに分けることが一般的である．
- その他，単収縮の性質および代謝の差異からみた分類などがある．その詳細については，表2-5を参照していただきたい．なお，同じ運動単位の筋線維は同一の筋線維タイプから構成される．

臨床で重要！

トレーニングによる筋線維タイプの変化

遅筋線維（タイプⅠ線維）と速筋線維（タイプⅡ線維）の比率は，後天的変化が生じにくい．しかし，筋力・筋持久力トレーニングのいずれによっても，タイプⅡBからタイプⅡA線維への移行は起こる．そのため，酸化系酵素活性がより高いタイプⅡA線維の割合が増加する．

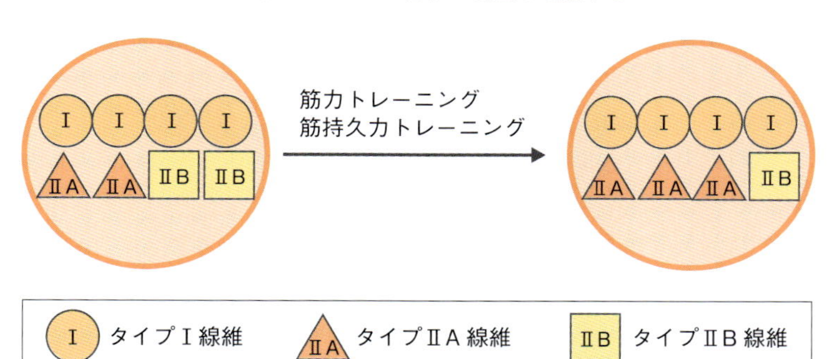

図2-33　トレーニングによる筋線維タイプの変化

7）運動単位と筋収縮の調節

- 1つの筋線維は，運動神経の神経線維（軸索）が分枝したうちの1つの神経終末によって支配される．しかし，運動神経を主体にすれば，1本の運動神経は複数の筋線維を支配することになる．1つの運動神経とそれが支配する筋線維群を合わせて**運動単位**という（図2-34）．
- ヒトの運動単位を興奮させる刺激の頻度（発火頻度）は50 Hz（ヘルツ）に及ぶこともあるが，多くは9～25 Hzといわれている．刺激の頻度が高くなると，単収縮が重なり強縮が生じる．完全強縮に必要な最低限の刺激頻度を臨界融合頻度というが，ヒトを含めた恒温動物では100 Hz程度である．それ以上の頻度で刺激を与えても，筋は収縮しない．
- 1本の運動神経が支配する筋線維数を**神経支配比**という．神経支配比が大きな筋では，1本

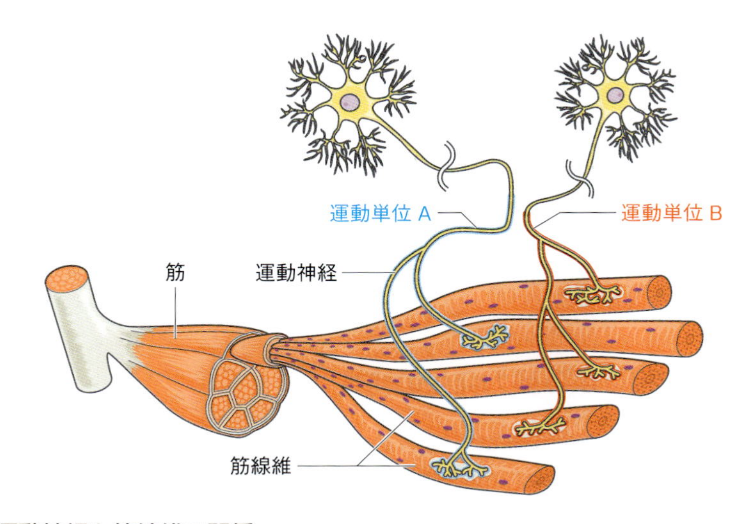

図2-34　運動神経と筋線維の関係

1つの運動神経はその神経線維が分枝して神経終末となり，複数の筋線維を支配する．この運動単位が数多く集まって，1つの筋となる．しかし，筋線維を主体にみると，1つの筋線維は1本の神経終末によって支配される．

の運動神経の興奮によって多くの筋線維を同期して収縮させることができるため，大きな筋力を発揮できる．一方で神経支配比が小さな筋では，細やかな筋収縮をさせることに適している．したがって，大腿や体幹の筋では神経支配比が大きく，指や眼球の筋では小さい．

- 運動単位を基本に捉えた中枢神経系による筋収縮の調節機構には，3つのタイプがある．1つ目は，**空間的活動参加の調節**である．具体的には，同期して動員させる運動単位の総数やその種類によって，筋の収縮力を調節している．1つの筋には数多くの運動単位が存在する．一度に動員する運動単位の数が多ければ，筋収縮に関与する筋線維の数が増えて，その収縮力も増大する．また，遅筋線維に比して速筋線維は筋線維サイズが大きいこと，さらには神経支配比が高いことからして，大きな力の発揮が必要な場合には，速筋線維を動員させることが望ましい．ただし，収縮力は低くても持続的な筋収縮を求めるのであれば，遅筋線維を動員させることが求められる．
- 2つ目は，運動単位の刺激頻度を変化させる調節機構であり，**時間的活動参加の調節**と称される．遅筋線維は，速筋線維に比べて収縮時間が長いため，運動単位の発射頻度が少なくても収縮の加重が生じ，強縮を生じやすい（⇨図2-31）．強縮により一定の張力を持続的に必要とする場合には，遅筋線維の動員が求められる（図2-35）．しかし，筋張力を短時間だけ得て，運動を切り替えたい場合には，速筋線維の動員が求められる．
- 3つ目は，**活動時相による調節**である．前述したように，運動単位を同期して動員させた場合には，大きな筋張力を得ることができる．しかし，運動の持続や反復を行うと筋収縮能率が減衰する状態，つまり疲労が生じる．この傾向は特に速筋線維で生じやすい．短時間に大きな張力を求めるのであれば，活動時相を同期させた刺激を与えて，筋収縮を得ることが求められる．一方，持続的な筋張力が要求される運動では，あえて活動時相を一致させない非同期的刺激による筋収縮が望ましい．つまり，運動神経に対する刺激の与え方を，同期化あるいは非同期化させることで，筋収縮を調整することが可能となる．

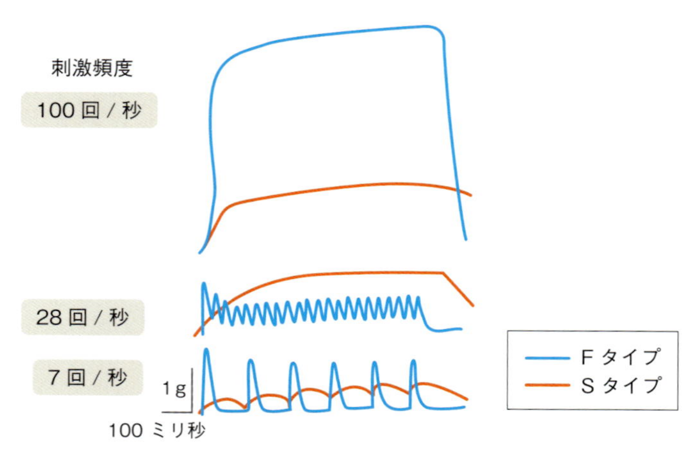

図2-35　運動単位のタイプによる張力融合の差異

単収縮の持続時間は，速筋線維に比べ遅筋線維で長いため，遅筋線維の方が完全強縮を得やすい．つまり，完全強縮に必要な最低限の刺激頻度である臨界融合頻度は，遅筋線維で低い．なお，恒温動物の臨界融合頻度は100 Hz程度である．横軸は時間，縦軸は張力の大きさを示す．文献3，20をもとに作成．

8）筋収縮による張力発生の特性

- 関節運動を行う際には，個々の筋が単独で収縮することはほとんどなく，複数の筋が同時に収縮を行う．特定の運動を行うことに直接関与する筋を**動筋**という．このうち，主力となる筋を**主動筋**，主動筋と協調して働く筋を**共同筋**というが，両者を明確に区別することは不可能である．一方，動筋とは反対の運動を行う筋を**拮抗筋**（きっこう）という．また，特定の運動を保証するために，関節運動を伴わずに働く筋を**固定筋**あるいは安定筋という．固定筋は主に，実際に運動が生じている関節よりも中枢部にみられる．

- 筋収縮は，筋が張力を発揮することを意味している．したがって，アクチンフィラメントがミオシンフィラメントの間で滑走して筋長が短縮する場合もあれば，延長する場合あるいは変化しない場合もある．筋長の短縮を伴う筋収縮を**求心性収縮**あるいは短縮性収縮，筋長の延長を伴う筋収縮を**遠心性収縮**あるいは伸張性収縮という．また，筋長が変化せず関節運動を伴わない筋収縮を**等尺性収縮**あるいは静止性収縮という（⇨p.57 Let's Try）．
- 筋の収縮速度を一定にした関節運動時にみられる筋収縮を，**等速性収縮**あるいは**等運動性収縮**という．ただし，生体で行う運動では収縮速度の測定が不可能であることから，一定の角速度で行う人工的な関節運動時にみられる筋収縮をもって等速性収縮と称している．さらには，筋張力が変わらない筋収縮を**等張性収縮**という．しかし，運動時の張力を生体で測ることは不可能であるため，現実にはみられない．これらは，日常では確認が困難な筋収縮様式である．
- 筋節の長さは筋張力に変化を及ぼす．ATPアーゼを含んだミオシン頭部を有するミオシンフィラメントが，アクチンフィラメントとの重なり合う長さが長いほど，筋節ごとに発揮される筋張力はより大きなものになる．この最大筋力を発揮できる筋長を**至適長**あるいは至適筋長という．筋長が長すぎると両フィラメントの重なりが少なくなり，発揮張力は低下する．一方で筋長が短すぎると，アクチンフィラメント同士が重なってしまい発揮張力が低下する（図2-36）．なお，ここで得られる筋張力を**活動張力**と称する．

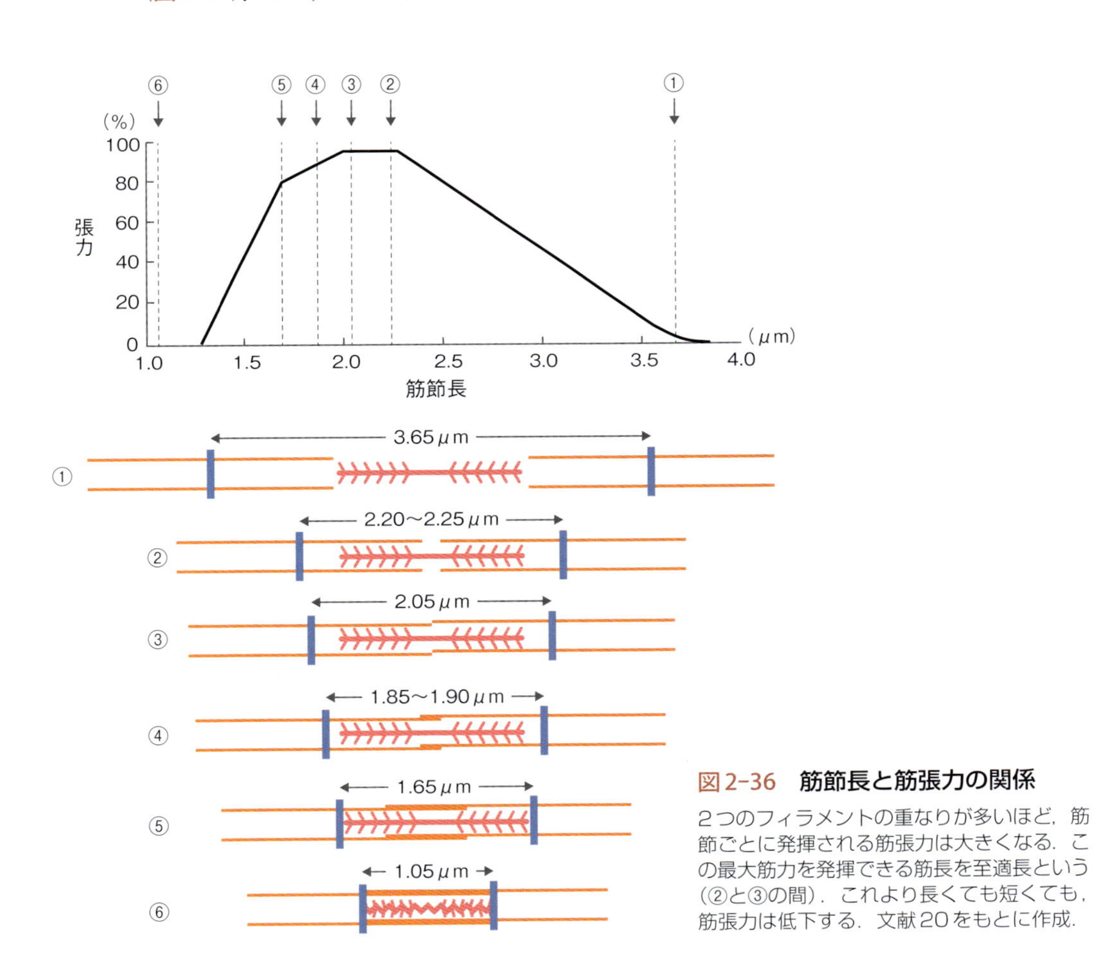

図2-36　筋節長と筋張力の関係

2つのフィラメントの重なりが多いほど，筋節ごとに発揮される筋張力は大きくなる．この最大筋力を発揮できる筋長を至適長という（②と③の間）．これより長くても短くても，筋張力は低下する．文献20をもとに作成．

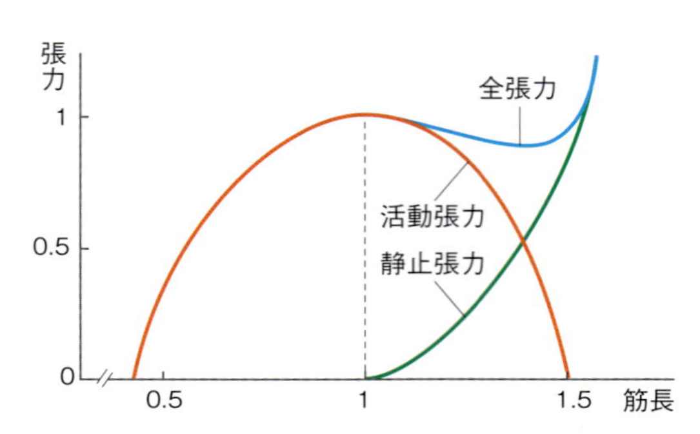

図2-37　長さ－張力曲線

運動神経が結合したままの筋線維を対象に，さまざまな筋長での張力を計測する．ここで得られた全張力と静止張力をもとに，活動張力を算出することができる．このグラフでは，至適長と平衡長が，静止長（生体内にある本来の位置での筋長）と一致しているが，筋によって粘性が異なるので必ずしも一致はしない．文献21をもとに作成．

- 筋長と筋張力の関係は，**長さ－張力曲線**によって示される（図2-37）．運動神経が結合したままの筋線維を対象に，さまざまな筋長での張力を計測する．弛緩した状態から筋を引き伸ばしていくと，ある時点から筋が有する弾性によって張力が発生し，断裂するまでは漸増（ぜんぞう）する．この張力は，タイチンやミオシンフィラメント自体による弾性によるものであり，**静止張力**とよばれている．この静止張力が発生し始める筋長，換言すれば弾性力がゼロの際の筋長は，**平衡長**として知られている．一方，運動神経に刺激を与えた際の張力をさまざまな筋長で計測すると，**全張力**を得ることができる．実験においては全張力から静止張力を引くことで，活動張力を求めている．
- 長さ－張力曲線の縦軸では，至適長において得られた最大活動張力を100％としている．一方，筋長を示した横軸の100％は，生体内にある本来の位置での筋長を示しており，これを**静止長**という．このグラフにおける静止長は，至適長さらには平衡長と一致しているが，筋によっては異なるので注意を要する．
- 等張性収縮条件下でみた収縮速度と力（負荷の大きさ）の関係は，**力－速度曲線**によって示される（図2-38）．つまり筋張力が一定であれば，収縮速度は負荷が小さいほど速く，負荷が大きければ遅くなる．縦軸は収縮速度を示しているが，速度ゼロの時点は**最大等尺性収縮張力**が発揮されていることを意味する．
- 力－速度曲線において，速度がプラスの場合には求心性収縮を，マイナスの場合には遠心性収縮をあらわす．求心性収縮においては，収縮速度が速いほど最大筋張力が小さく，遅いほど最大筋張力が大きくなる．なお遠心性収縮が生じるのは，最大等尺性収縮張力の約1.5倍までである．

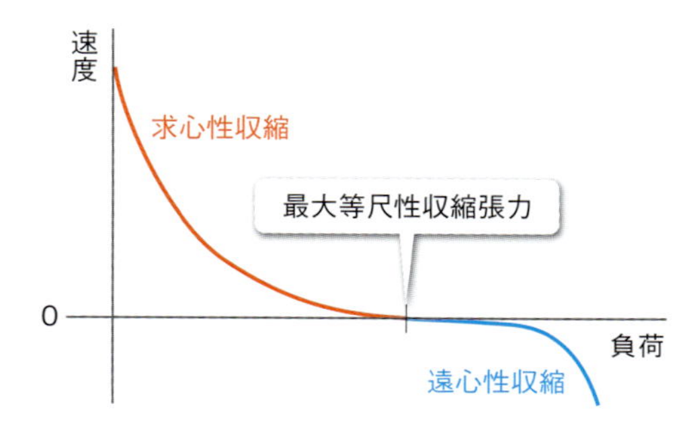

図2-38　力－速度曲線

速度ゼロの時点は最大等尺性収縮張力が発揮されていることを意味するため，速度がプラスの場合には求心性収縮，マイナスの場合には遠心性収縮をあらわす．筋張力が一定であれば，負荷が小さいほど収縮速度は速く，負荷が大きければ遅くなる．

Let'sTry 一般的な筋収縮様式を確認しよう

荷物の入ったバッグを把持して，肘関節をゆっくり曲げる，ゆっくり伸ばす運動をやってみよう．肘関節屈曲運動の主動筋である上腕二頭筋を上腕前面で，拮抗筋である上腕三頭筋を上腕後面で触知する．上腕二頭筋は，①屈曲運動時に求心性収縮，③伸展運動時に遠心性収縮が生じる．また，②屈曲位保持では等尺性収縮が生じる．この運動の際，上腕三頭筋の収縮はほとんどみられない（弛緩状態）．なお，共同筋である上腕筋，固定筋である肩甲骨周囲筋や体幹筋も作用している．

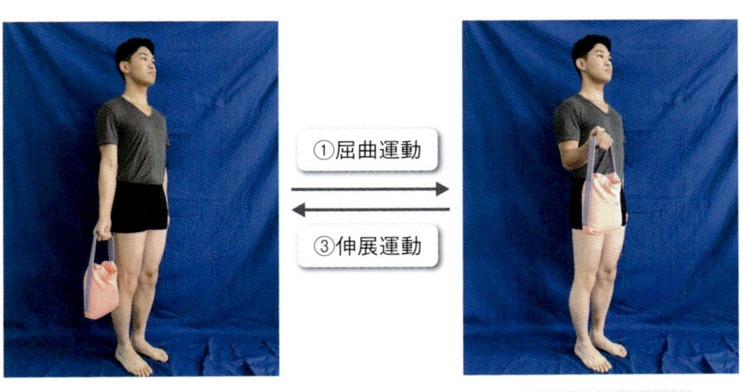

図 2-39 肘関節における３つの筋収縮様式

9）筋肥大と筋萎縮

- ヒトの骨格筋は，他の器官に比して可塑性（かそせい）に富んでいる．ルーの法則にもあるように，機能が発達すれば形態的にも増大し，機能が低下すれば形態的にも減衰する．前者を筋肥大，後者を筋萎縮として捉えることができる．
- トレーニングを行うことで，**筋肥大**が生じる．筋肥大の主たる要素は，筋原線維数の増大に伴う**筋線維の肥大**である．力源となる筋原線維の数が増えれば，筋線維は当然大きくなる．筋線維内に存在する核の情報をもとに，タンパク質合成がなされて筋原線維が増加する（図 2-40）．トレーニングによる筋肥大は，遅筋線維に比べて速筋線維で生じやすい傾向にある．

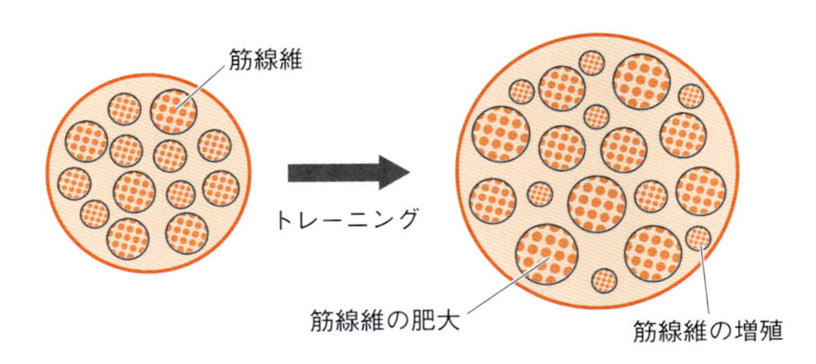

図 2-40 形態的にみた筋肥大

筋線維束の断面図．主たる筋肥大の要素は，筋原線維数の増大に伴う筋線維の肥大である．この変化は，遅筋線維に比べて速筋線維で生じやすい傾向にある．また，筋線維の増殖もわずかながら生じる．文献 11 をもとに作成．

- また，**筋線維の増殖**もわずかながら存在する．胎生期にみられる筋線維の増殖は，生後あまりみられなくなる．しかし，筋細胞の形成に関与しなかった**筋サテライト細胞**が，筋線維周囲に存在する（⇨図2-23）．トレーニングによる刺激で筋サテライト細胞が活性化すると，筋の発生・再生と同様の細胞周期に入り新たな筋線維が形成される．ただし，筋肥大全体に占める筋線維の増殖の割合はあまり大きくない（図2-40）．
- トレーニングによる形態変化は，筋線維以外にもみられる．例えば，持久的トレーニングを行った場合には酸化系酵素活性が高まるが，そのためには酸素を運搬するための毛細血管の密度や，ATPを生成するミトコンドリアの容量が増えなくてはならない．
- 長期的にトレーニングを行うことで筋肥大は生じるが，そのためにはある程度の時間を要する．トレーニング初期では最大筋力増加に伴う神経性要因の貢献度が大きい．つまり，活動に参加する運動単位の増加や発火頻度の増加による短期適応が生じる．トレーニング期間が増加するほど，筋肥大の要因が増大する（長期適応）．
- **筋萎縮**は，筋タンパク質の分解が合成よりも亢進（こうしん）した場合にみられる現象である．具体的には，筋線維数の減少，筋線維の縮小・線維化がみられる．筋萎縮には，筋自体や筋を支配する運動神経に原因を有する疾患で生じるものと，何らかの原因で長期間筋を不使用にしたことで生じるものがある．後者においては，**不活動**と**加齢**がその主な原因としてあげられる．
- 不活動による筋萎縮は**廃用性筋萎縮**に相当するが，一般に運動ニューロンに変化がなく筋線維の萎縮が生じる．通常の活動量との相対的変化が関係するため，単関節筋を中心とした抗重力筋（例：ヒラメ筋）に萎縮が生じやすい．そのため，遅筋線維が優位に萎縮する．
- 加齢による筋萎縮では運動単位数が減少し，筋線維数が減少する．この場合には，遅筋線維と比較して速筋線維で萎縮が生じやすい．なお，加齢や疾患により筋肉量が減少することを**サルコペニア**といい，加齢が原因で起こる一次性と，加齢以外にも原因がある二次性に分類される．加齢による筋萎縮は，一次性サルコペニアに該当する．

10）筋の感覚受容器

- 筋の長さを感受する紡錘形の受容器として，**筋紡錘**が存在する（図2-41）．筋紡錘は，リンパ液を入れる紡錘鞘によって覆われており，その中に錘内筋線維が存在する．錘内筋線維は一般にいう筋線維，つまり錘外筋線維と並列に配置される．錘内筋線維も筋フィラメントを有し，γ運動ニューロンの支配を受ける．ただし，錘内筋線維の中央では筋フィラメントが乏しく，核が集積する．粘性が低く引き伸ばされやすいこの部位に，感覚神経線維が存在する．
- 微妙で繊細な運動や重力に対する空間的保持に関与する筋では，一般に高密度の分布を示す．したがって，速筋線維より遅筋線維に多い．錘内筋線維の中央部にはフィラメントがなく，この部位に複数の感覚神経線維が終止する．
- ヒトを含めた哺乳類の錘内筋線維には，**核袋線維**と**核鎖線維**が存在する．核袋線維の中央はふくらんだ形状であり，ここには多くの核が集積する．核袋・核鎖線維の一次終末は，らせん状に巻きつく**Ⅰa群線維**である．Ⅰa群線維は，伸張速度を検出して速度依存性の応答を示す．つまり，伸張速度に敏感に反応する．腱反射は**伸張反射**を誘発する検査であり，このⅠa群線維による応答をみている．
- 主に核鎖線維に分布する二次終末を**Ⅱ群線維**という．核袋線維では散形状に，核鎖線維ではらせん状に終わる．伸ばされた長さに反応はするものの，伸張速度に対する反応は鈍い．つまり，長さ依存性の応答を示す．
- γ運動ニューロンは，錘内筋線維の両端部にみられる筋フィラメントを支配する．Ⅰa群線

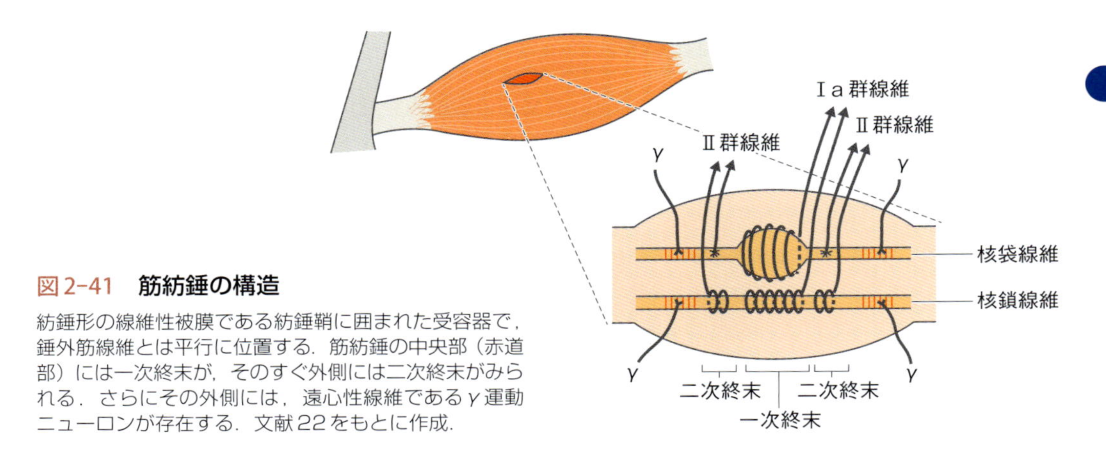

図 2-41　筋紡錘の構造

紡錘形の線維性被膜である紡錘鞘に囲まれた受容器で，錘外筋線維とは平行に位置する．筋紡錘の中央部（赤道部）には一次終末が，そのすぐ外側には二次終末がみられる．さらにその外側には，遠心性線維であるγ運動ニューロンが存在する．文献 22 をもとに作成．

維は核袋線維と核鎖線維に終止し，筋伸長の速度を感受する（動的感受性）が，これを**一次終末**という．これに対して，Ⅱ群線維は主に核鎖線維に終止し，筋の長さの変化を感受し応答する（静的感受性）．この神経線維は一次終末のすぐ外側にみられ，**二次終末**と称する．

- γ運動ニューロンの興奮により錘内筋線維両端部の収縮が生じることで，一次・二次終末を伸張して筋紡錘の感度調節を行う．錘外筋線維と平行に位置する筋紡錘は筋収縮時に弛緩してしまうが，その際にも筋紡錘の感度を一定に保ち，筋の長さを検出できるようにしている．なおγ運動ニューロンのうち，一次終末の反応を調整するものを動的γ運動ニューロン，二次終末の反応を調整するものを静的γ運動ニューロンという．また，錘内・錘外筋線維の両方を支配するβ（ベータ）運動ニューロンも存在するが，その分布はごくわずかである．
- 筋紡錘以外に分布する感覚神経線維は，筋膜や筋自体にみられる．Ⅲ・Ⅳ群神経線維からなるこれらの神経線維の多くは，自由神経終末である．この自由神経終末は，温度や圧力，そして疼痛を受容する．それ以外の神経終末にはパチニ小体やルフィニ終末があり，これらは固有感覚を受容する．

臨床で重要！

γ環

脳からの指令により骨格筋が収縮する際には，α運動ニューロンはもちろん，γ運動ニューロンにも刺激が伝えられる．γ運動ニューロンが興奮し錘内筋線維が収縮すると，筋紡錘は伸張刺激を感知する．伸張反射と同様，Ⅰa群線維を介して興奮がα運動ニューロンに伝達されると，同名筋の錘外筋線維が収縮する．この一連のループをγ環という．

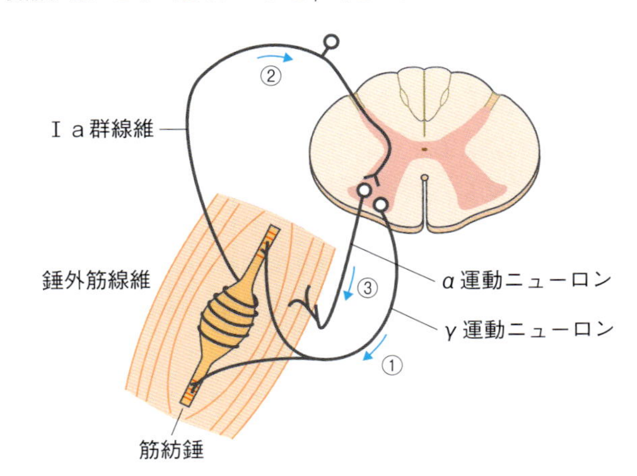

図 2-42　γ環の概略

文献 22 をもとに作成．

11）腱の基本構造と機能

- 腱（けん）は強靭な結合組織であり，骨格筋の収縮力を骨に伝達することで，関節運動に関与する．その太さや形状はさまざまであるが，膜状に広がったものは**腱膜**と称する．筋との連結部である筋腱移行部では，筋線維との結合がみられる．一方，骨格筋の起始・停止部では骨膜と強固に癒合する．
- 腱には腱細胞がわずかしか存在せず，乾燥重量の約75％はコラーゲンが占める．Ⅰ型が多くを占めるコラーゲン線維は**腱原線維**と称されるが，これが多数集まって**腱線維**を形成する．この腱線維を束ねる結合組織を**腱内膜**，腱全体を取り巻く結合組織を**腱上膜**という（図2-43）．
- 腱が走行を変化させる部位には筋膜由来の**腱鞘**が存在し，滑車の役割を担っている．そのため，**筋滑車**とも称される．腱鞘は，腱のすぐ周囲を取り巻き滑液を入れる**滑液鞘**と，その外側にあって線維性結合組織からなる**線維鞘**から構成される．また，腱の中に入る血管や神経の通路となる部分を**腱間膜**という（図2-43）．手指にみられる長・短腱紐（けんひも）は腱間膜に相当する．なお，腱間膜以外の血行には，筋腱移行部と骨付着部の血管がみられる．

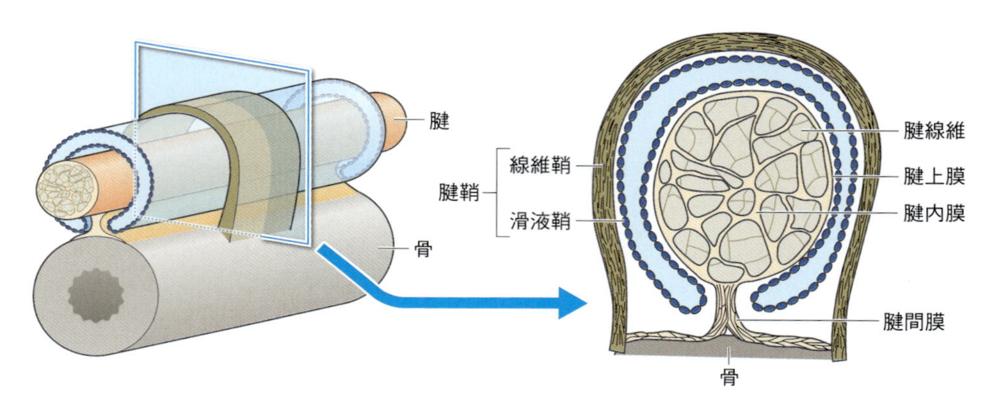

図2-43　腱と腱鞘の構造

腱の断面図．腱線維は腱内膜によって束ねられるが，腱全体は腱上膜が覆う．また，腱が走行を変化させる部位には腱鞘が存在して，滑車の役割を担っている．文献23をもとに作成．

- 腱には数種類の感覚受容器が存在する．パチニ小体やルフィニ終末といった固有感覚受容器，疼痛を受容する自由神経終末，そして腱固有の受容器であるゴルジ腱器官が存在する．**ゴルジ腱器官**は，筋紡錘と同様に長さを感受する受容器であり，**腱紡錘**とも称される（図2-44）．
- ゴルジ腱器官は筋腱移行部に多く分布し，錘外筋線維とは直列して配置される．筋収縮はもとより，ストレッチングのような受動運動によりゴルジ腱器官が伸張刺激を受容すると，その情報はⅠb群線維を経由して脊髄に達する．Ⅰb群線維は抑制性介在ニューロンに終止するため，同名筋のα運動ニューロンの活動を抑制させる．その結果，筋や腱の断裂を反射的に防御することから，この反射を**Ⅰb抑制**あるいは**自原抑制**と称する．

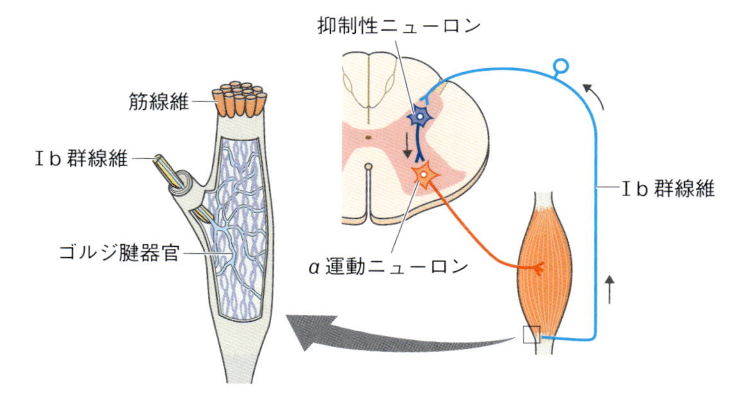

図 2-44　ゴルジ腱器官

錘外筋線維と直列に走行するゴルジ腱器官は，筋腱移行部に多く分布する長さを感受する受容器である．Ⅰb 群線維を経由して脊髄に情報が伝達されると，同名筋のα運動ニューロンの活動を抑制させる（Ⅰb 抑制）．

臨床で重要！

伸張－短縮サイクル

図に示すドロップジャンプは，台から軽く飛び降り，着地時の衝撃吸収からすばやく切り替えて高く飛ぶ運動である．主動作の前に逆方向への動作を行う反動動作では，主に働く筋－腱複合体が一度伸張されてから短縮する．この伸張－短縮サイクルにより，腱の伸張に伴って蓄積された弾性エネルギーが，伸張に引き続く短縮時に放出される．つまり，内力の一部として利用される．

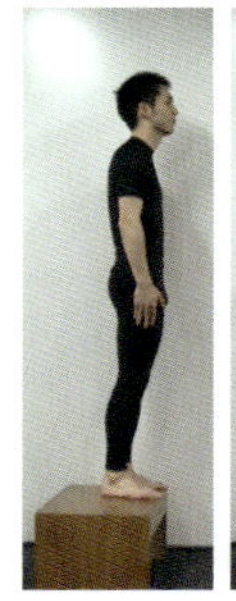

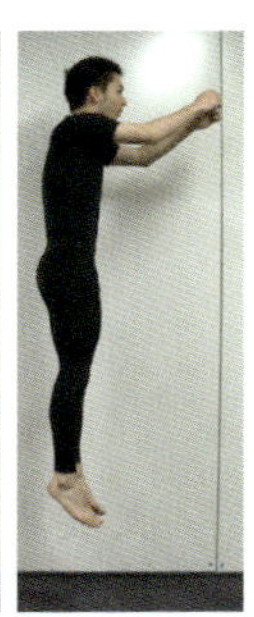

①エキセントリック局面	②切り返し局面	③コンセントリック局面
・予備緊張状態の筋が引き伸ばされながら力を発揮する ・腱が引き伸ばされる際に，弾性エネルギーを蓄える	・局面①と③の間で運動方向を切り返す ・この局面を短時間にすることが，局面③での大きな力の発揮につながる	・筋が短縮しながら力を発揮する ・伸張反射により筋短縮時の力の発揮が促される ・局面①で腱に蓄えられた弾性エネルギーが内力として利用される

図 2-45　伸張－短縮サイクルの局面

文献

1)「標準理学療法学・作業療法学 専門基礎分野　解剖学 第4版」(野村 嶬/編), 医学書院, 2015
2)「病気がみえる vol.11 運動器・整形外科」(医療情報科学研究所/編), メディックメディア, 2017
3)「基礎運動学 第6版」(中村隆一, 他/著), 医歯薬出版, 2003
4)「標準整形外科学 第9版」(中村利孝, 他/編), 医学書院, 2005
5)「トートラ解剖学 第2版」(小澤一史, 他/監訳), 丸善出版, 2010
6)「標準組織学 総論 第5版」(藤田尚男, 藤田恒夫/原著), 医学書院, 2015
7)「新しい骨のバイオサイエンス」(米田俊之/著), 羊土社, 2002
8)「骨折・脱臼 改訂3版」(冨士川恭輔, 鳥巣岳彦/編), 南山堂, 2012
9)「PT・OTビジュアルテキスト専門基礎　解剖学」(坂井建雄/監, 町田志樹/著), 羊土社, 2018
10)「プロメテウス解剖学アトラス　解剖学総論／運動器系 第2版」(坂井建雄, 松村讓兒/監訳), 医学書院, 2011
11)「標準理学療法学・作業療法学 専門基礎分野　運動学」(伊東 元, 高橋正明/編), 医学書院, 2012
12) 小林正明, 他：関節軟骨のMRI. 関節外科, 22(1)：40–47, 2002
13)「機能障害科学入門」(沖田 実, 他/編), 九州神陵文庫, 2010
14)「Gray's Anatomy 41st ed.」(Susan Standring/ed), Elsevier, 2015
15)「オーチスのキネシオロジー 身体運動の力学と病態力学 原著第2版」(山﨑 敦, 他/監訳), ラウンドフラット, 2012
16)「ジュンケイラ組織学 第4版」(坂井建雄, 川上速人/監訳), 丸善出版, 2015
17)「筋骨格系のキネシオロジー 原著第3版」(Andrew PD, 他/監訳), 医歯薬出版, 2018
18)「筋の科学事典―構造・機能・運動」(福永哲夫/編), 朝倉書店, 2002
19)「運動生理学シリーズ5 筋力をデザインする」(吉岡利忠, 他/編), 杏林書院, 2003
20)「骨格筋：運動による機能と形態の変化」(山田 茂, 福永哲夫/編著), ナップ, 1997
21)「標準理学療法学 専門分野　運動療法学 総論 第4版」(吉尾雅春, 横田一彦/編), 医学書院, 2017
22)「標準理学療法学・作業療法学 専門基礎分野　生理学 第4版」(岡田隆夫, 長岡正範/著), 医学書院, 2013
23)「手：その機能と解剖 改訂4版」(上羽康夫/著), 金芳堂, 2006

第3章

上肢帯・上肢の構造と運動

学習のポイント

- 上肢帯と自由上肢骨の構造と，それらが形成する関節の概略を説明できる
- 胸鎖関節，肩鎖関節，肩甲胸郭関節の構造と運動について説明できる
- 肩甲上腕関節の構造について説明できる
- 肩複合体としてみた運動について説明できる
- 肘関節と前腕の構造と運動について説明できる
- 手関節および手の構造と運動について説明できる
- 手固有の作用と肢位について説明できる

1 上肢帯と肩関節（かたかんせつ）の構造と運動

1）上肢帯・肩関節の総論

- 上肢と胸郭を連結する部分である**上肢帯**は，**肩甲帯**とも称される．上肢帯を構成する骨は，鎖骨と肩甲骨である．一方で，その末端に位置する骨，つまり上腕骨を含めそれより遠位部に位置する骨を**自由上肢骨**という（図3-1）．
- 手や手指を効果器として使用するヒトにおいては，上肢の中間に位置する肘関節で長さ（リーチ）の調節を行う．一方，上肢において最も中枢に位置する上肢帯と肩関節は，上肢の方向を決定することに大きく関与する．そのため，上肢帯と肩関節の可動性は非常に大きい．

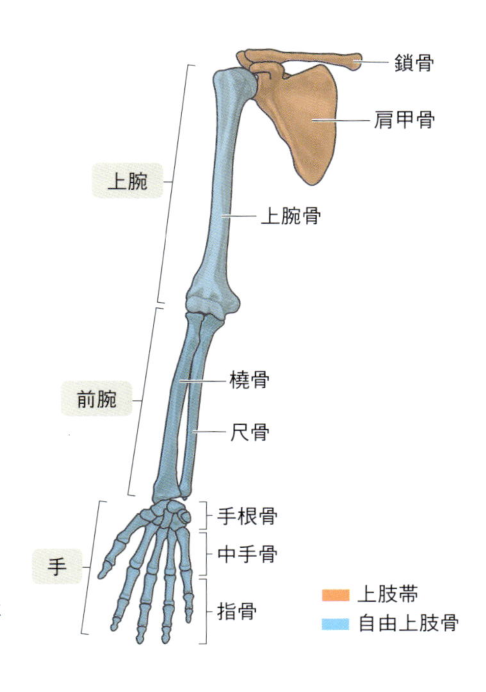

図3-1　上肢の骨（前面）
上肢の骨は上肢帯（肩甲帯）と自由上肢骨から構成される．

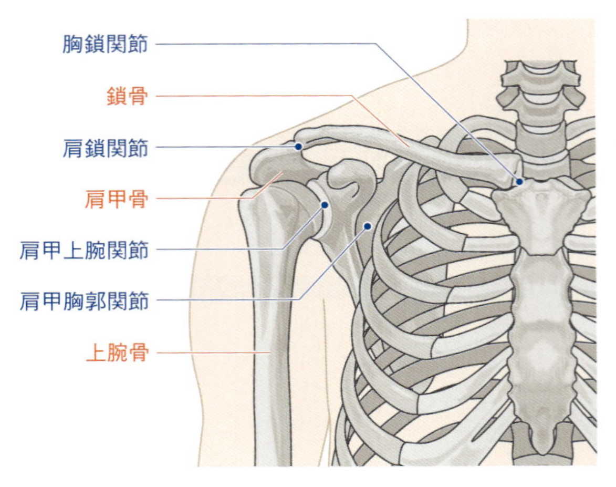

図3-2　肩複合体の構成要素

肩複合体は，胸鎖関節と肩鎖関節，肩甲上腕関節，さらには機能的関節として肩甲胸郭関節が含まれる．

- 上肢帯が関与するいわゆる滑膜性関節は，**胸鎖関節**と**肩鎖関節**である．しかし，胸鎖関節と肩鎖関節の連動した運動により，肩甲骨は胸郭上で運動を行う．この機能的な関節を**肩甲胸郭関節**という．また解剖学的な**肩関節**は，その構成要素から**肩甲上腕関節**と称される．これらをまとめて**肩複合体**と称する（図3-2）．

2）胸鎖関節の構造と運動

- **胸鎖関節**は，鎖骨の胸骨端と胸骨の鎖骨切痕からなる鞍関節である．さらには，第1肋軟骨の上縁が鎖骨の胸骨端と接している．関節円板の存在により，関節腔が内・外側に二分される（図3-3）．胸鎖関節の関節包はゆるいものの，複数の靱帯によって補強される．
- 胸鎖関節の前面および後面には，**前胸鎖靱帯**および**後胸鎖靱帯**が存在する．また，鎖骨下面には第1肋軟骨に至る**肋鎖靱帯**が存在する．短く強靱な肋鎖靱帯には，前部線維と後部線維がある．さらには，左右の鎖骨の胸骨端を結ぶ**鎖骨間靱帯**が存在する（図3-3）．これらの靱帯の作用により高い安定性が得られる．
- 関節面の形態では2軸性の鞍関節に分類される胸鎖関節は，前額面において鎖骨の胸骨端が関節頭，胸骨の鎖骨切痕が関節窩となり，鎖骨の挙上－下制が生じる．一方の水平面では，鎖骨の胸骨端が関節窩，胸骨の鎖骨切痕が関節頭となり，鎖骨の前方突出－後退が生じる．しかし，関節円板の存在もあって運動学的には運動自由度3の多軸性関節としての機能を有する．つまり，矢状面における鎖骨の前方回旋（下方回旋）－後方回旋（上方回旋）が生じる（図3-4）．

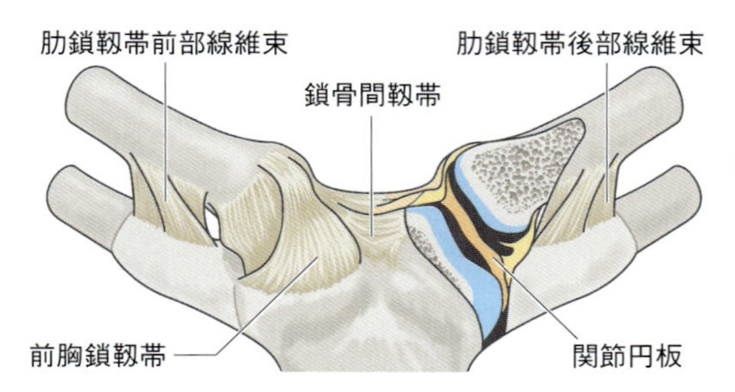

図3-3　胸鎖関節の構造（前面）

関節腔は関節円板により，内・外側に二分される．胸鎖関節の関節包を補強する複数の靱帯によって，高い安定性が得られる．この図では，後胸鎖靱帯が示されていない．文献1，2をもとに作成．

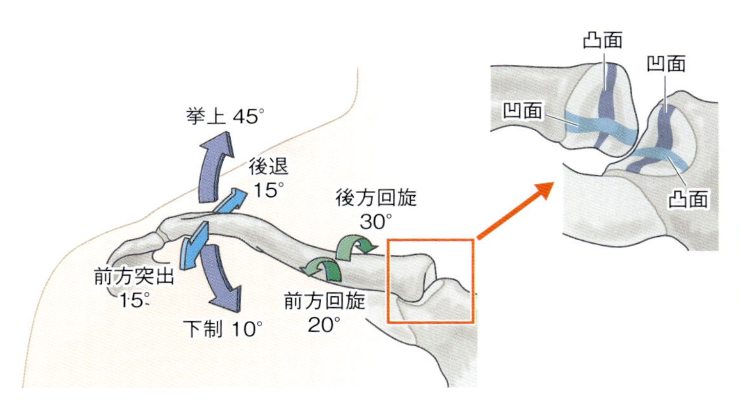

図 3-4 胸鎖関節の運動

関節面の形態による分類では鞍関節（運動自由度2）に分類されるが，実際には多軸性関節（運動自由度3）としての運動を行う．文献1をもとに作成．

3）肩鎖関節の構造と運動

- **肩鎖関節**は，肩峰関節面と鎖骨肩峰端関節面からなる半関節である．胸鎖関節と同様，関節円板が存在するが，不完全な形態を呈することが多い．関節上面には**肩鎖靱帯**が存在し，関節包を補強する（図3-5）．
- 鎖骨外側下面と肩甲骨の烏口（うこう）突起を結ぶ強靱な**烏口鎖骨靱帯**が存在し，肩鎖関節の安定性に寄与する（図3-5）．この靱帯は，前外側に位置し僧帽靱帯とも称される**菱形（りょうけい）靱帯**と，後内側に位置する**円錐（えんすい）靱帯**から構成される．肩鎖関節にとっては間接的に作用するこの烏口鎖骨靱帯は，肩鎖関節の運動に大きく関与する．菱形靱帯は肩鎖関節の圧迫力の抑制に，円錐靱帯は垂直および水平方向の制動に寄与する．
- 肩鎖関節では，多軸性の運動がみられる（運動自由度3）．前額面では肩甲骨の上方回旋－下方回旋が生じるが，その可動範囲は約30°である．また矢状面では肩甲骨の前傾－後傾が，水平面では外旋－内旋が生じるものの，その可動性はわずかである（図3-6）．

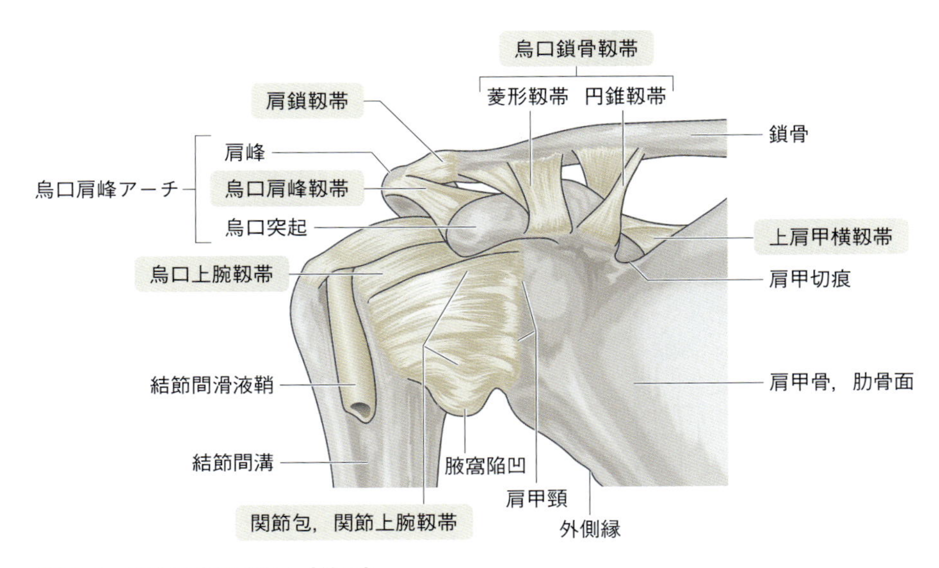

図 3-5 肩鎖関節の構造（前面）

肩鎖関節は肩鎖靱帯によって，肩甲上腕関節は烏口上腕靱帯および関節上腕靱帯によって補強される．鎖骨外側下面と烏口突起を結ぶ烏口鎖骨靱帯は，間接的に肩鎖関節の運動を制動する．文献2，3をもとに作成．

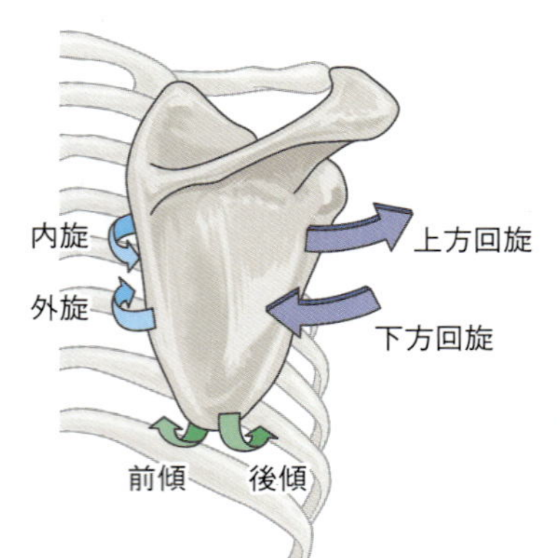

図3-6　肩鎖関節の運動

鎖骨が支点となり，肩甲骨の変位が生じる．運動自由度3であるものの，その可動性は少ない．

4）肩甲胸郭関節の構造と運動

- 滑膜性関節ではない**肩甲胸郭関節**は，肩甲骨の肋骨面が胸郭の後面となす機能的関節である．胸郭との連結は筋によってなされるが，複数の滑液包が存在して肩甲骨の動きを滑らかにしている．この肩甲胸郭関節での運動は，胸鎖関節と肩鎖関節の連動した運動の結果として生じる（⇨詳細はp.69）．
- 肩甲胸郭関節の運動として肩甲骨の変位をみると，前額面上では挙上－下制，上方回旋－下方回旋，外転－内転があげられる．また，矢状面上では前傾－後傾，水平面では外旋－内旋が存在する．しかし，胸郭後面が平坦ではないため，実際には胸郭に沿った運動として生じる．例えば，肩甲骨が外転する際には内旋を，内転時には外旋を伴う．これらの運動に関与する筋については，付録表1を参照していただきたい．

Let'sTry　肩甲胸郭関節の運動を触知してみよう

肩甲骨の内側縁と外側縁をつまむことで，肩甲骨の運動を触知しよう．下垂位から肩関節外転運動を行うと，肩甲骨の上方回旋と後傾が生じる（A）．また肩関節90°屈曲位から，上肢を前方へ突き出す運動を行うと，肩甲骨の外転と内旋が生じる（B）．

A　肩甲骨の上方回旋・後傾

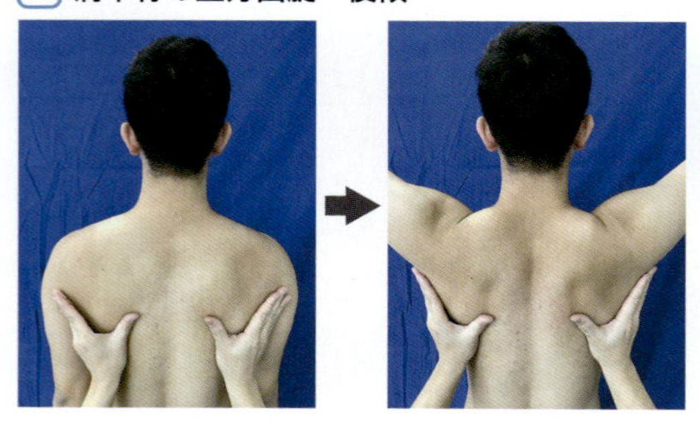

前額面において肩関節の関節窩を上方に向ける上方回旋と，矢状面において肩甲骨が後方に傾く後傾が生じる

B　肩甲骨の外転・内旋

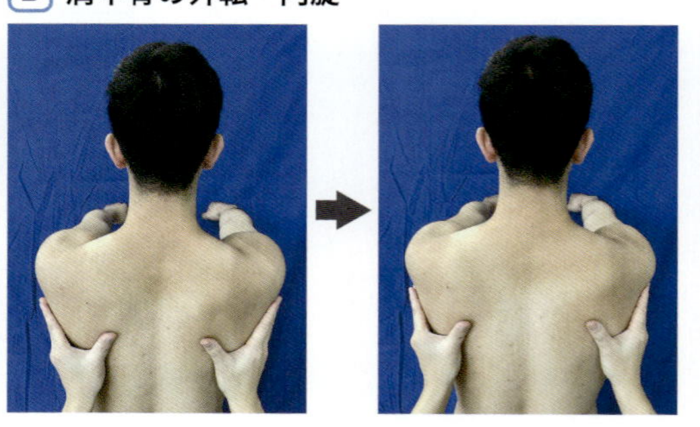

前額面において肩甲骨が脊柱から離れる外転と，水平面において肩甲骨が胸郭から離れる内旋が生じる

図3-7　胸郭に対する肩甲骨の変位

5）肩甲上腕関節の構造

- **肩甲上腕関節**は，肩甲骨の関節窩と上腕骨頭からなる．関節窩が前外方に向き，上腕骨頭は約20°の後捻を呈する．また，上腕骨体に対して上腕骨頭は内側に傾斜している．この角度を**頸体角**といい，正常では約135°である．
- 肩甲上腕関節は球関節に相当し，大きな可動性を有する．そのため，上腕骨頭の大きさに対して関節窩は小さく浅い構造を呈する．この不安定性を補う組織として，関節窩の辺縁には線維軟骨からなる**関節唇**が存在する（図3-8）．多数の神経終末が存在することで，関節における位置や運動の情報（固有感覚）も受容している．
- 肩甲上腕関節の関節包は，ゆるく伸張性に富む．この関節包の線維膜が肥厚して形成された関節包靱帯として，烏口上腕靱帯と関節上腕靱帯がみられる（⇨図3-5）．関節包上部に位置する**烏口上腕靱帯**は，烏口突起の外側縁に起始し上腕骨の大・小結節に至る．烏口上腕靱帯は過度の外旋運動で緊張するが，大結節に付着する前部線維は屈曲時に，小結節に付着する後部線維は伸展時に緊張する．
- 烏口上腕靱帯から下方に続く靱帯として，**関節上腕靱帯**がみられる．関節唇周囲から起こり小結節およびその下方の解剖頸に至る関節上腕靱帯は，上・中・下の3つの線維に分類される．その線維走行から，運動方向によって緊張状態が変化する（表3-1）．

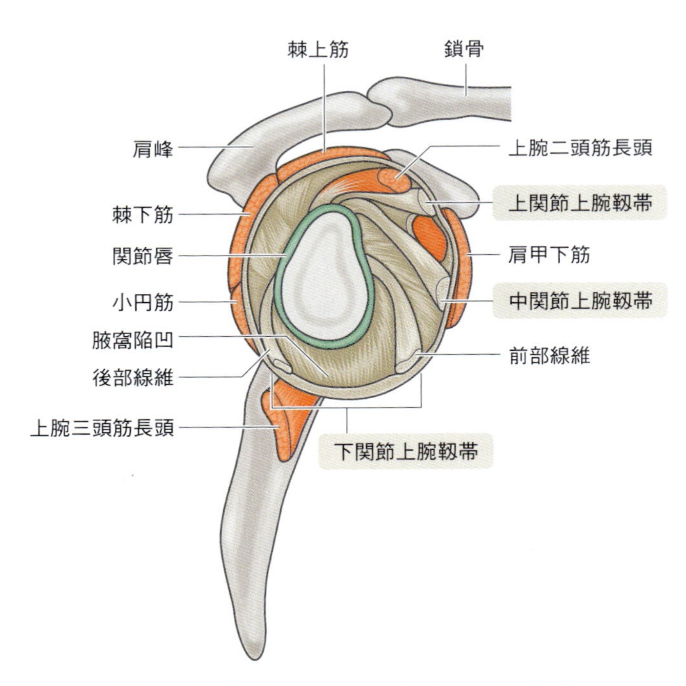

図3-8　肩甲上腕関節の安定化機構（上腕骨を除いた外側面）

関節窩の辺縁に関節唇が存在する．関節唇周囲から起こる関節上腕靱帯は，３つの線維に分類される．なお，回旋筋腱板の構成筋は，肩甲上腕関節の約3/4を囲む．文献４をもとに作成．

表 3-1　関節上腕靱帯の解剖学的特徴

		起始	停止	緊張する肢位
上関節上腕靱帯		関節上結節，関節唇	解剖頸，小結節の上部	肩関節伸展位での外旋
中関節上腕靱帯		関節窩の前上縁，関節唇	解剖頸，小結節	肩関節45°外転位での外旋
下関節上腕靱帯	前部線維	関節窩の前下縁，関節唇	解剖頸の下縁	肩関節90°外転位での外旋
	後部線維	関節窩の後下縁，関節唇	解剖頸の下縁	肩関節90°屈曲位での内旋

＊下関節上腕靱帯の前部線維と後部線維の結合部を**腋窩陥凹**（えきかかんおう）という．

- 肩甲骨の烏口突起と肩峰の間には，**烏口肩峰靱帯**が存在する（⇨図3-5）．V字状を呈する烏口肩峰靱帯は，烏口突起および肩峰と合わせて**烏口肩峰アーチ**とも称される．この烏口肩峰アーチと上腕骨頭の間隙を**肩峰下腔**といい，ここに**肩峰下滑液包**を入れる．肩峰下滑液包および烏口肩峰靱帯には，多くの神経終末が存在する．なお，肩峰下滑液包以外にも，肩関節周囲には多くの滑液包が存在する．
- 可動性が大きく不安定な肩甲上腕関節では，関節の安定性を高めるための筋が深層に存在する．具体的には，棘上筋，棘下筋，小円筋，そして肩甲下筋がこれに相当し，これらの筋の停止腱は一塊となって関節包を覆う（図3-8）．これを**回旋筋腱板**，あるいは単に**腱板**と称する．なお，回旋筋腱板が欠損する部分では関節包が厚く，逆に幅広く付着する部分では関節包が薄い．
- 棘上筋と肩甲下筋との間隙部は腱成分が存在せず，疎な結合組織が覆う．この部分を**腱板疎部**といい，その表層で烏口上腕靱帯が混在する（図3-9）．その深層には，上腕二頭筋長頭腱と上関節上腕靱帯が存在する．不動や炎症により腱板疎部が肥厚すると，関節可動域が大きく制限される．一方，投球動作などで腱板疎部の断裂が生じると圧痛が出現する．

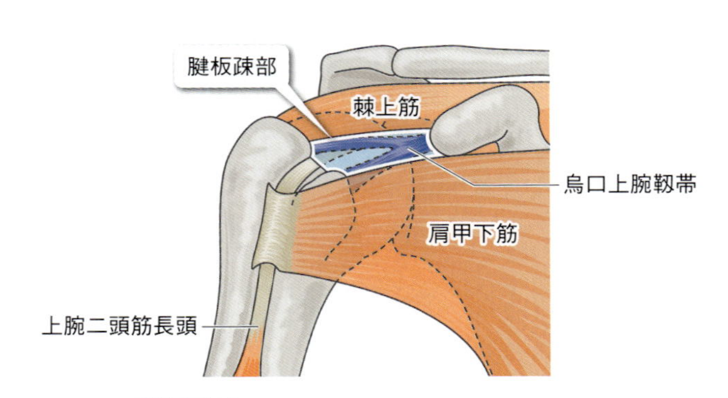

図 3-9　腱板疎部

腱板疎部は，棘上筋と肩甲下筋との間隙部を示し，疎な結合組織が存在する．その表層では烏口上腕靱帯が混在する．

肩甲上腕関節の動的安定性

三角筋中部線維は，肩関節外転の主動筋として作用する．しかし，三角筋中部線維のみが作用すると，上腕骨を外転させるベクトルと同時に，上方へと押し上げるベクトルも生じる．このとき，棘上筋が収縮すると上腕骨頭は関節窩に押しつけられ，さらには棘下筋や小円筋，肩甲下筋が収縮することで上腕骨頭は下方へと引き下げられる．つまり，固定筋である回旋筋腱板を構成する筋が協同して収縮することで（図の青矢印），上腕骨頭をほぼ一定の位置に保持させることができる．しかし腱板断裂が生じると，回転運動の支点が形成されず，上腕骨頭が烏口肩峰アーチに衝突，つまりインピンジメントが生じる．

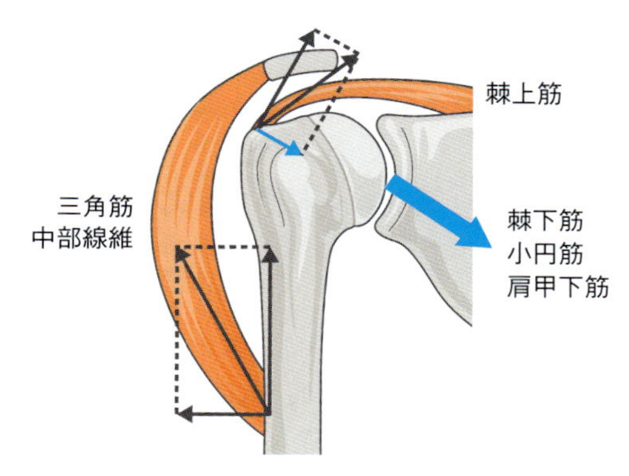

図3-10　**肩甲上腕関節における主動筋と固定筋の作用**

6）肩複合体としてみた運動（肩甲上腕関節の運動を含む）

- 運動自由度3の肩甲上腕関節では，矢状面上での屈曲－伸展，前額面上での外転－内転，水平面上での外旋－内旋が可能である．この基本的な3つの運動面以外の運動には，外転90°を中間位として上腕が前方へ変位する水平屈曲（水平内転），後方へ変位する水平伸展（水平外転）が存在する．肩甲上腕関節に関与する筋の作用については，付録表1を参照していただきたい．
- 肩甲上腕関節の運動は，他の関節と比較してやや複雑である．例えば外転運動では，90°以上の挙上した際に外旋運動を伴うのが一般的である．ただし前額面に対して30～45°前方で，おおむね肩甲棘と上腕骨長軸が一致した面での挙上運動を行うと外旋運動は生じない．この運動面を**肩甲骨面**という．
- 自由度の高い肩関節における運動は，肩甲上腕関節での運動に胸鎖関節および肩鎖関節の運動が伴う．古くより，肩複合体の連動した運動としては**肩甲上腕リズム**が広く知られている（図3-11）．Codmanは，上腕骨と肩甲骨の間で生じる協調したリズミカルな動きと定義した．
- その後にInmanは，肩甲上腕関節における上腕骨挙上角と肩甲胸郭関節における肩甲骨上方回旋角の比率が2：1になることを報告したが，決して定説ではない．ただし，肩関節外転180°のうち，上腕骨挙上角が約120°，肩甲骨上方回旋角が約60°であることは誤りではない．以下に肩関節外転時に生じる各関節運動の詳細を記すが，屈曲運動でも類似した協調運動がみられる．

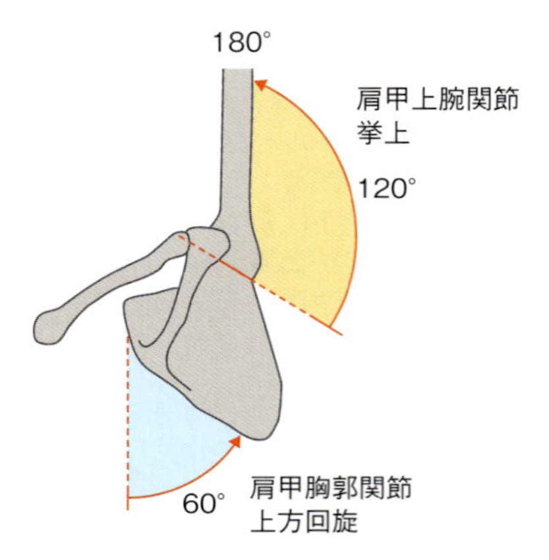

図3-11　肩甲上腕リズム

肩関節挙上運動に伴い，肩甲上腕関節における挙上角と，肩甲胸郭関節における上方回旋角の比率がおよそ2：1となる.

- 肩甲骨の上方回旋60°の運動は，胸鎖関節における約30°の鎖骨挙上と，肩鎖関節における約30°の肩甲骨上方回旋による．下垂位から外転約90°までの外転前半では鎖骨挙上が，外転約90～180°までの外転後半では肩甲骨上方回旋が主に生じる．一方，下垂位から外転約180°までの運動時に，鎖骨は約20°の後退を，肩甲骨は約20°の後傾を行う（表3-2）.
- 肩関節外転時に生じる胸鎖関節での運動を，より詳細に分析する．前額面では，外転前半に鎖骨の挙上が約30°生じるが，外転後半ではほとんど生じない．外転後半において，鎖骨挙上を伴わない状況下で肩鎖関節における肩甲骨の上方回旋が生じると，円錐靱帯が強く伸張される．円錐靱帯の付着部である円錐靱帯結節は，鎖骨外側下面の後方に位置する．そのため，起始である烏口突起が変位しない状況下で円錐靱帯が伸張されると，その張力により鎖骨は後方回旋を行う（表3-2）.

表3-2　肩関節外転時の協同運動

関節	運動	外転前半	外転後半
胸鎖関節	鎖骨の挙上	＋	－
	鎖骨の後方回旋	－	＋
	鎖骨の後退	＋	＋
肩鎖関節	肩甲骨の上方回旋	－	＋
	肩甲骨の後傾	＋	＋
肩甲上腕関節	上腕骨の外旋	－	＋

＊下垂位から外転約90°までを外転前半，外転約90°から約180°までを外転後半とする．肩鎖関節における肩甲骨の外旋－内旋は，角度も少なく意見も分かれる.

Let'sTry 肩関節外転時にみられる鎖骨の運動を触知してみよう

①鎖骨の中央に位置する鎖骨体を，軽く指でつまむ（A）．
②下垂位から外転約90°までの肩関節外転運動をゆっくり行うことで，鎖骨の挙上運動を触知できる（数回くり返して確認）（B）．
③外転約90°から外転約180°までの運動をゆっくり行う．このとき，鎖骨はほとんど挙上しないが，後方回旋が生じる（数回くり返して確認）（C）．
④最後に，下垂位から外転約180°までの運動をゆっくりと行って，一連の運動を再度確認してみよう．このときに，鎖骨が後退することも合わせて確認するとよい（A→C）．

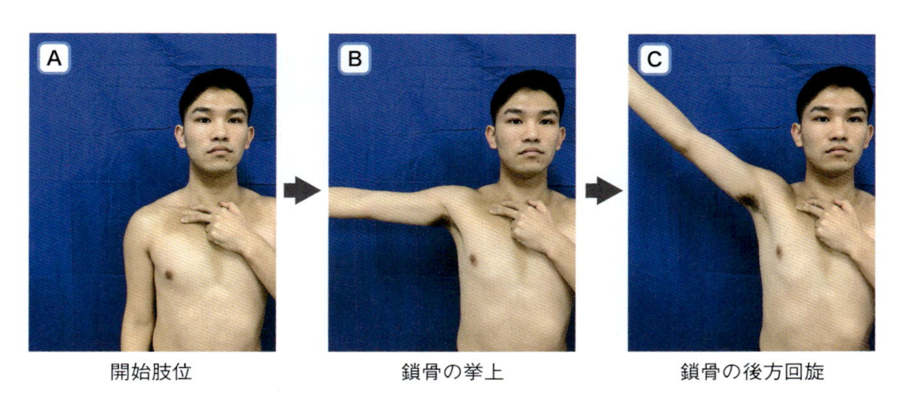

開始肢位　鎖骨の挙上　鎖骨の後方回旋

図3-12　肩関節外転時にみられる鎖骨の運動

2 肘関節（ひじかんせつ）と前腕の構造と運動

1）肘関節と前腕の構造

- 上腕骨遠位部の**上腕骨顆**には，前腕の骨との関節面が存在する．上腕骨顆は，尺骨の近位端と腕尺関節を，橈骨の近位端と腕橈関節を形成する．また，尺骨と橈骨の近位端が上橈尺関節を形成し，腕尺関節，腕橈関節とともに，1つの関節腔内に収まる．さらに前腕には，尺骨および橈骨の遠位部が形成する下橈尺関節が存在し，上橈尺関節とともに関節をなす（図3-13）．
- **腕尺関節**は，上腕骨顆の内側2/3に相当する上腕骨滑車と，尺骨の滑車切痕からなる蝶番関節である（図3-14A）．しかし，上腕骨滑車の内側は外側に比して遠位方向に突出しているため，その運動軸は上腕骨の長軸と直交しない．そのため，蝶番関節の変形であるらせん関節とも称される．

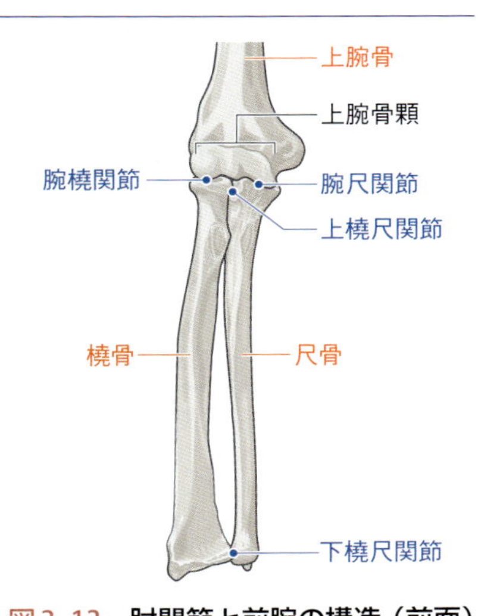

図3-13　肘関節と前腕の構造（前面）
肘関節は，腕尺関節，腕橈関節，上橈尺関節を合わせた総称である．橈骨と尺骨から構成される前腕には，上・下橈尺関節がある．

- **腕橈関節**は，上腕骨顆の外側1/3に相当する上腕骨小頭と，橈骨頭窩からなる球関節である（図3-15A）．また**上橈尺関節**は，橈骨頭の関節環状面と尺骨の橈骨切痕からなる車軸関節である．これら3つの関節を包み込む関節包の前後面は比較的ゆるく，滑膜との間隙には脂肪体がみられる．
- 肘関節包の内側および外側には側副靱帯が存在し，関節の安定性に寄与する．**内側側副靱帯**は，内側上顆に起始する前部線維と後部線維，さらには両者を結ぶ横行線維からなる（図3-14B）．尺骨前面の鈎状突起（こうじょう）に付着する前部線維は，非常に強靱で伸張性に乏しい．これに対して，肘頭内側縁に付着する後部線維は伸張性が高い．これら2つの線維は肘外反の制動因子となる．
- 外側上顆に起始する**外側側副靱帯**は肘内反の制動因子となるが，その形状に個人差が大きい（図3-15B）．扇状に広がる**橈骨側副靱帯**は，後述する橈骨輪状靱帯に合流する．その後方に位置する線維は**外側尺骨側副靱帯**とよばれ，橈骨切痕の後下部に位置する尺骨の回外筋稜に付着する．

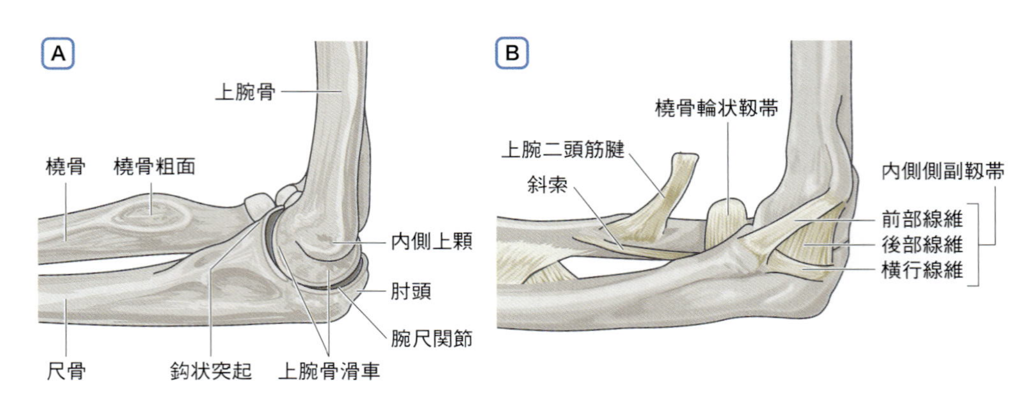

図3-14　肘関節の構造（内側面）

右肘関節を内側からみた図．腕尺関節は，上腕骨滑車と尺骨の滑車切痕からなる．関節包を補強する内側側副靱帯の前部線維と後部線維は，内側上顆に起始する．文献1，3をもとに作成．

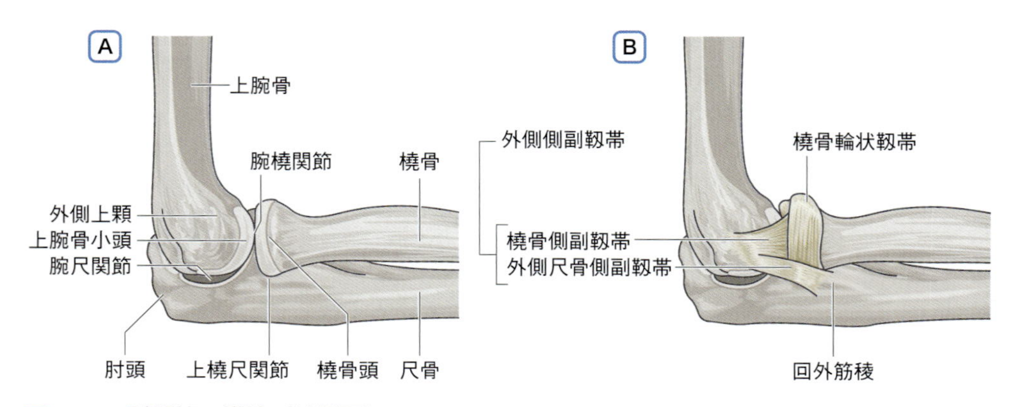

図3-15　肘関節の構造（外側面）

右肘関節を外側からみた図．腕橈関節は，上腕骨小頭と橈骨頭窩からなる．外側側副靱帯は，橈骨輪状靱帯に合流する橈骨側副靱帯と外側尺骨側副靱帯からなる．一方の上橈尺関節は，橈骨頭の関節環状面と尺骨の橈骨切痕からなる．文献1，3をもとに作成．

- 上橈尺関節の安定性に関与する靱帯として，橈骨輪状靱帯と方形靱帯が存在する．**橈骨輪状靱帯**は，尺骨の橈骨切痕前縁と後縁を結び，橈骨頭（関節環状面）を囲む（図3-15，3-16）．つまり，橈骨には付着しない．**方形靱帯**は，尺骨の橈骨切痕下縁と橈骨頸の内側を結ぶ靱帯である．これらの靱帯は，上橈尺関節の安定性に寄与する．
- **下橈尺関節**は，尺骨頭の関節環状面と橈骨の尺骨切痕からなる車軸関節である（図3-17）．橈骨手根関節との境界には，関節円板様の組織が介在し，これを**三角線維軟骨複合体**という．その詳細については，手関節の項で記す（⇨p.77）．
- 前腕を構成する橈骨と尺骨は，前腕骨間膜と斜索によって連結されている（図3-17）．**前腕骨間膜**は，橈骨骨間縁から尺骨骨間縁へと向かう結合組織である．その大部分は橈骨からみて斜下方へ走行するが，下部は斜上方へ走行する．また前腕の近位部に位置する**斜索**は，尺骨粗面から外下方に走行して橈骨粗面に至る．

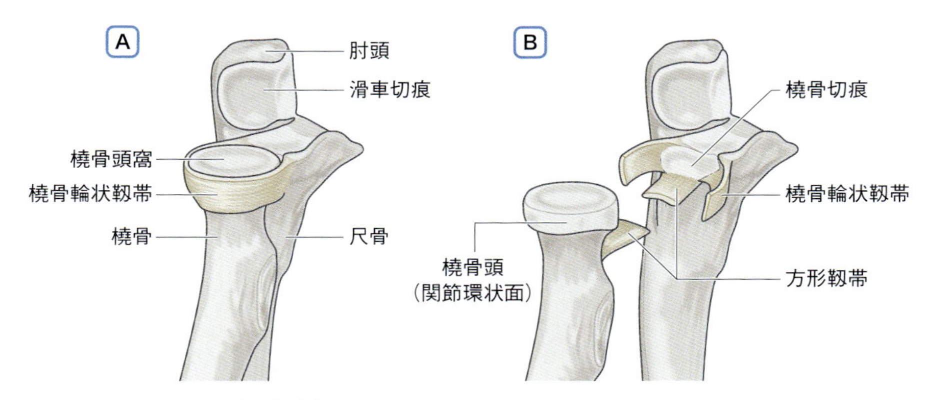

図3-16　上橈尺関節の靱帯

橈骨輪状靱帯は，上橈尺関節において橈骨の逸脱を防止するのみで，その運動をほとんど制限しない．一方の方形靱帯は，回内－回外運動の際に橈骨頭の制動に大きく関与する．文献1，5をもとに作成．

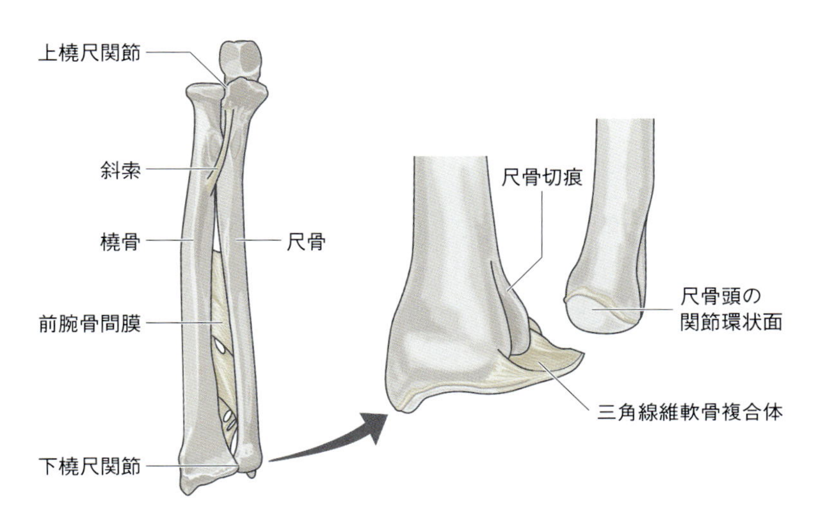

図3-17　下橈尺関節の構造（前面）

下橈尺関節では，尺骨頭の関節環状面が関節頭を，橈骨の尺骨切痕が関節窩を形成する．三角線維軟骨複合体の存在により，橈骨手根関節の関節腔とは連続していない．文献1をもとに作成．

2）肘関節の運動

- 肘関節における運動は屈曲－伸展のみであり，腕尺関節と腕橈関節が関与する．その運動軸は上腕骨滑車軸であり，内側上顆と外側上顆を結ぶ線ではない（図3-18）．多軸性の腕橈関節ではあるが，1軸性の腕尺関節と連動して関節運動が生じるため，結果的には1軸性の運動となる．肘関節に関与する筋の作用については，付録表2，3を参照していただきたい．
- 肘関節伸展位では上腕骨の肘頭窩に尺骨の肘頭が入り込み，それ以上の伸展運動を制限する．小児や女性では5～10°の伸展可動域をみることがある（過伸展）．一方，肘関節屈曲位では鈎突窩に鈎状突起が，橈骨窩に橈骨頭が対応する．しかし通常は，上腕二頭筋を中心とした屈筋群の筋腹が屈曲運動の制限因子となり，骨性の制限は受けない．
- 前述したように，上腕骨滑車の内側は外側に比して突出しているため，肘関節伸展位では前腕の長軸が上腕骨長軸と一致しない．このときにみられる生理的外反角は，**運搬角**あるいは**肘角**と称される（図3-18）．肘関節伸展位では10～20°の角度を有する．しかし，肘関節屈曲運動により漸減（ぜんげん）し，90°屈曲位ではほぼ0°になる．
- 肘関節伸展位として後方からみた場合，肘頭が内側上顆と外側上顆を結ぶ直線上に位置する．この直線を**ヒューター線**という．しかし90°屈曲位では，これら三者が二等辺三角形を形成するため，これを**ヒューター三角**という（図3-19）．これらは，肘関節の正常なアライメントの確認に利用される．

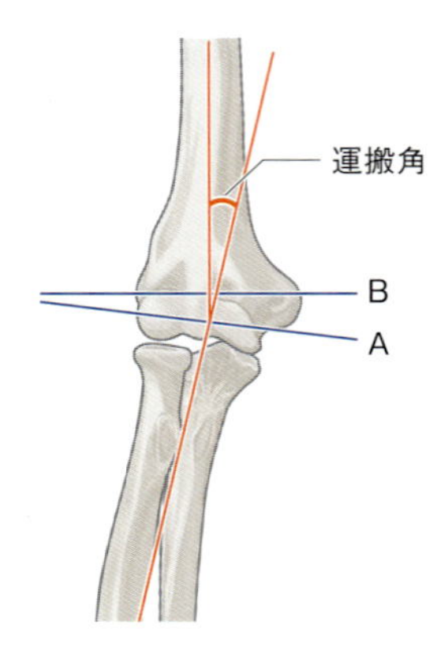

図3-18　肘関節の運動軸と運搬角

腕尺関節の関節頭をなす上腕骨滑車は，外側に比して内側が突出している．この上腕骨滑車軸（A）が，肘関節屈曲－伸展の運動軸となる．内側上顆と外側上顆を結ぶ線（B）が運動軸ではないことに注意する．なお，上腕骨長軸に対して前腕長軸が有する生理的外反角を運搬角という．

A ヒューター線

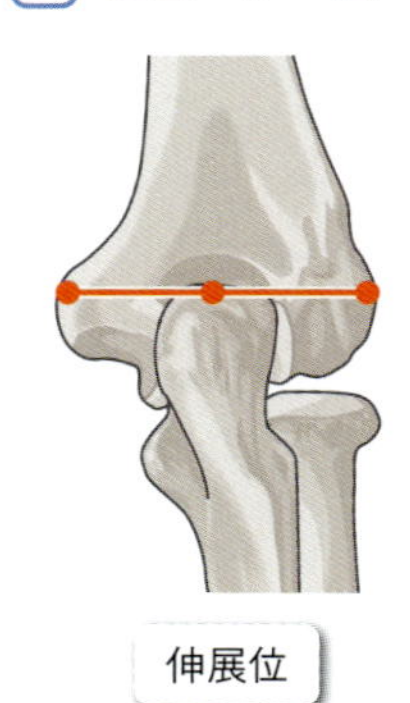

B ヒューター三角

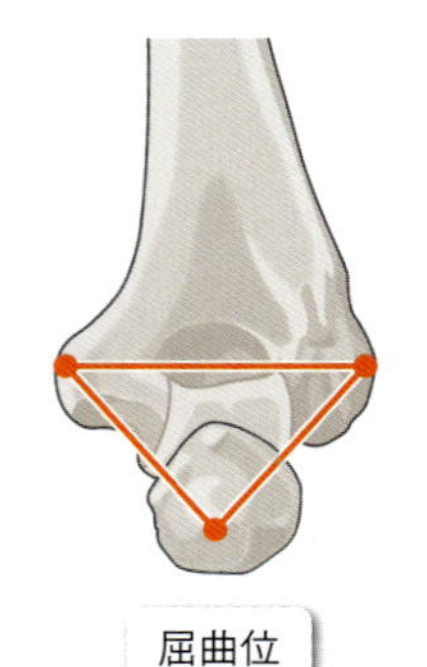

図3-19　ヒューター線とヒューター三角（肘関節，後面）

骨折などで生じるアライメント異常の診断の目安となる．

- 肘内反の制動因子となる外側側副靭帯は，肘関節の運動による緊張の変化があまりみられない．これに対して肘外反の制動因子となる内側側副靭帯は，角度の変化によってその緊張が変化する．内側側副靭帯のなかで最も強靭な前部線維は，肘関節の角度に左右されず常に緊張している．一方の後部線維は，肘関節伸展位では弛緩し，最大屈曲位付近でのみ緊張する．

3）前腕の運動

- 前腕でみられる運動は回内－回外であり，上および下橈尺関節が関与する．上橈尺関節では，橈骨輪状靭帯内で橈骨頭の軸回旋が生じる．つまり，橈骨頭の関節環状面が尺骨の橈骨切痕に対して，凸の法則（⇨図2-20B）で関節包内運動を行う．この際，方形靭帯は橈骨頭の軸回旋を制動する役割を担うが，橈骨輪状靭帯はほとんど制限因子にはならない．
- 下橈尺関節では，尺骨頭のまわりを橈骨の尺骨切痕が転がり，そして滑る．つまり，尺骨頭を中心にして橈骨遠位端が回転を行う．ここでの関節包内運動は，橈骨の尺骨切痕が尺骨頭の関節環状面に対して凹の法則（⇨図2-20A）に従ったものとなる．前腕骨間膜の線維の多くは橈骨からみて斜下方へ走行するため，前腕回外時にその緊張が高まる．前腕に関与する筋の作用については，付録表3を参照していただきたい．

Let'sTry 前腕の回内－回外運動を行ってみよう

上橈尺関節での運動の確認は，橈骨頭を触診して行う．このとき位置の変化はほとんどなく，橈骨頭の軸回旋のみが生じる（A）．一方の下橈尺関節の運動は，橈骨茎状突起の触診で確認する．橈骨茎状突起が尺骨頭に乗り上げて変位することがわかる（B）．

A 上橈尺関節の運動

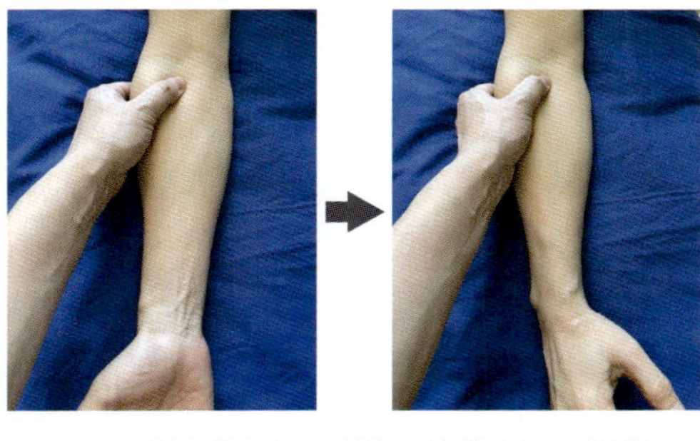

B 下橈尺関節の運動

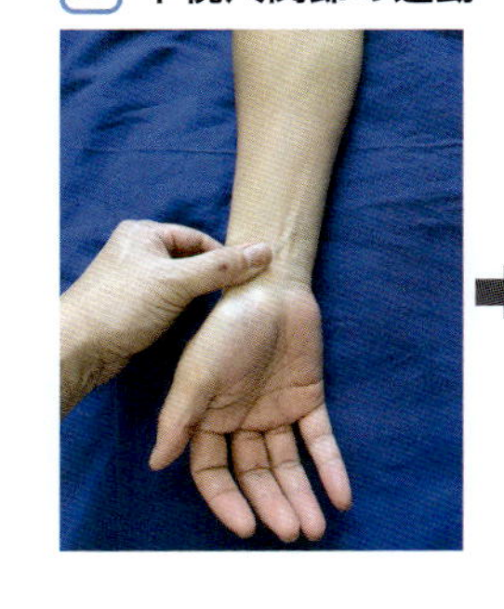

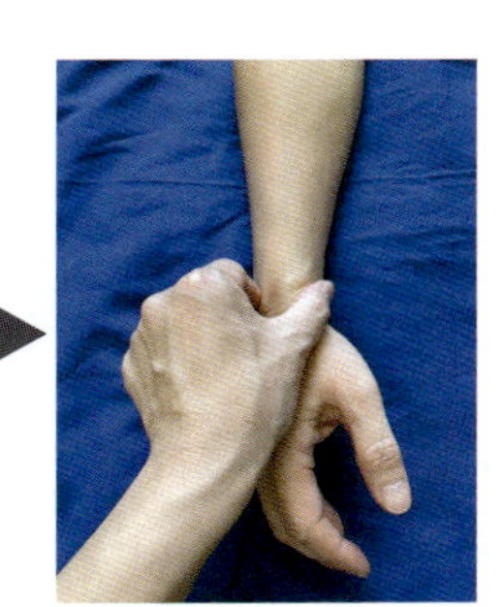

図3-20 橈骨頭および橈骨茎状突起の触診

3 手関節の構造と運動

1）手関節の構造

- 一般に手首と称される手根部には，８つの**手根骨**が存在する．前腕に近い中枢側４つの手根骨（舟状骨，月状骨，三角骨，豆状骨）を**近位手根骨列**，これに接する遠位４つの手根骨（大菱形骨，小菱形骨，有頭骨，有鈎骨）を**遠位手根骨列**という（図3-21）．ただし，豆状骨は尺側手根屈筋腱の種子骨であり，本来の手根骨には属さない．
- 手根部の関節には，橈骨手根関節と手根間関節が存在する．手関節に相当する**橈骨手根関節**は，関節窩を橈骨遠位端および三角線維軟骨複合体，関節頭を三角骨，月状骨，舟状骨で構成する楕円関節である（図3-21）．その関節包は薄いものの，関節包靱帯が補強する．三角線維軟骨複合体が尺骨下端とは隔てられているため，尺骨はこの関節の構成要素とはならない．
- 手関節中間位では，橈骨の長軸に一致して月状骨と有頭骨が配列する．しかし，舟状骨の長軸は掌側に約45°傾斜している（図3-22）．このことは，母指が他の手指と相対する位置にあり，母指と小指が近づく運動，つまり対立運動に大きく関与する．
- 手根骨の掌側は凹状を呈するが，その内側および外側の隆起部を**屈筋支帯**とも称される**横手根靱帯**が結ぶ（⇨図3-32A）．ここに形成されるトンネルを**手根管**といい，橈側手根屈筋腱，長母指屈筋，それぞれ４本の浅および深指屈筋，そして正中神経が通過する（図3-23）．
- 手根管浅層の尺側には，**尺骨神経管**あるいは**ギヨン管**と称される小さなトンネルがある．ここを尺骨神経と尺骨動脈が通過する．また，背側においても，前腕深筋膜の遠位部は肥厚して**伸筋支帯**を形成する（⇨図3-32B）．

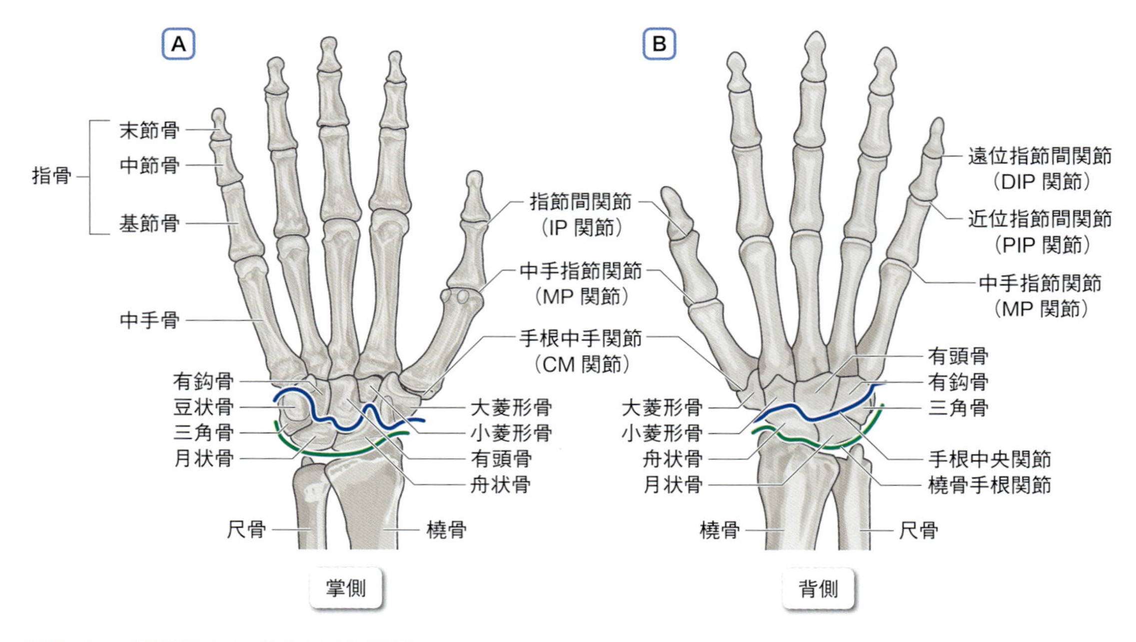

図3-21　手関節および手の骨と関節

手は手根骨，中手骨，指骨からなる．手と前腕を連結する部位が手関節，つまり橈骨手根関節である．文献３をもとに作成．

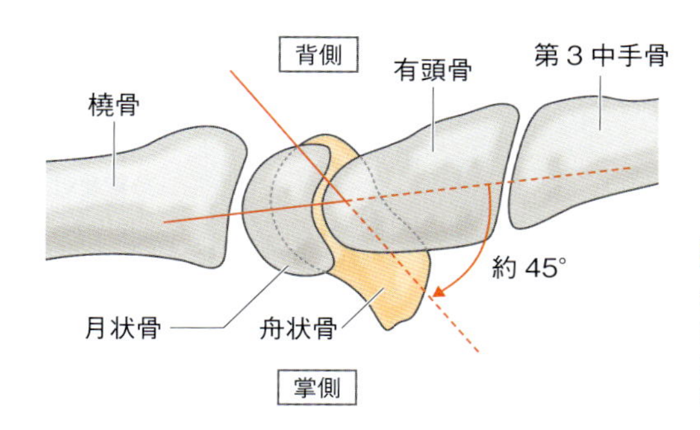

図 3-22　尺側からみた舟状骨の掌側傾斜（右手）

手関節中間位で手根部を側面からみると，橈骨，月状骨，有頭骨，そして第３中手骨はほぼ同一直線上に配列している．しかし，舟状骨の長軸は掌側に傾斜している．文献6をもとに作成．

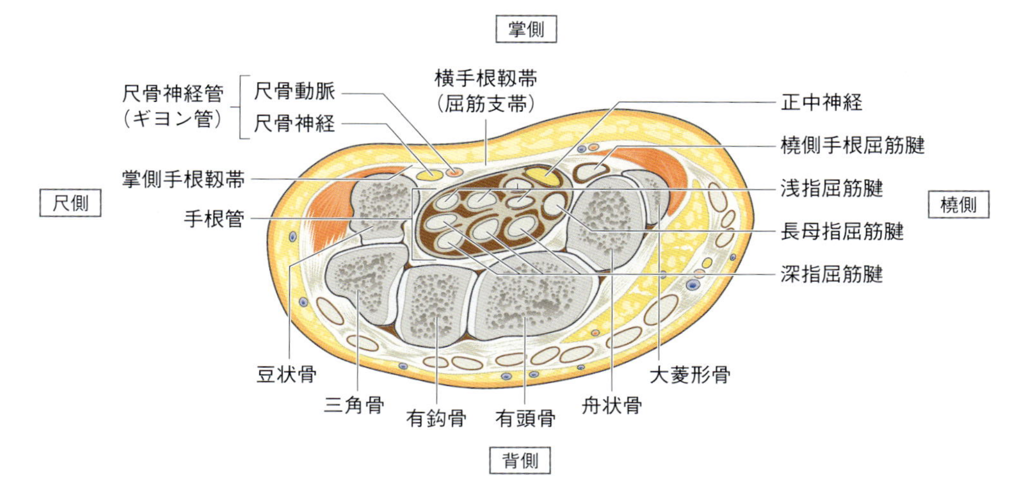

図 3-23　手根部の横断面

手根骨は掌側凹状をなし，その表層を横手根靱帯（屈筋支帯）が覆う．ここに形成される管腔を手根管という．尺骨神経管とは区別されるので注意する．

- **三角線維軟骨複合体**は，三角線維軟骨（関節円板様の組織）とそれを取り囲み支持する靱帯によって構成される．下橈尺関節に安定性を与える一方で，尺骨にかかる応力を緩衝する役割を担う．また，橈骨手根関節の関節窩を形成する（図 3-24）．
- **手根間関節**は，豆状骨を除く手根骨間がなす平面関節である．豆状骨は三角骨との間に独立した関節を形成し，**豆状骨関節**あるいは豆状三角骨関節とよばれる．また，近位手根骨列と遠位手根骨列の連結を手根中央関節というが，手根間関節の一部に過ぎない（図 3-21）．
- **手根中央関節**は，外側部と内側部に大別される．外側部は，舟状骨が大・小菱形骨となす連結部であり，平面的な形態をなす．一方の内側部は，有頭骨－有鉤骨が凸面を，舟状骨－月状骨－三角骨が凹面を呈し，楕円関節様の形状を示す．なお，この手根中央関節には豆状骨は関与しない．
- 手関節は手指とともに，つかみ動作やつまみ動作を担う（⇨図 3-36）．この動作を効率よく行えるように，手掌面の皮膚は厚く皮線が発達している．また深層には，長掌筋から移行した手掌腱膜と密な結合があり，柔軟性に乏しい．これに対して手背面の皮膚は，薄く柔軟性に富む．

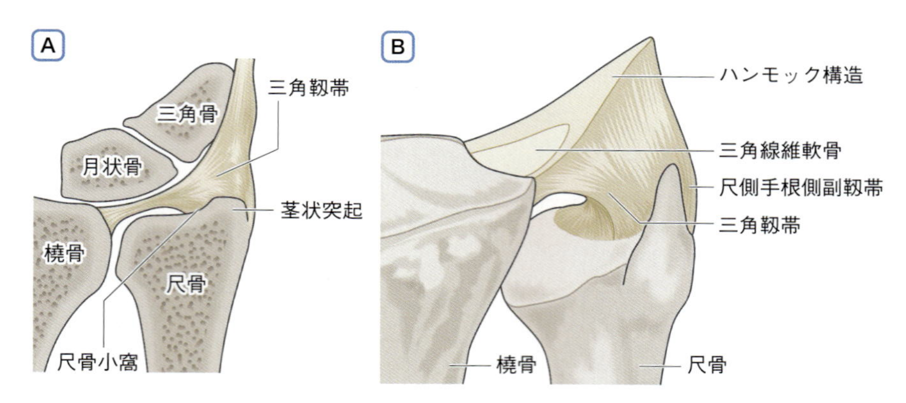

図3-24　三角線維軟骨複合体の構造

尺骨の茎状突起およびその基部の小窩（尺骨小窩）に起始し，扇状に広がって橈骨遠位端における関節面の尺骨縁に停止する三角靱帯（掌側・背側橈尺靱帯）が，三角線維軟骨を囲んでいる．その尺側には尺側手根側副靱帯が存在し，三角骨に付着する．三角線維軟骨複合体の遠位部はハンモック構造を呈し，尺側の近位手根骨列を支持する．文献7をもとに作成．

臨床で重要！

橈骨と尺骨の相対的位置関係

橈骨遠位端に対する尺骨遠位端の相対長を**尺骨バリアンス**といい，橈骨の尺側縁と尺骨頭の高さの差が±1 mm以内であれば**ゼロ変異**という（X線写真の評価）．これを基準として，橈骨の尺側縁に対して尺骨頭の高さが1 mm以上長い状態を，尺骨プラスバリアンスという．前腕遠位部の骨折において頻度の高い橈骨遠位端骨折では，骨折後の変形治癒により橈骨が短縮して，尺骨に突き上げられた三角線維軟骨複合体が損傷して疼痛を生じることがある（尺骨突き上げ症候群）．一方，正常より1 mm以上短い状態は，尺骨マイナスバリアンスという．

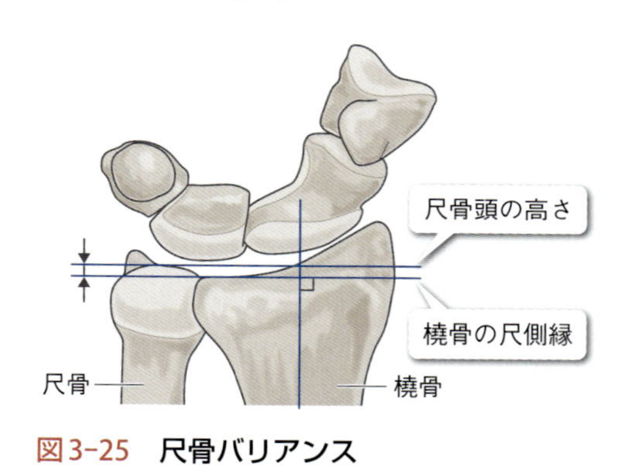

図3-25　尺骨バリアンス

2）手関節の運動

- 一般に手関節の可動域は，背屈よりも掌屈で，橈屈よりも尺屈で大きい．ここには，橈骨遠位端における関節面の形状が大きく影響する．矢状面では掌側に約10°の，前額面では尺側に約20°の傾斜がみられる．
- 手関節の運動は，橈骨手根関節と手根間関節による複合運動として生じる．手根間関節の外側部は，舟状骨が大・小菱形骨と相対する．一方の内側部は，舟状骨－月状骨－三角骨が有頭骨－有鈎骨と相対する．手根中央関節の運動は，外側部と比較して内側部で大きい．
- 運動自由度2の手関節では，手根骨内で最初に骨化する有頭骨を通過する運動軸をもって，掌屈（屈曲）－背屈（伸展），尺屈－橈屈の運動がなされる．手関節に関与する筋の作用については，付録表4を参照していただきたい．

- 掌屈運動時，橈骨手根関節では橈骨遠位端および三角線維軟骨複合体（関節窩）に対して，三角骨－月状骨－舟状骨（関節頭）が背側へと滑る．また手根中央関節では，豆状骨を除く近位手根骨列（関節窩）に対して，遠位手根骨列（関節頭）が軸回旋を行う．しかし実際には，遠位手根骨列が掌側へと転がるのと同時に，背側へと滑ることでも軸回旋が生じる．なお，背屈運動ではこの逆の現象が生じる（図3-26）．
- 尺屈－橈屈時に生じる関節内での運動も同様である．尺屈運動時，橈骨手根関節の関節窩に対して関節頭が橈側へと滑る．このとき手根中央関節では，関節窩に対して関節頭が軸回旋を行う．しかし実際には，遠位手根骨列が尺側へと転がり，橈側へと滑っている．なお，橈屈運動ではこの逆の現象が生じる（図3-27）．
- 通常，手関節は掌屈に伴う尺屈，背屈に伴う橈屈というパターンで運動する．この対角に生じる運動パターンは，ダーツを投げる動作に似ているため，**ダーツスロー運動**とよばれる（図3-28）．タオルを絞る動作やハンマーを振る動作がこれにあたる．

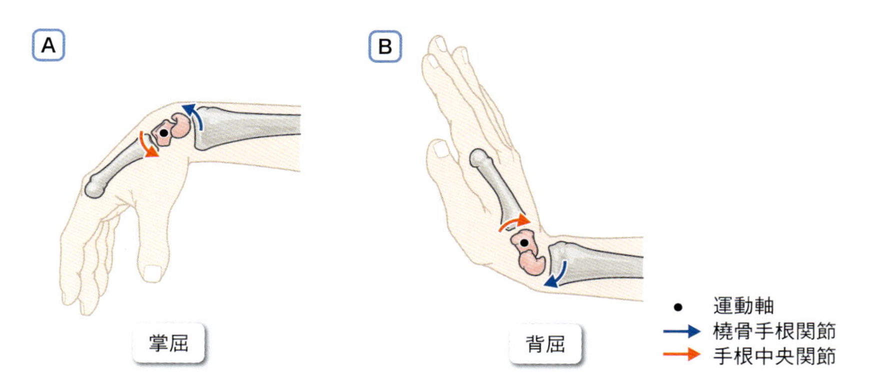

図3-26　掌屈－背屈運動時の手関節包内運動

掌屈運動時には，橈骨遠位端および三角線維軟骨複合体に対して，三角骨－月状骨－舟状骨が背側へと滑る（→）．このとき，三角骨－月状骨－舟状骨に対して，遠位手根骨列が掌側への回転運動を行う（→）．背屈運動ではこの逆の現象が生じる．

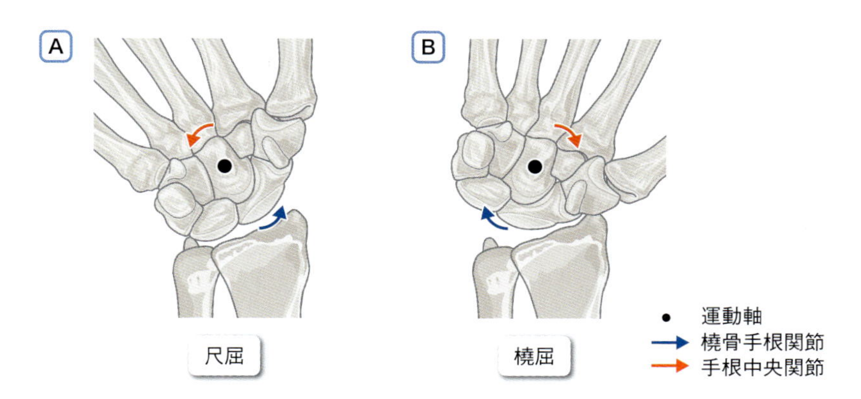

図3-27　尺屈－橈屈運動時の手関節包内運動

尺屈運動時には，橈骨遠位端および三角線維軟骨複合体に対して，三角骨－月状骨－舟状骨が橈側へと滑る（→）．このとき，三角骨－月状骨－舟状骨に対して，遠位手根骨列が尺側への回転運動を行う（→）．橈屈運動ではこの逆の現象が生じる．

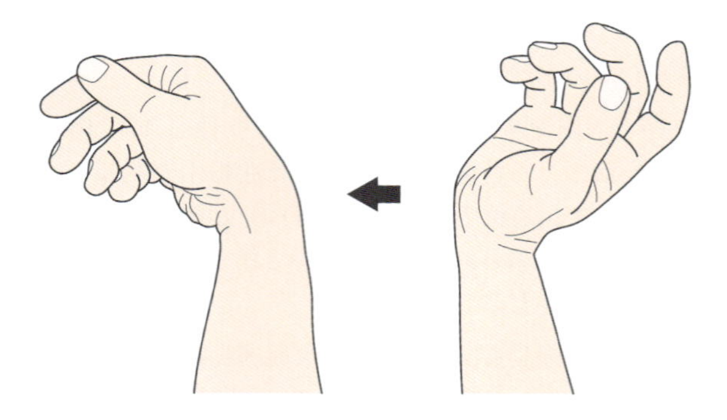

図3-28　ダーツスロー運動

日常でみられる手関節の運動は，掌屈－尺屈，背屈－橈屈の組合せで生じる．このダーツスロー運動が，正確に45°の角度でなされると，ほぼ手根中央関節での単独運動となる．

4 手の構造と運動

1）手の構造

- 解剖学的にみると，手は橈骨手根関節よりも遠位部を指す．したがって，手の骨には前述した8個の**手根骨**，5個の**中手骨**，14個の**指骨**が存在する．指骨は**基節骨**，**中節骨**，**末節骨**からなるが，母指には中節骨がみられない（⇨図3-21）．
- 母指が第1指となり，尺側に向かって第2指（示指），第3指（中指），第4指（環指），第5指（小指）がみられる．なお，母指の基節骨の近位には第1中手骨が位置し，他の4本の手指には第2～5中手骨が対応する．母指の指骨（基節骨，末節骨）および第1中手骨は，他の手指と相対する位置にある．
- **手根中手関節**（CM関節）は，遠位手根骨列が中手骨底と形成する関節である（図3-29）．

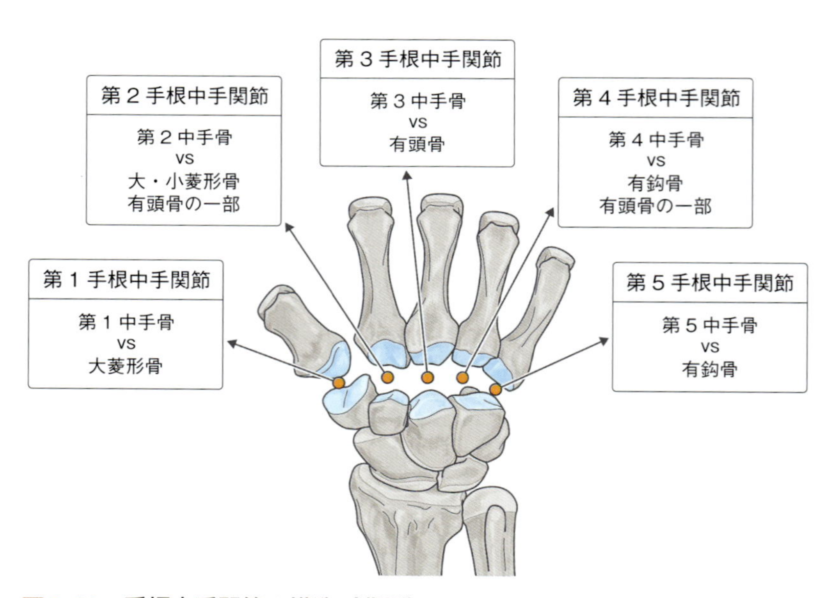

図3-29　手根中手関節の構造（背側）

母指のCM関節は，独立した関節包を形成する．第2～5指のCM関節は，隣接する中手骨底による中手間関節も含めて一体化した関節包を形成する．

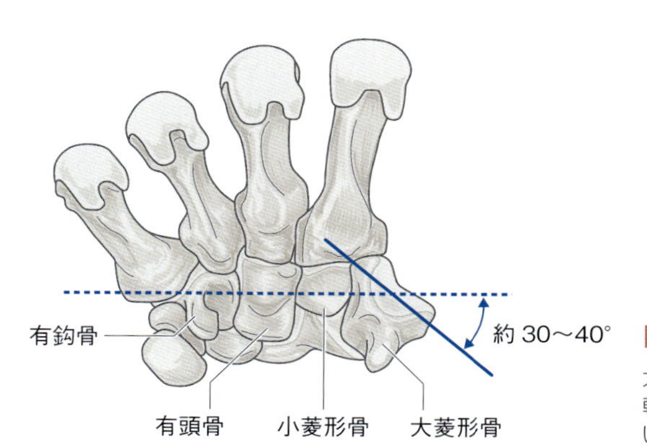

図3-30　大菱形骨の尺側傾斜

大菱形骨は，他の遠位手根骨列と比較して約30〜40°内側へ回旋している．文献3をもとに作成．

第2〜5指のCM関節は平面関節であり，隣接する中手骨底との中手間関節と一体になって関節包を形成する．これに対して，鞍関節に分類される母指のCM関節は，独立した関節包を有している．母指のCM関節を構成する大菱形骨は，他の遠位手根骨列と比較して約30〜40°内側へ回旋している（図3-30）．

- 第2〜5中手骨底が相互に向かいあう面では，**中手間関節**が形成される．この関節の関節腔は，手根中手関節の関節腔と連続する．半関節に分類され，その可動性は小さい．
- **中手指節関節**（MP関節）は，中手骨頭と隣接する基節骨底との間に形成される（⇨図3-21）．関節面の形状による分類としては球関節に相当する．しかし，靱帯などの存在で可動性が著しく制限されるため，2軸性の楕円関節（顆状関節）と記した書籍もみられる．
- **指節間関節**（IP関節）は，1軸性の蝶番関節に分類される．第2〜5指には，基節骨頭とこれに隣接する中節骨底からなる**近位指節間関節**（PIP関節）と，中節骨頭とこれに隣接する末節骨底からなる**遠位指節間関節**（DIP関節）が存在する．しかし，母指の指骨には中節骨が存在しないため，基節骨頭と末節骨底がなすIP関節のみがみられる（⇨図3-21）．
- CM関節および中手間関節には，掌側・背側に関節包靱帯が存在する．また，MP関節およびIP関節においては，両側あるいは掌側に靱帯が存在する．MP関節およびIP関節の側面にみられる**側副靱帯**は，屈曲位で緊張する．また，この付属部となる副靱帯は，伸展位で緊張する（図3-31）．
- MP関節およびIP関節の掌側には，厚く硬い**掌側板**が存在する（図3-31）．線維軟骨性の掌側板は掌側靱帯とも称され，指伸展の制動に関与する．また，関節の接触面を増大させることで，関節軟骨に作用する応力を減少させる．この掌側板は副靱帯によって支持される．
- 手には複数の**腱鞘**がみられる（⇨図2-43）．手指掌側にみられる腱鞘は，指屈筋腱の周囲を取り巻き指骨に付着する．この**指腱鞘**は，筋収縮によりMP関節およびIP関節が屈曲位になった際，腱が浮き上がらないように保持している．また，腱鞘表層に存在する線維鞘の線維走行から，輪状部と十字部に大別される（図3-32A）．
- 指腱鞘以外にも手の掌側には，**指屈筋の総腱鞘**と**長母指屈筋腱腱鞘**といった腱鞘がみられる．これらの腱鞘の線維鞘には，横手根靱帯が相当する．一方，手の背側では伸筋支帯が線維鞘の役割を担って，**伸筋腱腱鞘**を形成する．ここでは，伸筋支帯の隔壁により6つの区画が形成される（図3-32）．

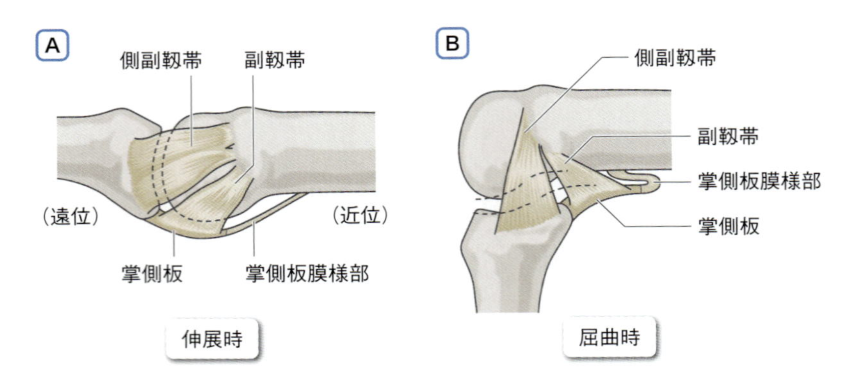

図3-31　側副靱帯と掌側板

MP関節およびIP関節の側面には側副靱帯とその付属部となる副靱帯が，掌側には掌側板がみられる．側副靱帯は屈曲位で，副靱帯および掌側板は伸展位で緊張する．掌側板膜様部は，指屈曲に伴い近位へと折れ込む．文献8をもとに作成．

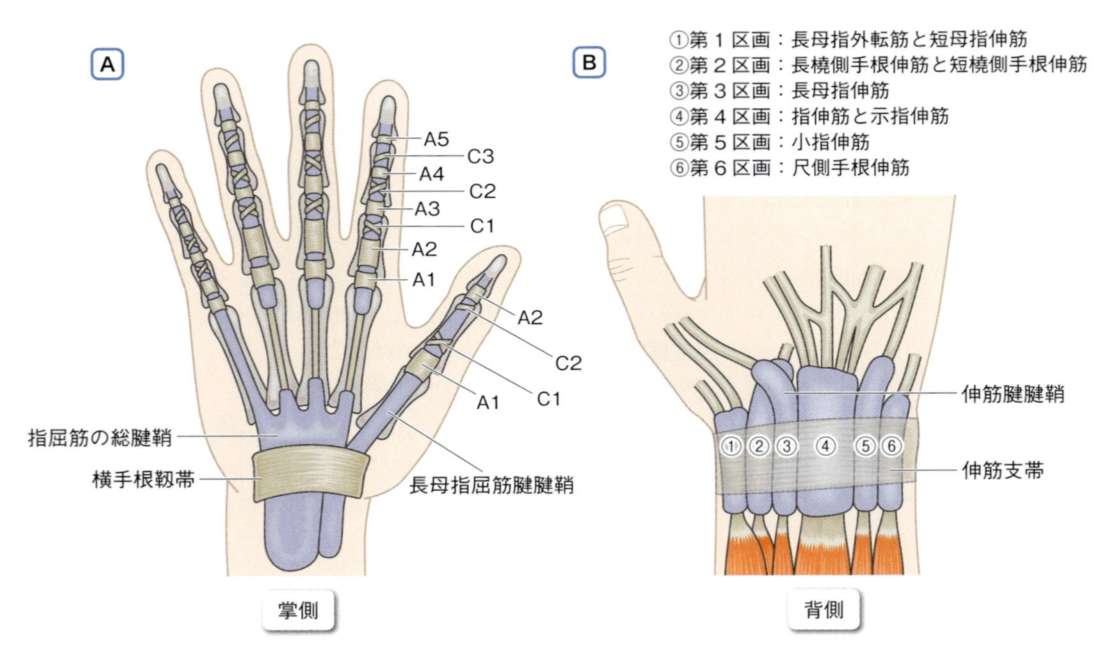

図3-32　手の腱鞘

指腱鞘は，輪状部（A1～5）と十字部（C1～3）に大別される．母指では，それぞれ2つの輪状部と十字部がみられる．背側の伸筋支帯には6つの区画がある．文献9をもとに作成．

2）手の運動

- 手の近位部に位置するCM関節は，部位によって可動性が異なる．第4・5指のCM関節は，屈曲－伸展に加え，内旋が生じる．この内旋運動は随意的にほぼ不可能である（⇨図2-21）．一方，第2・3指のCM関節は強靱な関節包靱帯の存在もあり，著しく運動が制限される．その反面，手の安定性に大きく寄与する．
- 運動自由度2の母指のCM関節では，手掌面上で第1中手骨が第2中手骨から離れる運動を

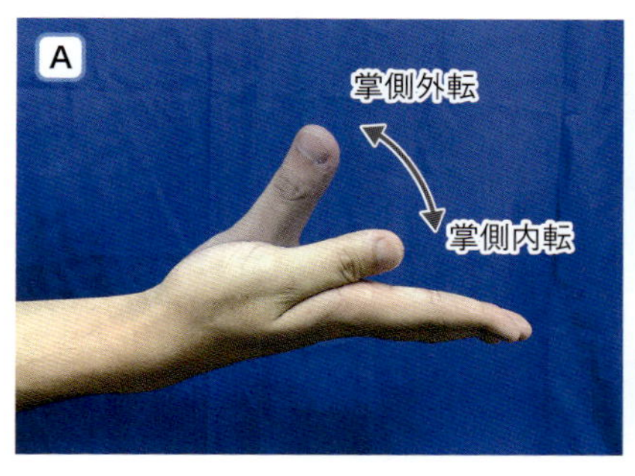

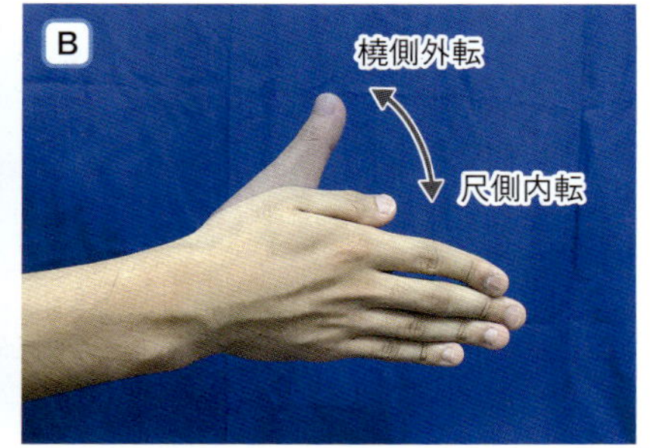

図3-33　母指のCM関節での運動

前腕を回外位で机の上にのせ，この肢位から第1中手骨を垂直に持ち上げれば掌側外転，その逆の運動は掌側内転になる．次に，前腕を回内－回外中間位として，第1中手骨を垂直に持ち上げれば橈側外転，その逆の運動は尺側内転になる．

橈側外転，その逆の運動を**尺側内転**という．またこの運動面に直交する面上で第1中手骨が第2中手骨から離れる運動を**掌側外転**，その逆の運動を**掌側内転**という（図3-33）．

- 球関節に相当するMP関節ではあるが，運動自由度としては2となる．つまり，屈曲－伸展，外転－内転運動が生じる．第3指に対して他の指が離れる運動を**外転**，近づく運動を**内転**という．ただし，第3指においては尺側への変位を**尺側外転**，橈側への変位を**橈側外転**という．
- PIP関節およびDIP関節では屈曲－伸展のみが生じる（運動自由度1）．母指のIP関節でも屈曲－伸展が生じるが，他の手指とは運動の方向が異なる．これは，母指の近位に位置する大菱形骨が内側へ回旋し，大菱形骨と隣接する舟状骨が掌側へと傾斜しているためである（⇨図3-22，3-30）．
- 手の運動に関与する筋は，手外在筋と手内在筋に大別される．**手外在筋**は，上腕骨または前腕に起始があり手の骨に停止を有する．一方の**手内在筋**は，手の骨に起始と停止がある比較的小さな筋の総称である．この手内在筋は，**母指球筋**（短母指外転筋，短母指屈筋，母指対立筋，母指内転筋），**小指球筋**（短小指屈筋，小指外転筋，小指対立筋，短掌筋），**中手筋**（掌側・背側骨間筋，虫様筋）からなる．
- 手の筋の作用については，付録表4を参照していただきたい．しかし，手指の運動はやや複雑であるため，その解剖学的特徴と合わせて以下に詳細を記す．浅指屈筋は，MP関節レベルで2つに分かれるもののPIP関節レベルで結合し，中節骨掌側面で腱交叉を形成しながら第2～5中節骨底に停止する（図3-34）．これらの腱には，腱の中に入る血管や神経の通路となる腱間膜（長・短腱紐（けんひも））が結合する．
- 第2～5指の伸展運動には，複数の筋や腱，さらには腱膜や靱帯が関与するが，これを**指の伸展機構**という．その中心を担う**指背腱膜**は，指伸筋腱，掌側・背側骨間筋腱，虫様筋腱から構成される．これらの腱と結合して固定させる補助的組織として，矢状索，骨間筋腱帽，支靱帯，三角靱帯がある（図3-35）．なお，示指では示指伸筋腱が，小指では小指伸筋腱がこれに加わる．
- 指伸筋腱は基節骨背面で，1本の**中央索**と2本の**側索**を形成する線維に分かれる．指伸筋腱の中央索は，掌側・背側骨間筋腱が合流して中節骨底背側に停止するため，PIP関節の伸展作用を有する．一方の側索は末節骨底背側に付着して，DIP関節の伸展に作用するがその走行はやや複雑である．指伸筋腱の側索は，掌側・背側骨間筋腱および虫様筋腱の側索と合流し，末節骨底背側に停止する（図3-35）．

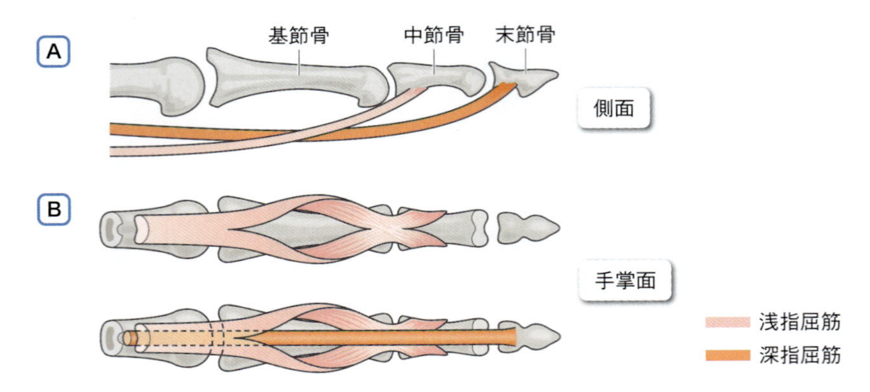

図3-34　屈筋腱の走行

浅指屈筋腱は基節骨部で二分するが，再び合わさって中節骨底に停止する．深指屈筋腱は，二分した浅指屈筋腱の間を通り抜けて末節骨底に停止する．文献10をもとに作成．

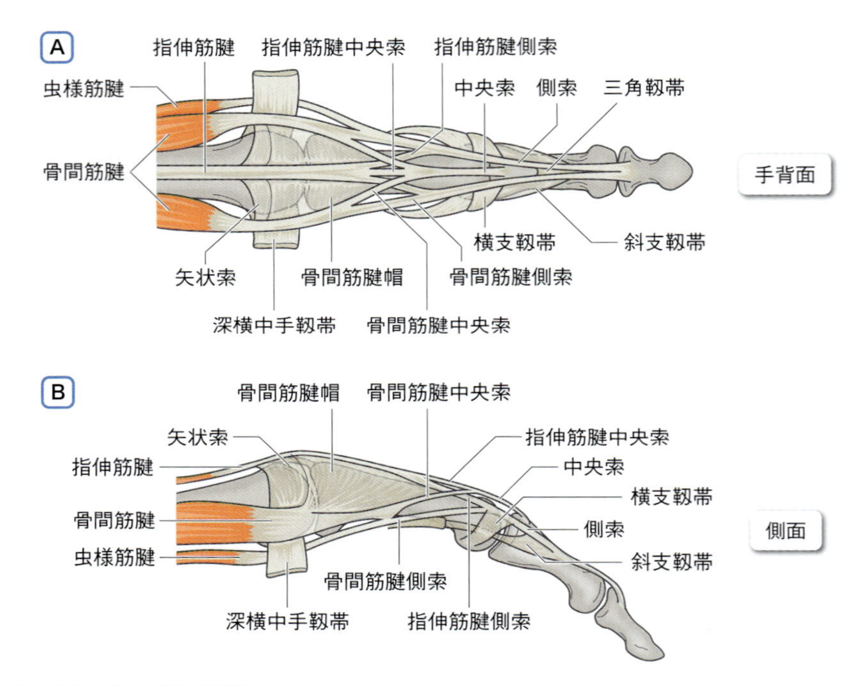

図3-35　指の伸展機構

指の伸展機構は，指背腱膜（指伸筋腱，掌側・背側骨間筋腱，虫様筋腱）と複数の補助装置からなる．図で示した骨間筋腱中央索・側索には，虫様筋腱の線維も合流する．文献11をもとに作成．

- 指伸筋腱の一部は基節骨底背側に付着するため，PIP・DIP関節の伸展はもとより，MP関節の伸展にも作用する．このとき，掌側・背側骨間筋および虫様筋の腱は弛緩している．しかし，MP関節が中間位に近い肢位にあって指伸筋腱が弛緩した状態であれば，掌側・背側骨間筋および虫様筋がPIP・DIP関節の伸筋として作用する．

3）手固有の作用と肢位

- 手の把握動作には，握り，つかみ，つまみがある（図3-36）．**握り**は，第2～5指を強く屈曲させて，手掌に力を集中させて物を保持する動作である．代表的な握りには，パワー握りとかぎさげがある．パワー握りは安定性と大きな力が必要な握りで，母指と他の指が対立位にある．一方のかぎさげは，かばんをもつ際の握りで母指は関与しない．深指屈筋が主に作用する動作である．
- **つかみ**は母指と他の指が対立した肢位にあって，手掌面も利用して指先で物を保持する動作である．また，対立位にある母指と他の指の先端のみで物を保持する動作を**つまみ**というが，つかみの特殊な型とも考えられる．つまみは，小さな物を保持する際に利用される．
- 把握動作をより効果的に行うために手の掌側は凹形をなすが，これを**手のアーチ**という．手弓とも称される手のアーチは，縦アーチ，横アーチ，そして斜アーチからなる（図3-37）．手根骨－中手骨－指骨で形成される**縦アーチ**では，その中央に位置する要石（かなめいし），つまりキーストーンがMP関節部になる．機能的にみると，示指と中指によるアーチが重要である．
- **横アーチ**は近位と遠位に存在する．遠位手根骨列で形成される近位横アーチは固定性の高いアーチであり，有頭骨がキーストーンとなる．また，中手骨頭で形成される遠位横アーチは可動性の高いアーチで，キーストーンは中指のMP関節になる．さらには，母指と他の4指が形成するものを**斜アーチ**といい，把握動作では最も重要なアーチになる．

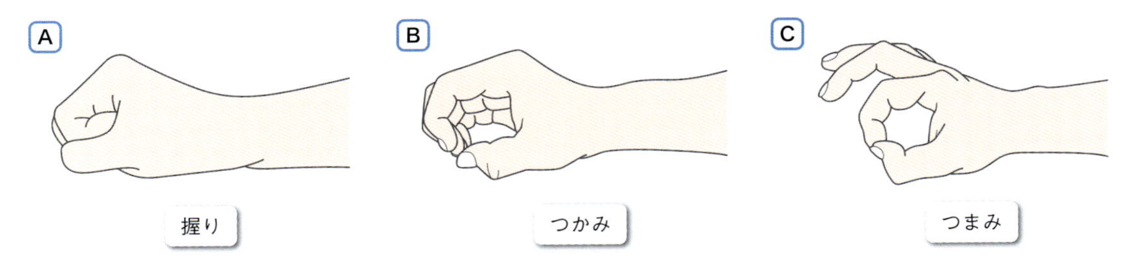

図3-36　手の把握動作

握りは，手掌に力を集中させて物を保持する動作である．つかみは，手掌面も利用して指先で物を保持する動作である．つまみでは，対立位にある母指と他の指の先端のみで物を保持する．

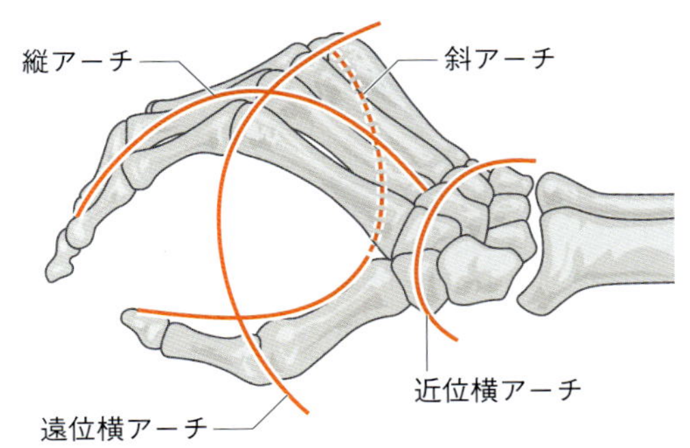

図3-37　手のアーチ

把握動作に適応するために手の掌側は凹形をなし，手のアーチを形成する．縦アーチのなかでは，示指と中指によるアーチが機能的に重要である．近位横アーチは固定性が，遠位横アーチは可動性が高い特徴を有する．また斜アーチは，把握動作において最も重要である．文献8をもとに作成．

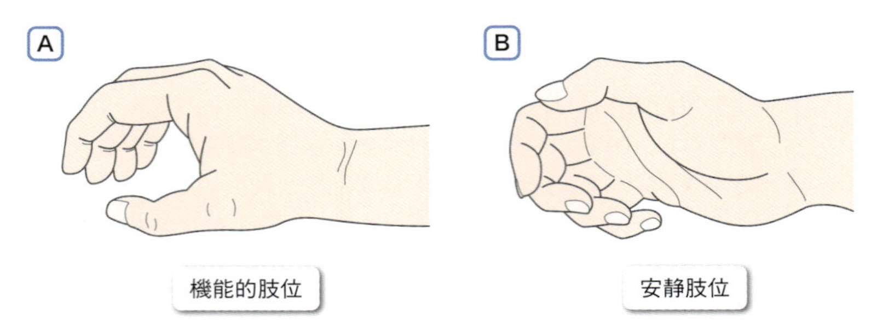

図3-38　手の機能的肢位，安静肢位

機能的肢位は，手関節や手の可動域制限が生じた場合であっても，最低限の機能維持が可能な肢位であり，以前は良肢位と称されていた．一方，睡眠時などのリラックスした際の肢位を安静肢位という．

- 疾病や傷害の影響で手関節や手の可動域制限が生じたとしても，最低限の機能維持が可能な肢位を**機能的肢位**という（図3-38A）．手関節は軽度背屈・軽度尺屈位，母指は掌側外転・屈曲位，第2〜5指は軽度屈曲位となる．このとき，母指と他の指の尖端がほぼ等距離にある．また，睡眠時にみられるような力を抜いた状態では，手関節は軽度掌屈位，母指は掌側外転・屈曲位，第2〜5指は軽度屈曲位となる．この肢位を**安静肢位**という（図3-38B）．
- 掌側・背側骨間筋および虫様筋は，MP関節の屈曲に作用する．そのため，外傷などの影響で指伸筋が機能せず，掌側・背側骨間筋および虫様筋（手内在筋）が強く収縮すると，MP関節は屈曲位，PIP・DIP関節は伸展位となる．これを**手内在筋プラス肢位**という．反対に手内在筋が機能せず，指伸筋を中心とした手外在筋が強く収縮すると，MP関節は伸展位，PIP・DIP関節は屈曲位となる．これを**手内在筋マイナス肢位**という（図3-39）．

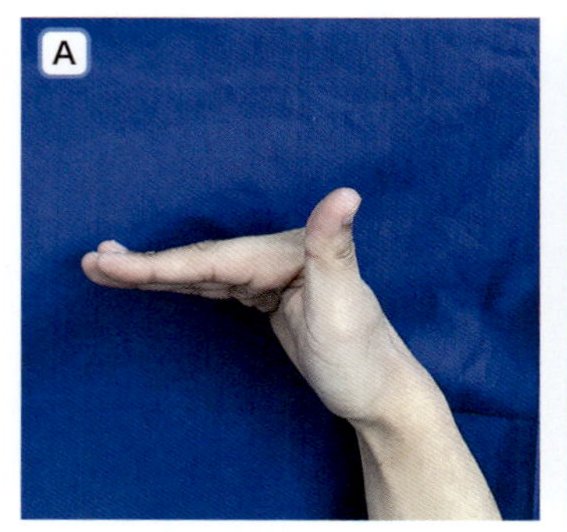

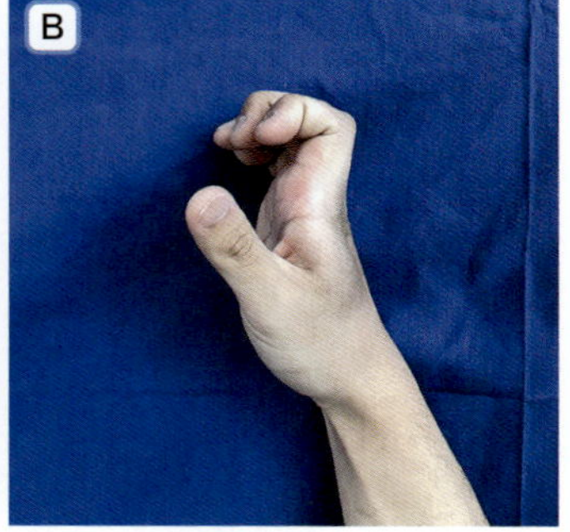

図3-39　手内在筋プラス肢位，マイナス肢位

手外在筋（指伸筋，浅・深指屈筋）に対して，手内在筋（掌側・背側骨間筋および虫様筋）が強く収縮するとMP関節は屈曲位，PIP・DIP関節は伸展位となる（A）．一方，手内在筋に対して手外在筋が強く収縮するとMP関節は伸展位，PIP・DIP関節は屈曲位となる（B）．

Let'sTry 腱の作用を体感してみよう

手指の力を抜いて手関節を掌屈位にすると，手外在伸筋が伸張されるために手指全体が軽度屈曲位（ほぼ中間位）になっている．この開始肢位から手関節を背屈していくと，徐々にPIP・DIP関節が屈曲する．手関節背屈に伴って手外在屈筋が伸張されるため，手指が自動的に屈曲する．このように起始・停止が複数の関節を越えて存在する多関節筋では，他の関節運動に制約作用が生じる．

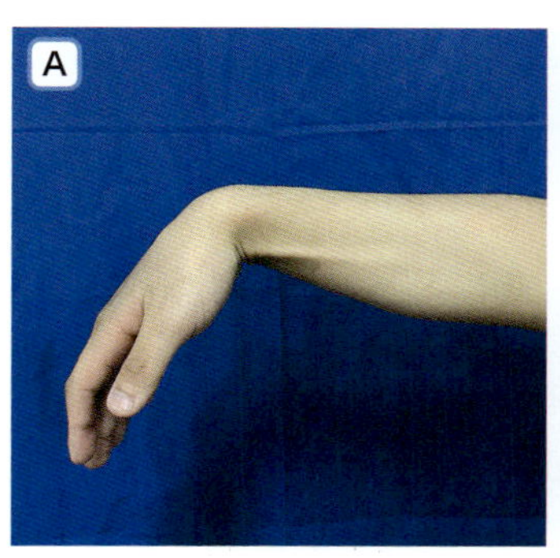

開始肢位　終了肢位

図3-40　腱作用

文献

1）「筋骨格系のキネシオロジー 原著第3版」（Andrew PD, 他/監訳），医歯薬出版，2018
2）「分冊 解剖学アトラスⅠ運動器 第6版」（平田幸男/訳），文光堂，2011
3）「プロメテウス解剖学アトラス　解剖学総論/運動器系 第3版」（坂井建雄，松村譲兒/監訳），医学書院，2017
4）「図説 肩関節Clinic」（山本龍二/編），メジカルビュー社，1996
5）「肘診療マニュアル 第2版」（石井清一，他/編著），医歯薬出版，2007
6）「手：その機能と解剖 第6版」（上羽康夫/著），金芳堂，2016
7）「手・肘の痛みクリニカルプラクティス」（加藤博之/専門編集），中山書店，2010
8）「消っして忘れない運動学要点整理ノート」（福井 勉，山﨑 敦/編），羊土社，2009
9）「標準整形外科学 第13版」（中村利孝，松野丈夫/監，井樋栄二，他/編），医学書院，2017
10）「カラー版 カパンジー機能解剖学 原著第6版 Ⅰ上肢」（塩田悦仁/訳），医歯薬出版，2010
11）「手外科診療ハンドブック 改訂第2版」（斎藤英彦，他/編），南江堂，2014
12）「日本人体解剖学 上巻 解剖学総論・骨格系・筋系・神経系 第20版」（金子丑之助/原著，金子勝治/監修），南山堂，2020

第4章

頭部・顔面の構造と運動

学習のポイント

- 頭部・顔面の構造を説明できる
- 顎関節の構造と運動について説明できる
- 正常な摂食・嚥下運動について説明できる
- 表情筋および眼筋の構造と機能を説明できる

1 頭部の構造

- 頸部の上部に位置する頭部は，**頭蓋**（とうがい）と称される骨格からなる．この頭蓋を構成する骨，つまり**頭蓋骨**には15種23個の骨があり，脳頭蓋と顔面頭蓋に大別される（図4-1）．
- **脳頭蓋**は6種8個の骨（頭頂骨，側頭骨，前頭骨，後頭骨など）からなり，神経頭蓋とも称される．霊長類の脳頭蓋は，顔面頭蓋よりも大きいことが特徴である．脳を収容する頭蓋腔を形成するが，その天井部分を**頭蓋冠**，床の部分を**頭蓋底**という．
- 成人の頭蓋には，結合組織による**縫合**（ほうごう）がみられる．頭蓋冠には冠状縫合，矢状縫合，ラムダ

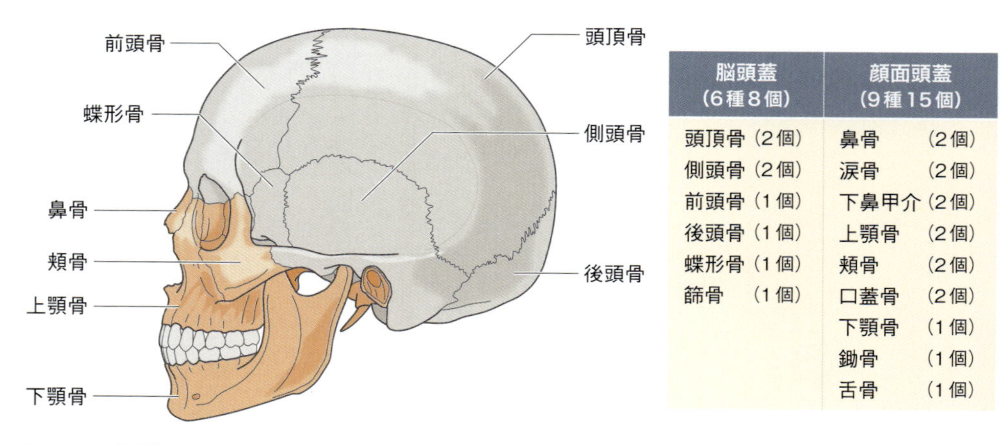

脳頭蓋（6種8個）	顔面頭蓋（9種15個）
頭頂骨（2個）	鼻骨（2個）
側頭骨（2個）	涙骨（2個）
前頭骨（1個）	下鼻甲介（2個）
後頭骨（1個）	上顎骨（2個）
蝶形骨（1個）	頬骨（2個）
篩骨（1個）	口蓋骨（2個）
	下顎骨（1個）
	鋤骨（1個）
	舌骨（1個）

図4-1　頭蓋骨の構成要素

頭蓋骨は，脳を収容するための頭蓋腔を形成する脳頭蓋（灰色で示す）と，顔面の骨格を形成する顔面頭蓋（オレンジ色で示す）に大別される．頭部唯一の関節である顎関節は，脳頭蓋である側頭骨の下顎窩と，顔面頭蓋である下顎骨の下顎頭によって形成される．

縫合が，頭蓋側面には鱗状縫合が存在する．しかし新生児では頭蓋骨の骨化が未完成であり，頭蓋冠では骨間が結合組織の膜によって連結されている．これを**頭蓋泉門**というが，生後2年までにすべてが骨化する．

- **顔面頭蓋**は，顔面の骨格を形成する9種15個の骨（鼻骨，頬骨，上顎骨，下顎骨，舌骨など）からなる．上顎骨と下顎骨には歯の歯根を埋める歯槽があり，**釘植**（ていしょく）を形成する．また下顎骨の後上部には関節突起があり，その上端の小さな突起を**下顎頭**という．

2 顎関節の構造と運動

- **顎関節**（がくかんせつ）は頭部における唯一の滑膜性関節であり，楕円関節に分類される．側頭下顎関節とも称される顎関節は，下顎骨の下顎頭と側頭骨の下顎窩によって形成される（図4-2）．顎関節の関節包はゆるくて薄いため，その外側を関節包靭帯である外側靭帯が補強する．また，内側には茎突下顎靭帯と蝶下顎靭帯がみられるが，外側靭帯ほど強靭ではない．
- 顎関節には関節円板が存在し，関節腔を上下に二分する（図4-2）．関節円板の役割は，運動時における関節の適合性を高め，関節突起の動きを誘導することにある．この関節円板は，関節包と強く結合している．
- 上下の歯列がわずかに接触している肢位を**咬合位**（こうごうい）という．この肢位より下顎が下方に変位する運動を下制，その逆の運動を挙上という．また前方突出－後退は，下顎窩に対して下顎頭が前後に滑る運動である（図4-3）．**開口**時には下制と前方突出が，**閉口**時には挙上と後退が同時に生じる．
- 開口運動の前半では，下顎窩に対して下顎頭が行う1軸性の運動として下制が主に生じる．さらに開口運動を行うと，下顎頭の前方変位による前方突出が生じる．このとき関節円板は，下顎頭と一緒に前方へと並進する．また，最大開口時には関節結節を越えて下顎頭が変位することもある．閉口時にはこの逆の運動が生じる．開口・閉口運動に関与する筋については，付録表5を参照していただきたい．
- 開口運動には，舌骨上筋群および外側翼突筋の下頭が直接的に作用する．側頭骨あるいは下顎骨に起始する舌骨上筋群は，下顎骨を下制させる作用を有する．ただし，舌骨に停止する

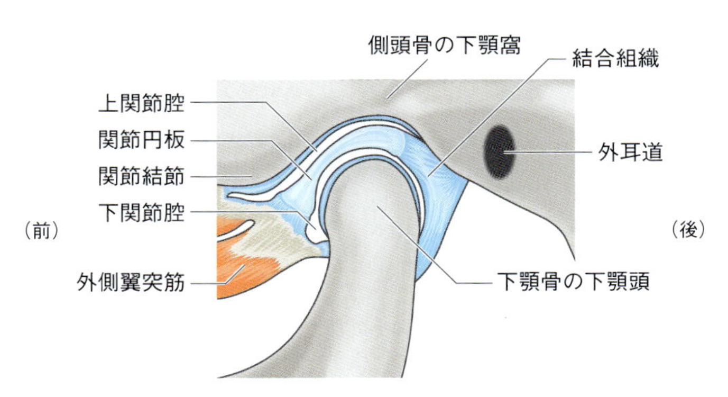

図4-2　顎関節の構造（側面）

顎関節は，下顎骨の下顎頭と側頭骨の下顎窩によって形成される．関節円板によって，関節腔は上下に分断される．文献1をもとに作成．

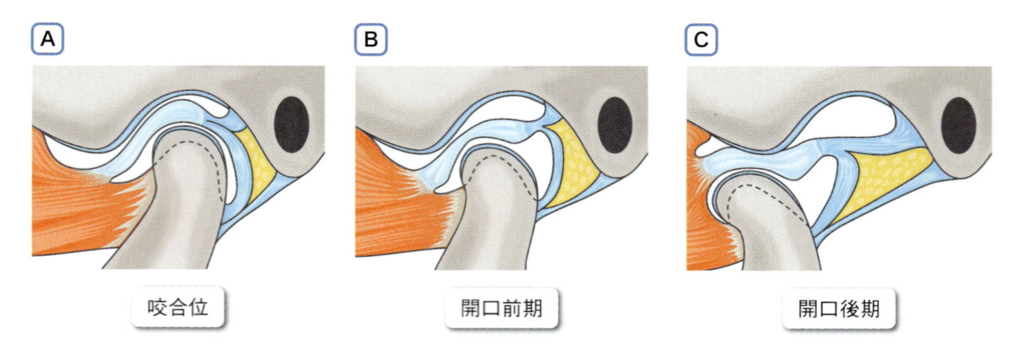

図4-3　顎関節における開口運動

開口運動の前期には，下顎頭の軸回旋運動による下制が主に生じる．しかし後期には，下顎窩に対して下顎頭が前方に滑る前方突出が主に生じる．一方，閉口ではその逆の運動として，挙上と後退が生じる．

舌骨下筋群が同時に収縮することで，舌骨を固定する必要がある．また，下顎骨に付着する外側翼突筋の下頭の収縮により下顎骨は前方突出するため，開口運動に関与する．

- 閉口運動には，咬筋，側頭筋および内側翼突筋が収縮することで，下顎骨を挙上させる．また，側頭筋は下顎骨の後退にも作用する．さらには，外側翼突筋の上頭は顎関節包および関節円板に付着するため，閉口運動時の安定性に寄与する．このような閉口運動に関与する4筋は，**咀嚼筋**（そしゃくきん）あるいは深頭筋として広く知られている．
- 下制－挙上，前方突出－後退以外の運動として，側方移動がみられる．この運動では，一側の前方突出と対側の後退が同時に起こる．食物を押しつぶし噛（か）み砕くために必要な挽（ひ）き臼（うす）運動は，この側方移動が中心になって生じる．この運動にも咀嚼筋が関与する．

臨床で重要！

不良姿勢と顎関節症

代表的な不良姿勢である頭部前方突出姿勢は，上位胸椎と下位頸椎の屈曲，さらには上位頸椎と環椎後頭関節での伸展が生じる．この肢位では舌骨下筋群が伸張され，舌骨を下後方へと牽引する．この牽引力は，顎二腹筋前腹などの舌骨上筋群を介して下顎骨を後下方へと偏位させる．このような不良姿勢により生じたアライメント異常は，顎関節の疼痛や雑音，運動障害を引き起こす．これらは顎関節症の代表的な症状である．

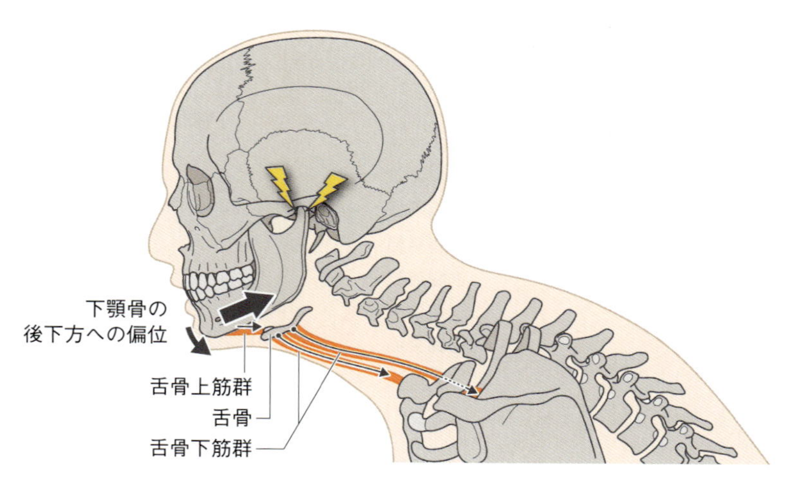

図4-4　頭部前方突出姿勢による下顎骨の偏位

文献1をもとに作成．

Let'sTry 顎関節運動を触察してみよう

顎関節の運動を左右同時に確認しよう．下顎骨関節突起の下顎頭は，外耳道の前方でやや下方にて触診できる．正面から左右の下顎頭を触れた状態で，軽く開口ー閉口をくり返させると，軸回旋運動を触察できる．次に，咬合位から最大開口させると，下顎頭が前方に変位することが確認できる．この運動に左右差がある場合には，顎関節の機能障害が疑われる．

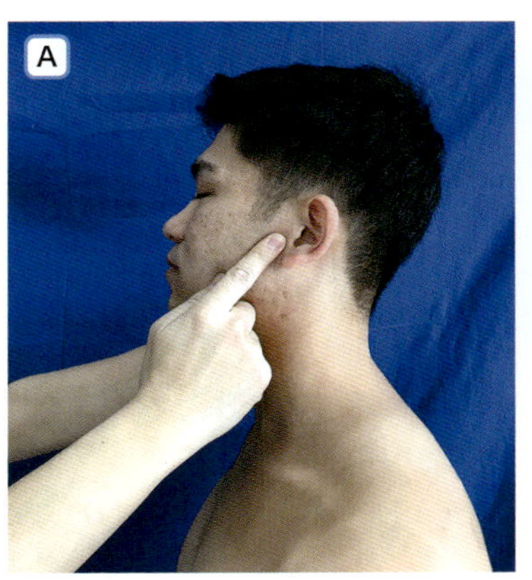

閉口位（咬合位）

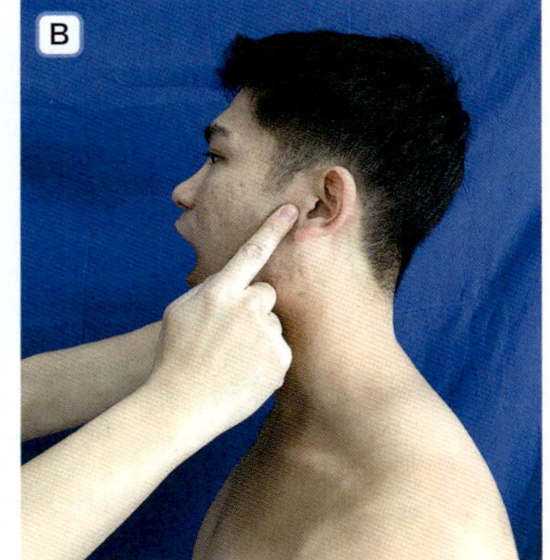

開口位

図4-5　下顎頭の変位

3 正常な摂食，嚥下運動

- 食物を消化するためには，咀嚼により食塊を形成する必要がある．この咀嚼は，上顎と下顎の間に位置する**口腔**でなされる．口腔の後方に位置し，上方は鼻腔，下方は食道および気管へと連続する部位を**咽頭**という．なお下咽頭に位置し，喉頭蓋から食道入口部までの部位を**喉頭**という（図4-6）．
- 食物を体内に取り入れる**摂食**においては，飲食物の形や量，質などを認識する必要がある．この期を**先行期**あるいは認知期というが，記憶や判断力などの全般的精神機能が保たれていることが重要である．また，顎関節の運動により食物を噛み砕き潰す咀嚼（そしゃく）を行い，飲み込みやすい食塊を形成する期を**口腔準備期**という．
- この先行期，口腔準備期を経て，噛み砕かれた食塊や液体を飲み込む**嚥下**（えんげ）がなされる．嚥下運動は，口腔から咽頭，喉頭を経て食道，胃に送られる過程であり，その運動は延髄に存在する中枢性パターン発生器（CPG）という神経回路によって制御される．この嚥下の過程は，口腔期，咽頭期，食道期の3期に分類される（図4-7）．
- **口腔期**は，食塊を口腔から咽頭に送り込む期で，口腔移送期あるいは随意期とも称される．舌の働きによって，随意的に食塊を口腔から舌後部まで送り込む．このとき，軟口蓋は舌背に垂れ下がり，食塊の保持を助ける．なお，舌の位置を変化させる筋は**外舌筋**あるいは外来舌筋，舌の形状を変化させる筋を**内舌筋**あるいは固有舌筋と称する．

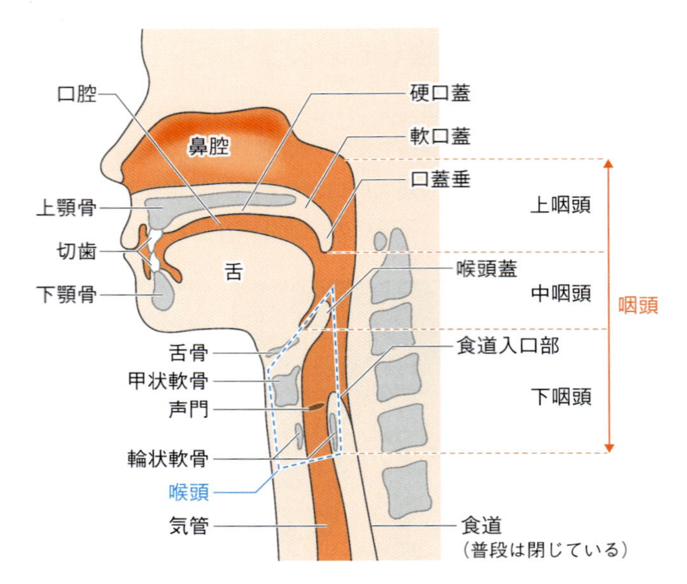

図4-6　口腔および咽頭・喉頭の構造

食物を摂取・咀嚼する口腔は，上顎と下顎の間の空間に相当する．口腔と鼻腔の境界を口蓋というが，前方2/3を硬口蓋，後方1/3を軟口蓋という．口腔から続く咽頭は3部からなる．軟口蓋よりも上方の部位を上咽頭（咽頭鼻部）といい，その前方は鼻腔に通じている．また，軟口蓋から喉頭蓋までの部位を中咽頭（咽頭口部）といい，口腔と通じている．一方，気管の上端に位置する管状器官である喉頭を含む部位を，下咽頭（咽頭喉頭部）という．輪状軟骨の下端（C6の高さ）で食道へと移行する．

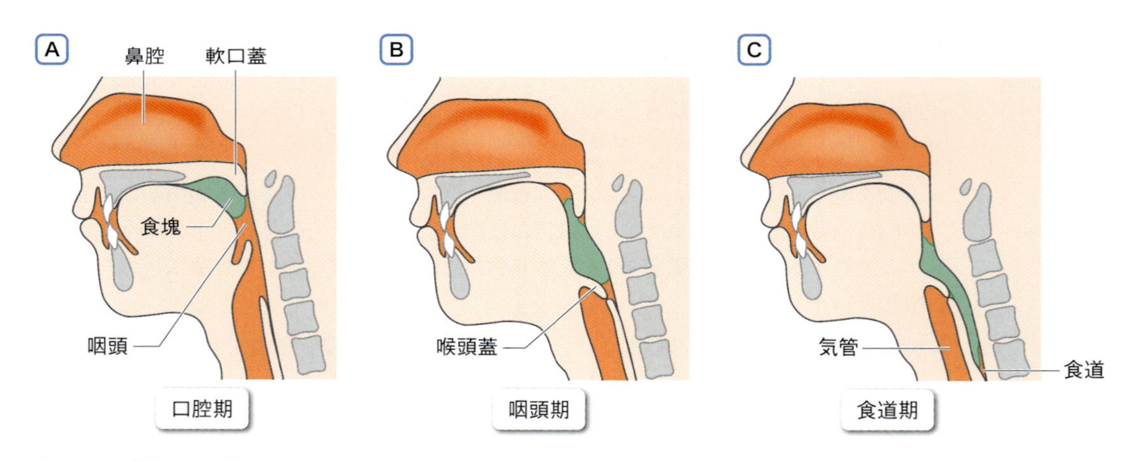

図4-7　嚥下の過程

随意的に食塊を口腔から咽頭に送り込む期を口腔期という．食塊が嚥下反射の知覚受容器である咽頭粘膜に接すると，咽頭と鼻腔，さらには口腔と咽頭の連絡が断たれるのと同時に，喉頭蓋が後下方に倒れ込んで声門（気道）が閉じる．この期を咽頭期という．その後，食塊は食道入口から胃の噴門に送られるが，この期を食道期という．

- **咽頭期**は，食塊が咽頭より食道入口まで移送される期である．反射期とも称される咽頭期には，呼吸・咀嚼が停止する．食塊が嚥下反射の知覚受容器である咽頭粘膜に接することで**嚥下反射**が誘発されるため，意思で止めることはできない．まず，軟口蓋が挙上して鼻腔と口腔・咽頭の連絡を断つ．このことで，鼻腔への逆流を防止する（鼻咽腔閉塞）．また，舌根部を軟口蓋に押しつけることで，口腔と咽頭が遮断される（舌口蓋閉鎖）．
- その後，舌根部が後下方へ移動して咽頭後壁に押しつけられることにより，食塊を咽頭から食道へ押し出す力が生じる．このとき舌骨は前上方に移動するが，それと同時に喉頭が挙上されて，喉頭蓋が後下方に倒れ込み（喉頭閉鎖），さらには声門が閉じる（声門閉鎖）．1秒以内に完結するこの一連の運動によって，一時的に呼吸が停止することで，食物の気管内流入を防止している．

- 咽頭筋は，咽頭挙上に作用する咽頭挙筋群と，咽頭を輪状に狭める咽頭収縮筋群に大別される．咽頭腔を収縮する咽頭収縮筋群は，解剖学的位置関係から上中下の3部分に分類されるが，その最下部となる下咽頭収縮筋は**輪状咽頭筋**とも称される．輪状咽頭筋は，嘔吐を防ぐために咽頭と食道の間の括約筋として作用するが，弛緩することで食塊を食道へと移送させる．
- **食道期**は，食塊が食道入口から胃の噴門に達する期であり，蠕動(ぜんどう)期とも称される．食道壁の筋層の上1/3は横紋筋，下1/3は平滑筋より構成され，中1/3は横紋筋と平滑筋が混在する．食道における蠕動運動は，横紋筋部で速くなり，その下の平滑筋部ではゆるやかになる．

臨床で重要！

不良姿勢と誤嚥

口から食道へ入るべき食物などが，誤って喉頭や気管に入ってしまう状態を**誤嚥**(ごえん)という．その原因はさまざまであるが，頭部前方突出姿勢もその要因の1つとなる．嚥下の咽頭期には，舌骨上筋群の作用により，舌骨が前上方に移動して喉頭蓋を反転させるため，声門が閉鎖される．しかし，頭部前方突出姿勢で舌骨下筋群の伸張により舌骨が牽引されると，声門閉鎖不全が生じて誤嚥を引き起こす．

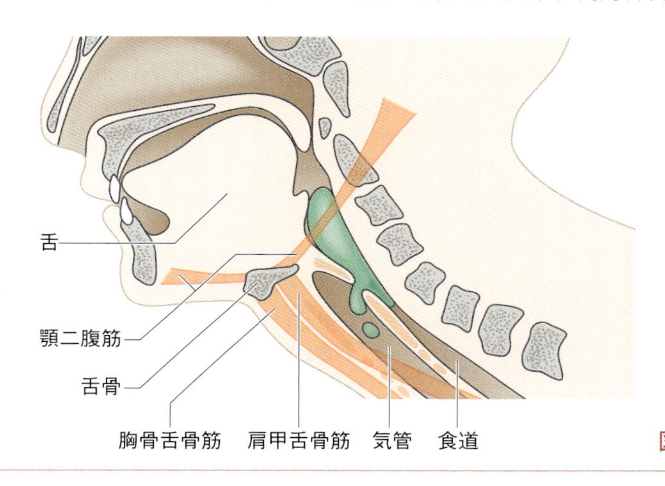

図4-8　頭部前方突出姿勢

4 表情筋および眼筋

- 顔面や頭部の皮下には薄い筋が存在し，表情をつくることに関与している．これらの筋は顔面神経（第Ⅶ脳神経）に支配される骨格筋であり，**表情筋**と称される．また皮膚に付着するため，**皮筋**ともよばれる．なお，表情筋以外の皮筋には，広頸筋と手の短掌筋がある．
- 表情筋は口や鼻，耳，眼の開口部にあって，その開閉に関与する．また前頭部や頬部にも存在するが，これら表情筋は互いに絡み合っている．
- **眼筋**には上眼瞼挙筋と外眼筋がある．眼球を保護する上眼瞼に付着する**上眼瞼挙筋**は動眼神経（第Ⅲ脳神経）に支配され，開眼に作用する．つまり，まぶたの挙上に関与する．
- 眼球の運動に関与する**外眼筋**は，4つの直筋と2つの斜筋から構成される．このうち，上・下直筋，内側直筋，下斜筋は動眼神経に支配されるが，上斜筋は滑車神経（第Ⅳ脳神経），外側直筋は外転神経（第Ⅵ脳神経）に支配される（図4-9）．

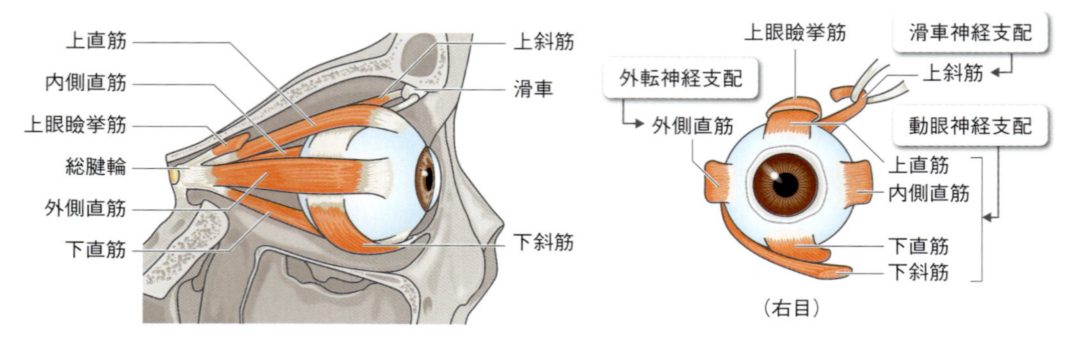

図4-9　眼筋（外眼筋）

眼窩内の骨格筋を外眼筋，あるいは単に眼筋という．眼球を動かす６つの筋（４直筋と２斜筋）と，上眼瞼挙筋からなる．上眼瞼を挙上する上眼瞼挙筋は描かれていない．

臨床で重要！

顔面の運動麻痺

表情筋を支配する顔面神経は，橋に脳神経核を有する．これよりも中枢部が侵されて生じる運動麻痺を**核上性麻痺**という．脳卒中や脳腫瘍など脳実質の病変で生じるが，左右両側の支配を受けるため顔面上部には明確な麻痺がみられない．一方，脳神経核よりも末梢部の病変で生じる**核下性麻痺**では，片側に明らかな運動麻痺がみられる．その多くは，原因が明確でなく突発性に生じるベル麻痺である．なお，前頭部および顔面の感覚の麻痺は，三叉神経の障害によって生じる．

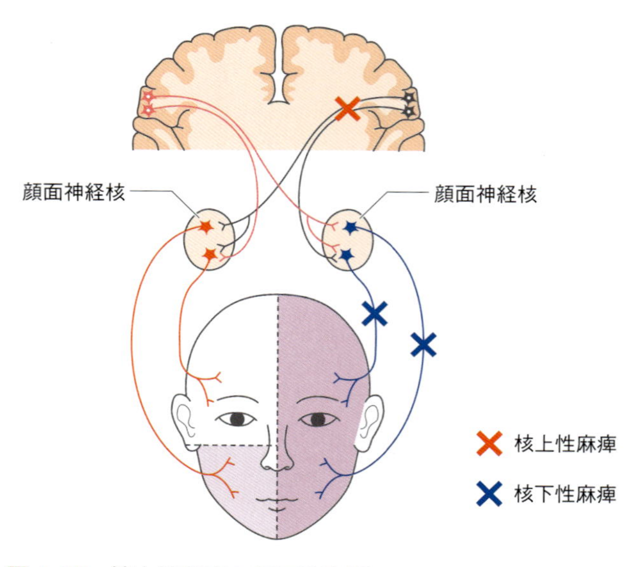

図4-10　核上性麻痺と核下性麻痺

文献２をもとに作成．

文献

1）「筋骨格系のキネシオロジー 原著第３版」（Andrew PD, 他/監訳），医歯薬出版，2018

2）「標準理学療法学・作業療法学 専門基礎分野　解剖学 第４版」（野村 嶬/編），医学書院，2015

3）「標準理学療法学・作業療法学 専門基礎分野　生理学 第５版」（岡田隆夫，他/著），医学書院，2018

4）「日本人体解剖学 上巻 解剖学総論・骨格系・筋系・神経系 第20版」（金子丑之助/原著，金子勝治/監修），南山堂，2020

第5章

体軸骨格・骨盤帯の構造と運動

学習のポイント

- 脊椎の骨格構造を説明できる
- 椎間関節と椎体間連結について説明できる
- 脊椎の靱帯構造を説明できる
- 脊柱の運動について説明できる
- 胸郭の骨格構造を説明できる
- 呼吸時にみられる胸郭の運動について説明できる
- 骨盤帯の骨格構造とその運動について説明できる

1 脊椎・脊柱の基本構造と運動

1）脊椎の構造

- **体軸骨格**は，頭蓋，脊柱，肋骨および胸骨から構成される．ヒトにおける体軸の中心をなす骨格が**脊柱**である．この脊柱を構成する**椎骨**は32～34個みられ，部位によって名称が異なる（図5-1）．椎骨は**脊椎**とも称され，一般には背骨として知られている．なお，頭部，頸部および四肢を除く胸骨と肋骨を含めたヒトの身体を**体幹**と称する．
- 椎骨を有する動物を，脊椎動物という．椎骨は，上位より7個の**頸椎**，12個の**胸椎**，5個の**腰椎**，5個の**仙椎**，3～5個の**尾椎**に分かれる．ただし，仙椎と尾椎は骨化して，それぞれ1つの**仙骨**と**尾骨**になる．
- 椎骨の基本構造は，前方の**椎体**と後方の**椎弓**である（図5-2）．円柱状の椎体は，その大半を海綿骨が占める．一方の椎弓はアーチ状を呈し，**椎弓根**により椎体と結合する．この椎弓根より後方の部分を**椎弓板**という．
- 椎骨には4種7個の突起が存在する（図5-2）．椎弓根のすぐ後方には上下に向かう突起があり，**上関節突起**，**下関節突起**と称する．さらに，椎弓板の側面から左右に出る突起を**横突起**，後方に出る突起を**棘**（きょく）**突起**という．また，椎弓根の上縁には**上椎切痕**，下縁には**下椎切痕**がみられる．
- 上位椎骨の下椎切痕と下位椎骨の上椎切痕とでつくられる孔を，**椎間孔**という（⇨図5-5A）．椎間孔は，脊柱管内にある脊髄から出る脊髄神経や血管の通路となる．脊髄神経は脊髄から出るところでは細い枝状をなすが，椎間孔を通過する部分では1本にまとまっている．なお，

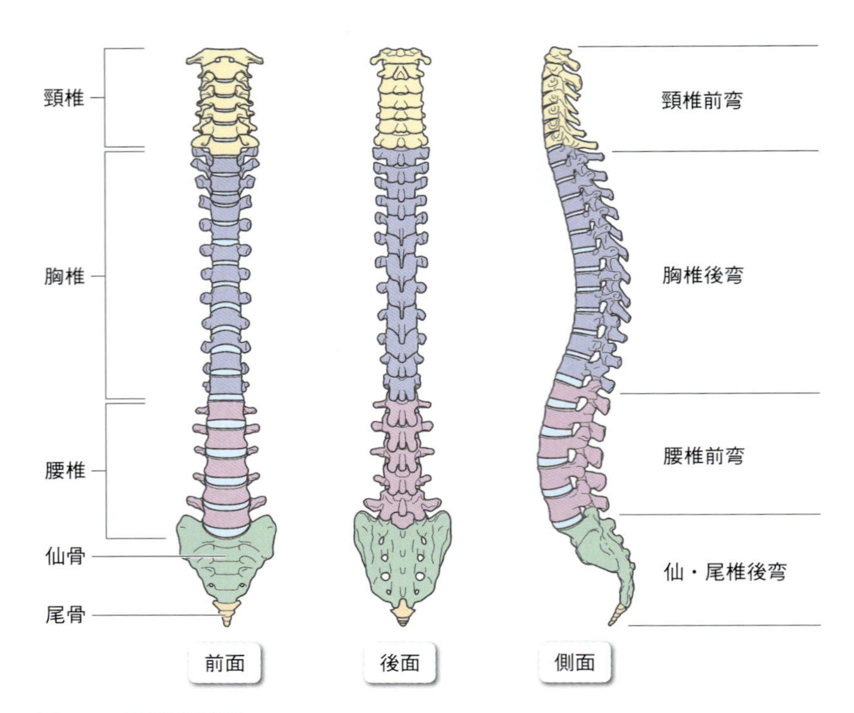

図5-1　脊柱の構造

32～34個の椎骨が脊柱を構成する．仙椎は5つ，尾椎は3～5つあるものの，骨化してそれぞれ1つの仙骨，尾骨になる．また，成人の胸部と仙・尾椎部では後弯（一次弯曲）が，頸部と腰部では前弯がみられる（二次弯曲）．

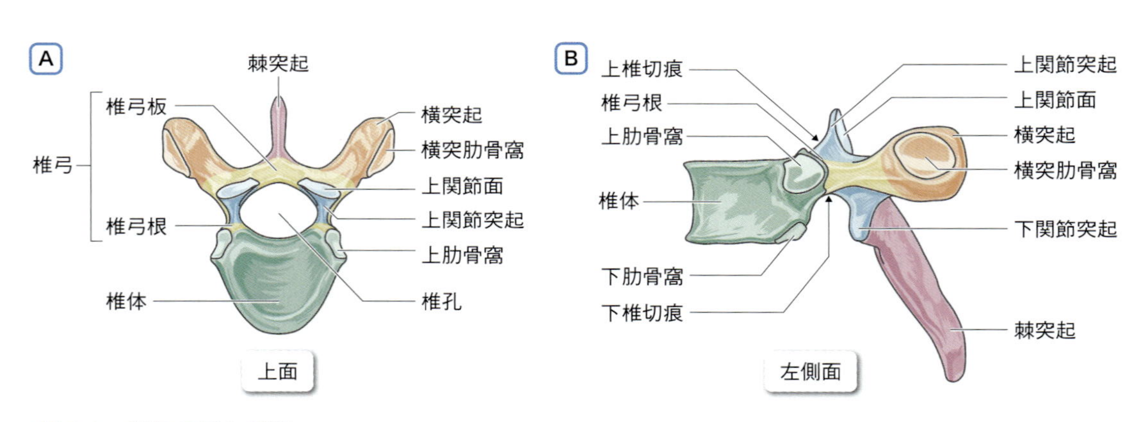

図5-2　椎骨の基本構造

椎骨の構造をみる場合には，肋骨と連結する胸椎が基本とされる．前方の椎体と後方の椎弓（椎弓根と椎弓板）を基本として，これに7個の突起が付随する．また，上位椎骨の下椎切痕と下位椎骨の上椎切痕がなす椎間孔は，脊髄神経や血管の通路となる．なお，横突肋骨窩と上・下肋骨窩については胸椎の項（⇨p.106）で述べる．

第1頸神経は頭蓋と環椎の間から出るため，頸神経は頸椎よりも1つ多く存在する．

- 椎体と椎弓の間にみられる孔を**椎孔**という（図5-2A）．この椎孔が上下に連なることで**脊柱管**を形成し，ここに**脊髄**を入れる．ただし，脊髄は第1～2腰椎の高さで脊髄円錐として終わるため，それより末梢部では腰髄や仙髄から出る脊髄神経である馬尾が存在する．

- 成人の仙椎は，一塊の仙骨となるため，他の椎骨とは様相が異なる．下位腰椎の椎孔に相当する部位は**仙骨管**とよばれ，**馬尾**を入れる．また，仙骨側面は腸骨と接するため，椎間孔は形成されない．これに代わり，脊髄神経が出入りするための孔が，前および後仙骨孔である（⇨図5-30）．
- ヒトの脊柱には**生理的弯曲**がみられる．成人では，胸部と仙・尾椎部では背側に凸の弯曲（後弯）が，頸部と腰部では腹側に凸の弯曲（前弯）がみられる（⇨図5-1）．前者は胎児期からみられるもので，**一次弯曲**と称される．この後弯により，臓器を収める胸腔・骨盤腔が形成される．一方，頸部の前弯は定頸の時期（生後3～4カ月）から，腰部の前弯は歩行開始時期（生後12カ月前後）から出現する．そのため，**二次弯曲**と称されるが，完成する時期は8～10歳である．この生理的弯曲は，立位における鉛直方向の圧力を緩衝することに関与する．

臨床で重要！

肋骨の遺残

胸郭の構成要素である肋骨は，胸椎のみと連結して存在する．発生初期では，脊柱の全領域において肋骨が存在するが，胸椎以外では退行して椎骨に取り込まれる．腰椎の側面にみられる肋骨突起は，本来の肋骨が椎骨に融合したものである．腰椎においては，本来の横突起が退行したことによる遺残として，乳頭突起と副突起が存在する．頸椎では横突起の前方部分，仙骨では外側部（仙骨翼）の前方部分が遺残に当たる．

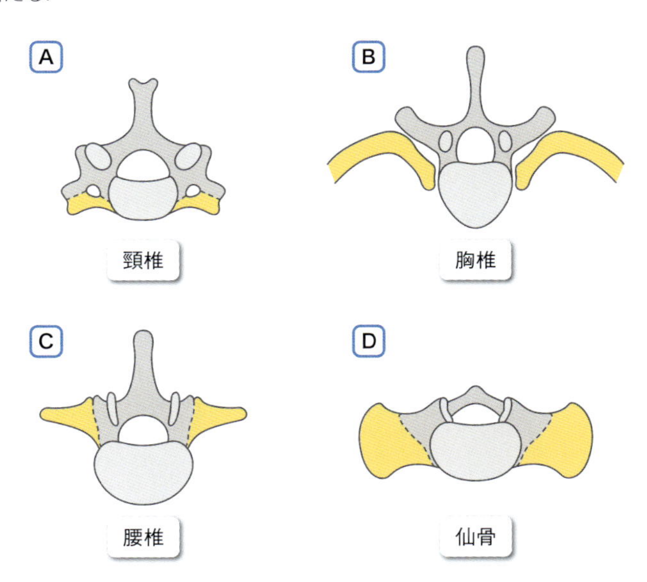

図5-3　脊柱にみられる肋骨遺残

それぞれ上面からみた図．文献1をもとに作成．

生理的弯曲の形成

胎児では，子宮内で背中を丸めた姿勢を呈するため，脊柱は全体としてゆるやかな後弯がみられる．胸部と仙・尾椎部においては，この後弯が生涯にわたって存在する（一次弯曲）．これに対して，頸部と腰部の前弯（二次弯曲）は，抗重力位をとることによって出現する．すなわち，生後3～4カ月のいわゆる首がすわる時期に，後頸部の筋の発達に伴い頸部の前弯が出現する．また，腰部の前弯は，生後12カ月前後の歩行の開始時期に出現する．

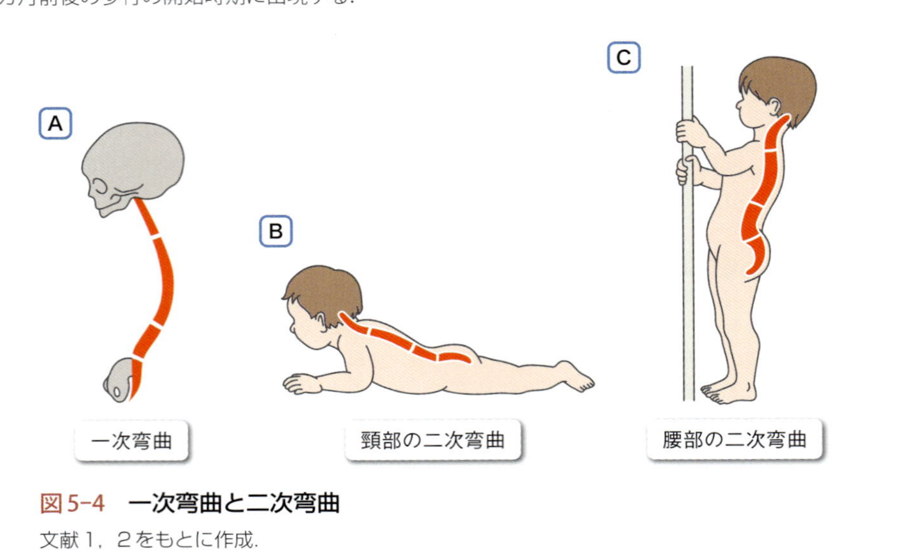

図5-4　一次弯曲と二次弯曲

文献1，2をもとに作成．

2）脊柱の連結

- 上下に隣接する椎骨には，2つの結合が存在する（図5-5A）．椎骨前方の椎体は**椎間円板**により結合されるが，これを**椎体間連結**と称する．一方，上・下関節突起の先端には関節面がみられ，**椎間関節**を形成する．この椎間関節は，いわゆる滑膜性関節である．
- 椎間関節は，上位椎骨の下関節突起と下位椎骨の上関節突起により形成される平面関節であ

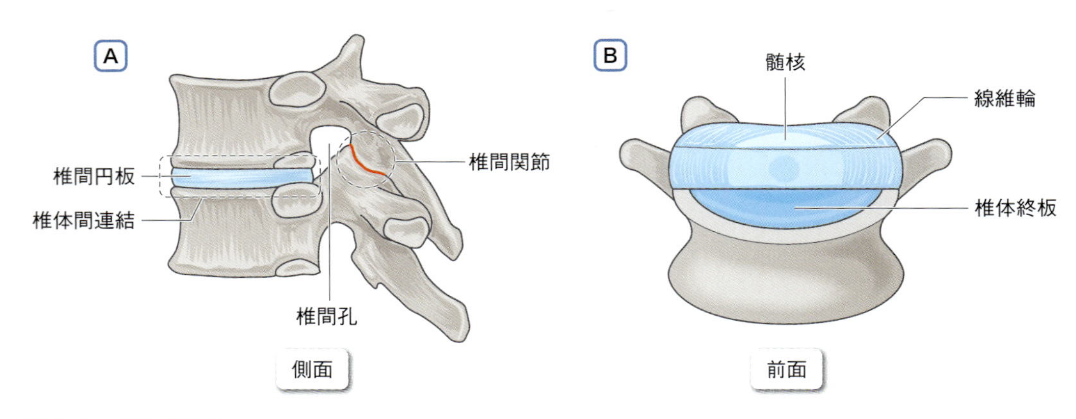

図5-5　椎体間連結

隣接する椎体間の連結は，椎間円板による線維軟骨結合である．この椎間円板は，線維輪，髄核，そして椎体終板によって構成される．その前面には前縦靱帯，後面には後縦靱帯があって，この連結を補強する．Bは椎間円板の前半分を除いている．

る．関節面には関節軟骨が存在し，関節包は脊髄神経後枝（内側枝）の支配を受ける．椎間関節の関節面の向きは部位によって大きく異なり，その可動性にも大きく影響を及ぼす．

- 椎体間連結は，椎間円板による線維軟骨結合である．椎間円板は中心部の髄核，その周縁部の線維輪，さらには椎体との接触部に存在する椎体終板から構成される（図5-5B）．ただし，後頭環椎間と環軸椎間には椎間円板が存在しない．
- **線維輪**の60〜70％は水分であり，プロテオグリカン（⇨p.38）の存在が大きく関与する．また，斜走するⅠ型およびⅡ型コラーゲンは互いに交叉してみられ，線維輪に弾性を与える．なお，線維輪の辺縁部には，椎間円板唯一の感覚神経がみられる．
- 線維輪の深層に位置する**髄核**は，約80％を水分が占める．したがって，プロテオグリカンの含有量は線維輪より多い．また，少量のⅡ型コラーゲンや弾性線維が，髄核内に分散する．さらには，胎生期における脊索の遺物とされる髄核細胞がわずかに存在し，プロテオグリカンやコラーゲンの産生に寄与する．
- 硝子軟骨板とも称される**椎体終板**は，厚さ約1 mmの軟骨層である．椎体側には硝子軟骨が，髄核側には線維軟骨が存在する．3歳頃には椎間円板に入る血管はなくなる．そのため，椎体中の血管からの栄養素は椎体終板を介して椎間円板に提供される（拡散栄養）．
- **椎間円板**には，体重や筋収縮による圧縮応力を緩衝して支持する役割がある．椎間関節や椎弓などの後方の構成体では，圧縮応力の約20％を支持する．残り80％を支持するのが椎間円板であるが，そのうちの約3/4を髄核，約1/4を線維輪によって支持している．
- 脊柱には，複数の靱帯がみられる（図5-6）．**前縦靱帯**は，椎体の前面において脊柱の全長にわたって走行する．一方の**後縦靱帯**は，椎体の後面かつ椎孔の前方において，脊柱の全長にわたって走行する．この両者を**椎体靱帯**といい，椎間円板とも連結をしている．
- 椎体靱帯以外のものは，**椎弓靱帯**と称される．椎孔の後方かつ椎弓板の前面に位置する**黄色靱帯**は，椎間関節包とも結合している．弾性線維を多く含む黄色靱帯は，静止長の約35％も伸張が可能である．このことによる高い弾性が，脊柱の可動性を許容している．

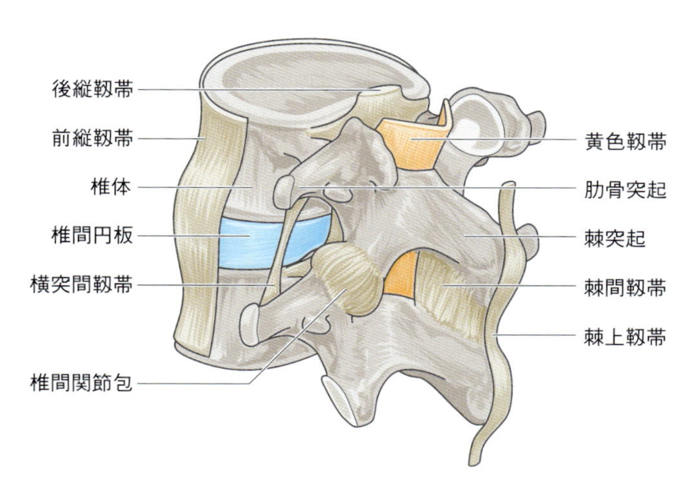

図5-6　脊柱の靱帯

腰椎の靱帯を図示する（左後方より観察）．椎体前面には前縦靱帯，後面には後縦靱帯が存在し，椎間円板との線維連絡がみられる．椎弓板の前面には黄色靱帯，肋骨突起（頸・胸椎では横突起）間には横突間靱帯，棘突起間には棘間靱帯が存在する．なお，棘間靱帯の表層には，棘上靱帯がみられる（頸椎では項靱帯）．文献3をもとに作成．

- 黄色靱帯以外の椎弓靱帯としては，上下の椎骨の横突起間（腰椎では肋骨突起間）に存在する**横突間靱帯**，上下の椎骨の棘突起間に存在する**棘間靱帯**があり，腰椎では特に発達している．また，棘間靱帯の表層においては，正中仙骨稜から第7頸椎棘突起に至る**棘上靱帯**と，それより上位の**項靱帯**が存在する．さらには，第4・5腰椎の肋骨突起と腸骨稜の間には，強靱な**腸腰靱帯**がみられる（⇨図5-31）．

臨床で重要！

各姿勢における椎間円板の内圧の違い

立位を基準（100％）とした場合，椎間円板の内圧は臥位になると大きく減少する（背臥位では半分以下）．座位では，立位より高い内圧を示すが，前屈した座位ではさらに高くなる．また，床に置いてある荷物を持ち上げるときにみられる立位での前屈姿勢は，背筋群の大きな筋活動の影響もあり，立位よりも高い内圧を示す．姿勢によって内圧が変化することを知っていることは，臨床での指導に役立つ．

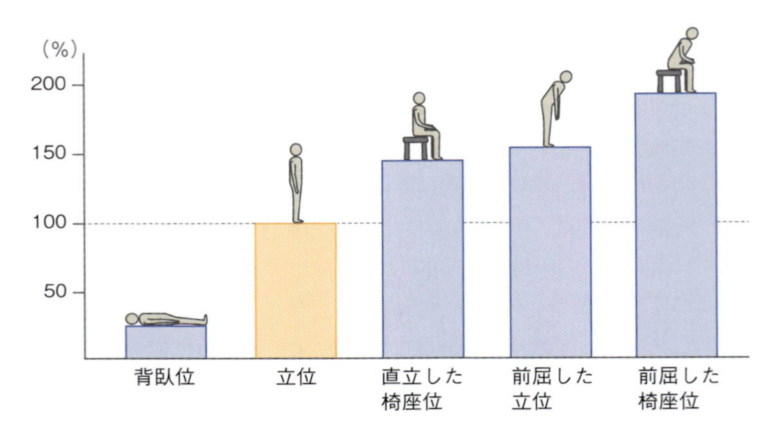

図5-7　椎間円板に作用する圧力

文献4をもとに作成．

3）脊柱の運動

- 脊柱における運動は，矢状面での屈曲－伸展，前額面での側屈，水平面での回旋が基本となる（図5-8）．関節運動は，左右の椎間関節で生じる．前述のように，椎間関節の関節面の向きが部位によって異なるため，その運動にも特徴がみられる（図5-9）．
- 両側の椎間関節が連動して脊柱の運動を構成するため，椎体間の運動の中心は椎間円板に存在する．また，椎間円板が運動により多少の変形を伴うため，椎体の並進運動も存在する（図5-8）．なお，脊柱の運動に関与する筋の作用については，付録表6，7を参照していただきたい．
- 椎間関節の関節面が傾斜しているため，純粋な側屈あるいは回旋は不可能である．さらには，椎間円板や靱帯の影響を受けるため，側屈と回旋は相互に依存した運動を行う．この運動は脊椎の**カップリングモーション**として知られている．
- 第1・2頸椎（上位頸椎）を除く中・下位頸椎では，側屈と回旋が同方向に生じる（例：左側屈には左回旋を伴い，左回旋には左側屈を伴う）．また，上位頸椎と第1～5腰椎では側屈と回旋が逆方向に生じるが，中・下位頸椎ほどの動きはみられない．なお，胸椎については異論があることを付記しておく．

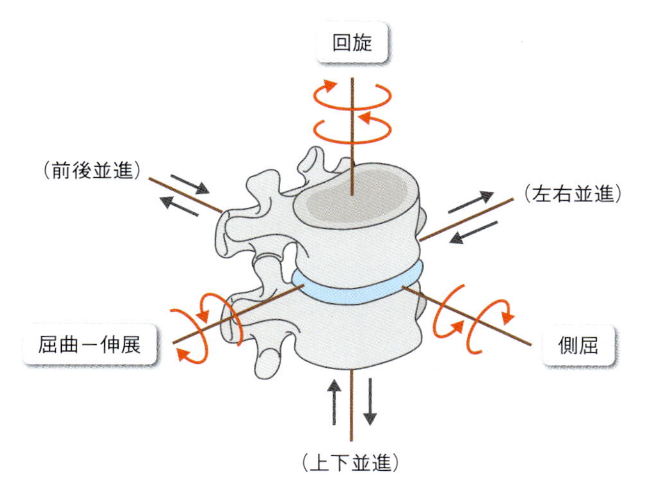

図 5-8　脊椎間で生じる運動

脊柱の運動は，脊椎間で生じる屈曲ー伸展，側屈，そして回旋が基本となる．この運動には椎間関節での運動が生じるが，椎体間連結も大きく影響する．つまり，椎間円板には多少の変形が生じ，椎体の並進運動が付加的にみられる．文献５をもとに作成．

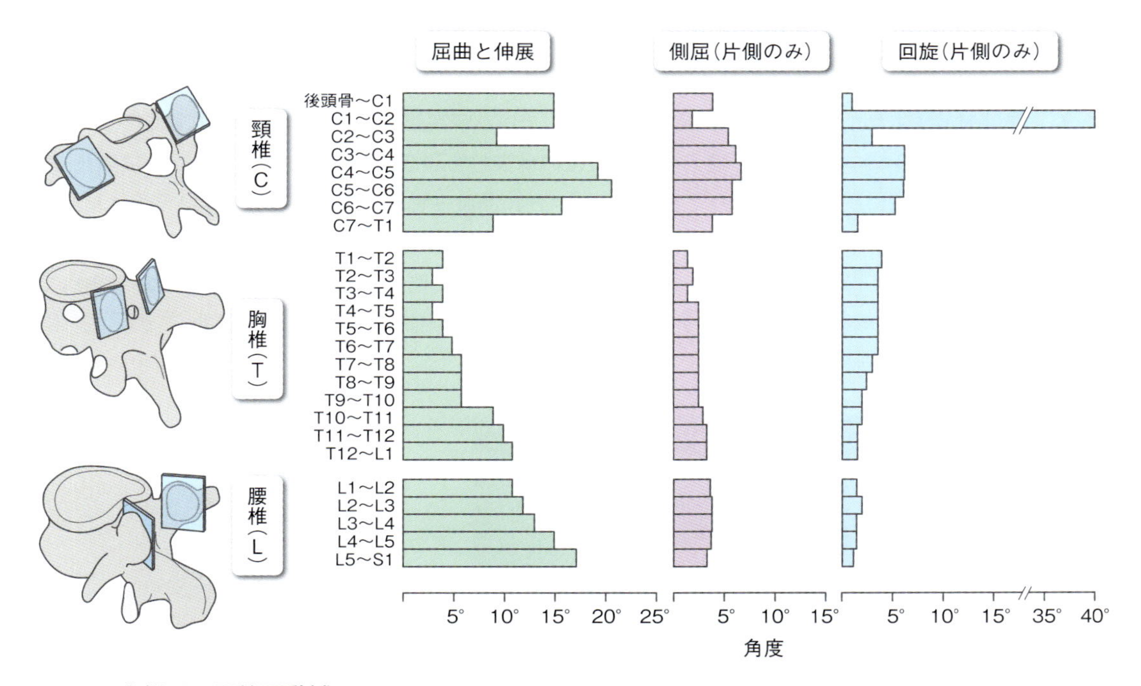

図 5-9　脊椎間の関節可動域

脊椎間で生じる屈曲ー伸展，一側への側屈および回旋の可動域を示している．しかし，この可動域には個体差が大きいため，あくまで参考値と考えるべきである．なお，後頭骨〜C1は頭部の運動を意味する．文献6，7をもとに作成．

臨床で重要！

脊柱の運動に伴う椎間孔の形状変化

脊柱の屈曲－伸展運動により，椎間孔の形状は変化する．屈曲時には，下位椎骨の上関節突起に対して上位椎骨の下関節突起が前上方に移動する．このとき，椎間孔の面積は広くなる．屈曲位で椎間円板に圧縮応力が加わると，髄核が後方へと偏位しやすくなる．反対に伸展時では，椎間孔の狭窄が生じる．椎間孔の狭窄によって脊髄神経の根元となる神経根に圧迫が生じると，しびれや痛み，運動麻痺などの神経症状が生じる．また，屈曲位に比べて伸展位では脊柱管の容積も減少するため，脊柱管狭窄の症状は屈曲位で緩和，伸展位で増強しやすい．

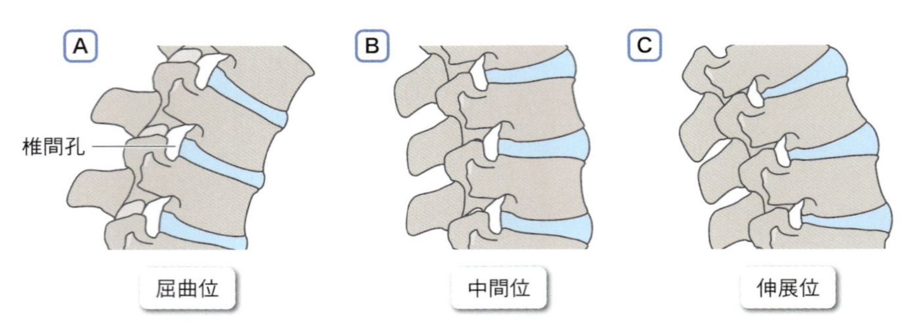

図5-10　脊柱の屈曲－伸展運動に伴う椎間孔の形状変化

Let'sTry　下位頸椎のカップリングモーションを触知してみよう

頸部を前屈させた際，頸部の下方で最も突出している棘突起は，一般に第7頸椎の棘突起である．この部位に右手の中指を当て，さらにその上位の棘突起を環指で，下位の棘突起を示指で触れておき，頸部を中間位に戻す．ゆっくりと頸部をいずれかに回旋させた際，示指で触れている棘突起がほとんど回旋しなければ，これが第1胸椎の棘突起となる．したがって，中指では第7頸椎，環指では第6頸椎の棘突起を触れていることになる．ここで，頸部を左側屈すると，中指および環指で触れている棘突起が右側へ移動（左回旋）することが触知できる．左側屈－右側屈－左側屈－右側屈と，側屈運動をくり返して確認してみよう．

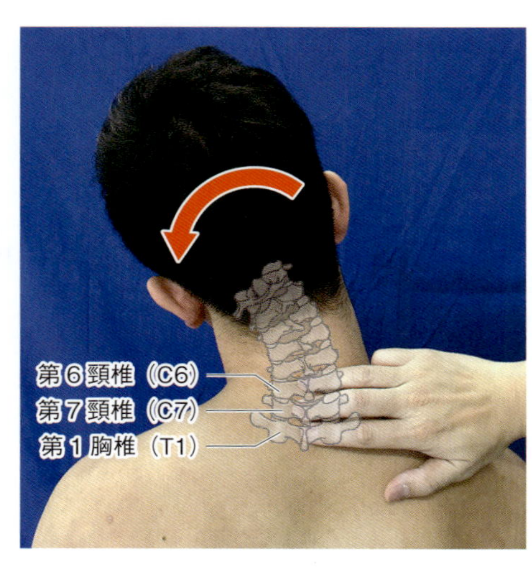

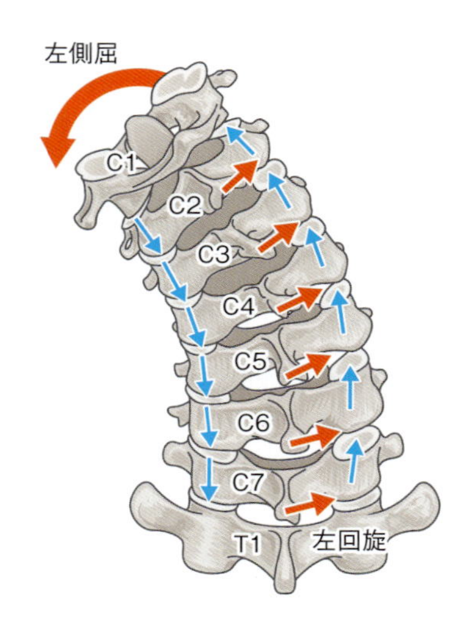

図5-11　棘突起の触診

2 頸椎の構造と運動

1）頸椎の構造

- 7個の骨からなる頸椎の形態的特徴は，椎骨動・静脈を通す**横突孔**を有することである．第3～6頸椎は基本的に同じ構造を呈するが（図5-12），上位頸椎とよばれる第1，第2頸椎は形態が大きく異なる．また，第7頸椎を除いては棘突起の先端が二分して，ここに項靭帯が存在する．
- **環椎**とよばれる第1頸椎には，椎体がみられない．本来の椎体の前方部と椎弓が結合する部分を**外側塊**といい，他の椎骨の関節突起に相当する．つまり，第1頸椎には，椎弓，関節突起，棘突起が存在しない（図5-13）．

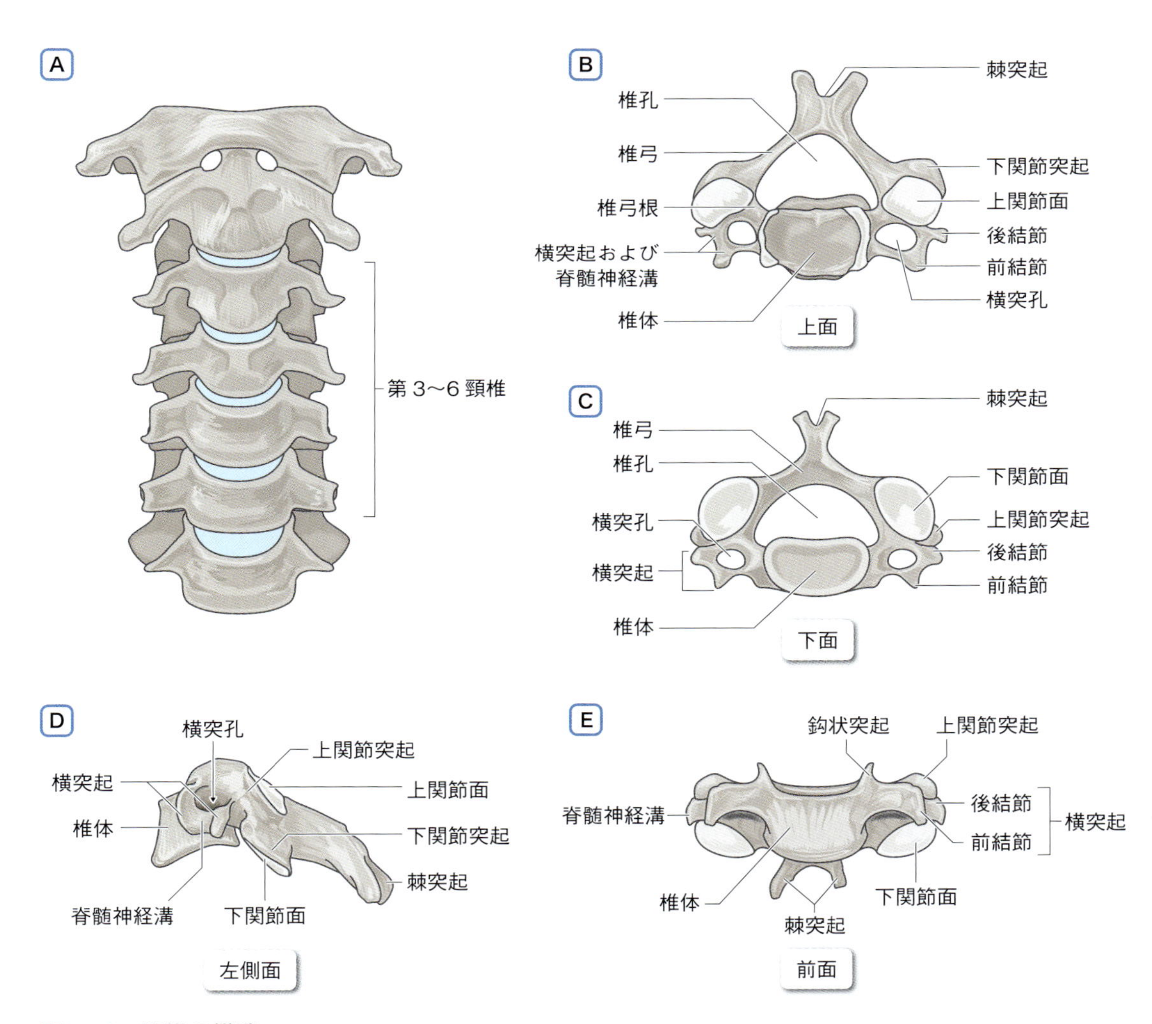

図5-12 頸椎の構造

第3～6頸椎は，基本的に同じ構造を呈する．横突孔を有する頸椎の横突起は，前方部分を前結節（肋骨の遺残），後方部分を後結節という．第7頸椎を除いて，棘突起の先端が二分することも，頸椎の特徴である．文献3，7をもとに作成．

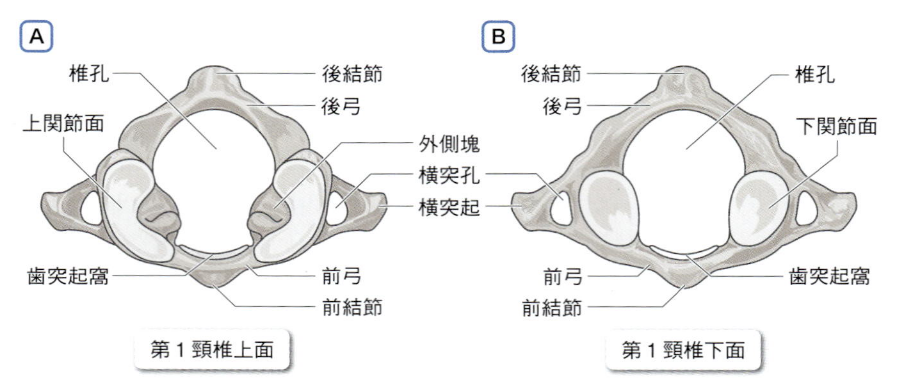

図5-13　環椎（第1頸椎）の構造

全体が環状を呈する環椎には，椎体や椎弓，さらには関節突起，棘突起が存在しない．前弓と後弓によって，大きな椎孔が形成される．文献3をもとに作成．

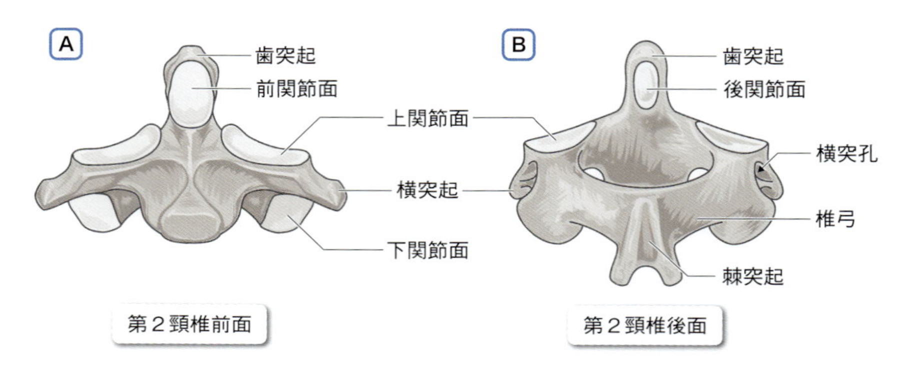

図5-14　軸椎（第2頸椎）の構造

軸椎は，椎体から上方に突出する歯突起を有する特徴がある．上関節突起はなく，上関節面のみが存在する．椎弓根から下方に突出する下関節突起は存在し，下関節面を有する．大きな棘突起の先端は二分している．文献3をもとに作成．

- 第1頸椎の外側塊より前方を**前弓**，後方を**後弓**という．前弓の後面には，第2頸椎の歯突起と関節を形成するための**歯突起窩**というくぼみがある．また，外側塊には**上関節面**，**下関節面**がみられ，それぞれ後頭骨，第2頸椎と関節を形成する（図5-13）．
- **歯突起**を有する第2頸椎は，**軸椎**と称される．この歯突起は，本来第1頸椎の椎体であったものが分離して，第2頸椎の椎体に癒合したものである．歯突起の前方には，歯突起窩に対応する**前関節面**がみられる（図5-14）．第1頸椎と同様，第2頸椎にも上関節突起は存在しないが，上関節面は存在する．また，下関節突起は存在し，下関節面を有する．また棘突起は膨大で，後頭下筋群や横突棘筋の付着部となる．
- 第3～7頸椎は中下位頸椎と称され，その椎体は胸・腰椎と比べてやや小さい．第3頸椎～第1胸椎における椎体上面の外側には突起が存在し，**鉤状突起**（こうじょう）と称される（図5-12E）．鉤状突起は1つ上位の椎体下面と**ルシュカ関節**という小さな関節を形成する．なお，第7頸椎は棘突起が長く大きいため，**隆椎**ともよばれる．

2）頸椎の関節と運動

- 環椎の上関節面と後頭骨の後頭顆により形成される楕円関節を**環椎後頭関節**という．この関節の周囲には前・後環椎後頭膜があって，靱帯様の役割を担っている．この関節による運動は頭部の運動であり，その主な運動は屈曲－伸展および側屈で，回旋はほとんど生じない（⇨図5-9）．
- 第1頸椎と第2頸椎では，2つの環軸関節がみられる（図5-15）．環椎前弓の歯突起窩および環椎横靱帯と，軸椎歯突起の前後関節面が形成する車軸関節を**正中環軸関節**という．歯突起の後面を覆う環椎十字靱帯のうち，横走する線維を**環椎横靱帯**，縦走する線維を**縦束**という．この環椎横靱帯が歯突起と対する部分には硝子軟骨が存在し，関節を形成することになる．
- もう1つの環軸関節は，他の脊椎における椎間関節に相当する**外側環軸関節**である．環椎の下関節面と軸椎の上関節面によって形成され，平面関節に分類される．この関節には，歯突起に付着する翼状靱帯や歯尖靱帯，さらには後縦靱帯に続く蓋膜がみられる．2つの環軸関節が行う回旋運動は，頸椎における回旋運動の主体となる．
- 中下位頸椎の椎間関節は，その関節面が前後に傾斜しており，胸・腰椎と比較して大きな運動がみられる．屈曲－伸展については下位ほど，側屈・回旋については上位ほど，可動範囲が大きい（⇨図5-9）．
- 矢状面からみた場合，頭部の重量により環椎後頭関節を含めた頸椎の関節に外部屈曲モーメントが作用する．このモーメントに抗して頸部の安定性を得るためには，頭頸部の伸筋群の作用が必要である（図5-16）．さらには，椎前筋群を中心とした屈筋群が共同して収縮することにより，頸部の安定性が得られる．

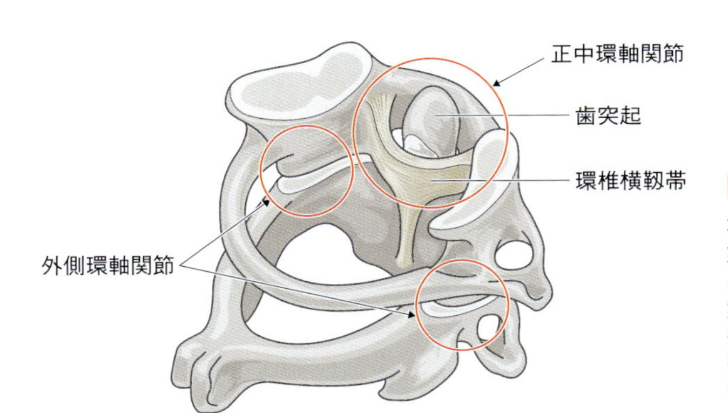

図5-15　環軸関節の構造

右上後方よりみた図．第1頸椎と第2頸椎の関節には，歯突起窩および環椎横靱帯と歯突起の前後関節面が形成する正中環軸関節と，他の脊椎の椎間関節に相当する外側環軸関節が存在する．文献1をもとに作成．

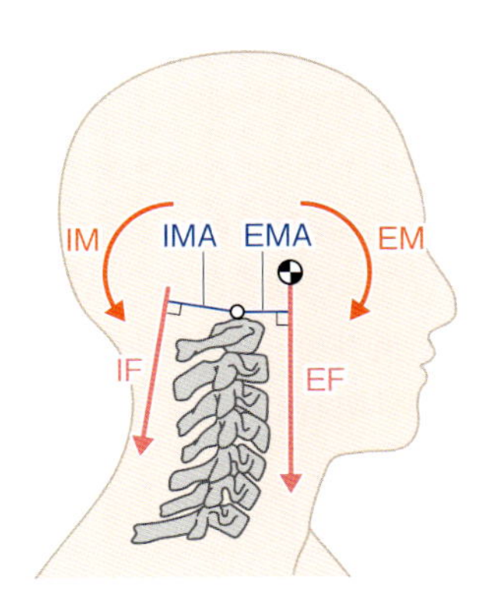

図5-16　環椎後頭関節の運動力学

頭部の重量（EF）により，環椎後頭関節には外部屈曲モーメント（EM）が作用する．このモーメントに拮抗するためには，頭頸部伸筋群の収縮（IF）による内部伸展モーメント（IM）が必要となる．そのため，頭半棘筋などの頸部伸筋群に大きな収縮が求められる．EMA：外部モーメントアーム，IMA：内部モーメントアーム

頭部前方突出姿勢の運動力学

ここでは，第5頸椎に支点をもった頸椎の運動力学を考える．頭部の重量（EF）による外部屈曲モーメント（EM）は，頭頸部中間位（**A**）に比較して頭部前方突出姿勢（**B**）で大きくなる．これは，頭部前方突出姿勢における外部モーメントアーム（EMA）が延長したことが原因となる．この姿勢では，内部伸展モーメント（IM）を産生するために頸部伸筋群の筋力（IF）が大きくなる．

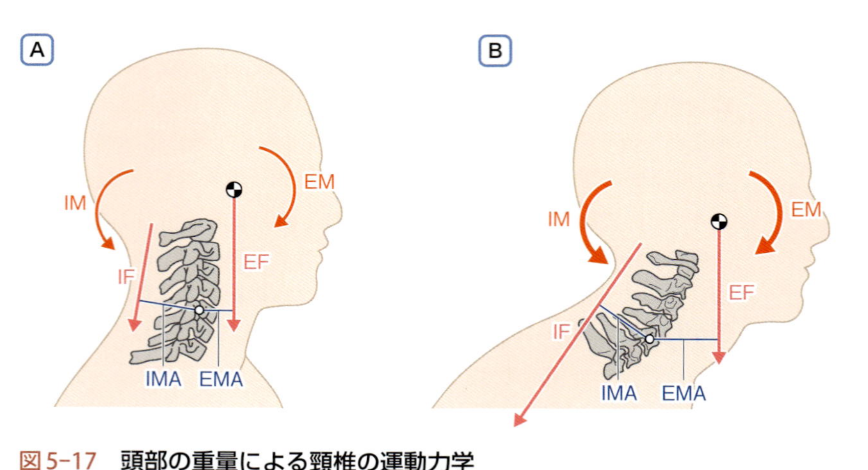

図5-17　**頭部の重量による頸椎の運動力学**

3 胸郭の構造と運動

1）胸郭を構成する骨の構造

- **胸郭**は，12個の胸椎，12対の肋骨，10対の肋軟骨そして胸骨から構成される（図5-18A）．胸郭の後方に位置する胸椎は，典型的な椎骨の構造を呈する（⇨図5-2）．
- 第2～9胸椎の椎体後側面には，半円形の**上肋骨窩**および**下肋骨窩**が存在する．第1胸椎の下肋骨窩は半円形であるが，上肋骨窩は円形をなす．また，第10胸椎では半円形の上肋骨窩のみが，第11・12胸椎では円形の肋骨窩がみられる．これらは，肋骨の肋骨頭と関節を構成するための関節窩である．
- 椎弓板の側方には横突起が突出する．第1～10胸椎の横突起先端には，肋骨の肋骨結節に対応する関節窩である**横突肋骨窩**がみられる．ただし，第11・12胸椎には横突肋骨窩がみられない．また，棘突起は長く下方に大きく傾斜するが，下位胸椎では水平に近くなる．
- **肋骨**は，弓状をなす扁平骨であり，上位7対を**真肋**，下位5対を**仮肋**という．仮肋のうち，第11・12肋骨は胸壁中に浮遊して終わり胸骨と連結しないことから，**浮遊肋**と称される．
- 肋骨の中央部分を**肋骨体**という．第1～10肋骨の肋骨体には大きく弯曲がみられるが，これを**肋骨角**という．肋骨の最後端の膨隆部を**肋骨頭**，その前方に続くやや細い部分を**肋骨頸**という．また，肋骨頸と肋骨体の移行部には**肋骨結節**がみられる（図5-19）．
- 胸郭前面に位置する**胸骨**は，胸骨柄，胸骨体，剣状突起から構成される（図5-18B）．**胸骨柄**には，胸鎖関節の構成要素となる鎖骨切痕が存在する．その下方には，第1肋骨切痕と第2肋骨切痕の上半分がみられる．

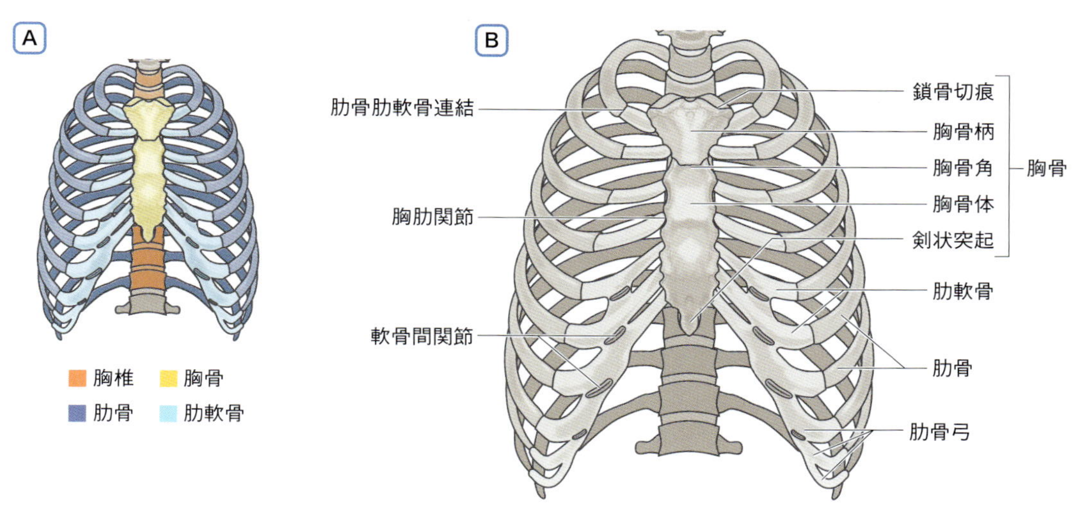

図5-18　**胸郭の構造**

胸郭の連結には，胸肋関節，肋椎関節（⇨図5-21），さらには軟骨間関節，肋骨肋軟骨連結がみられる．

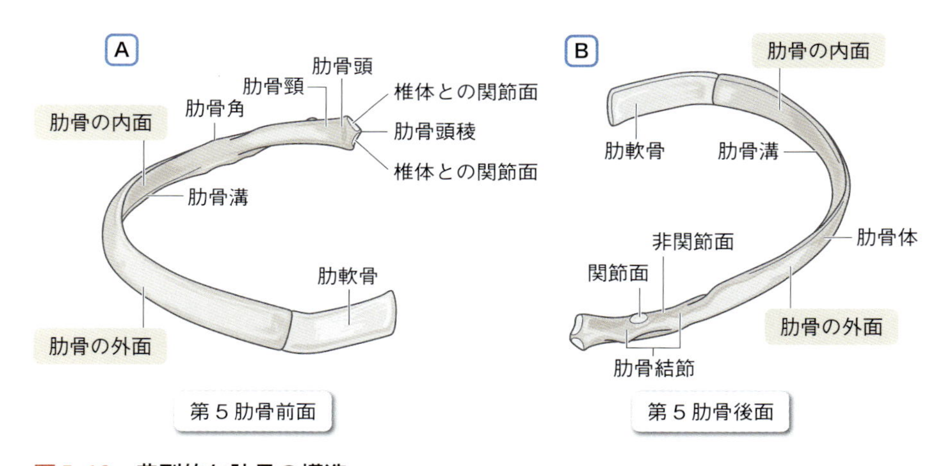

図5-19　**典型的な肋骨の構造**

12対の扁平な肋骨は，肋硬骨とも称される．肋骨角の存在により弯曲を呈するが，浮遊肋である第11・12肋骨には，肋骨角が存在しない．

- **胸骨体**の側面には，第2〜7肋骨切痕が存在する（第2肋骨切痕は下半分）．また，胸骨柄が胸骨体と結合する部分はやや前方に突出しており，**胸骨角**と称される．胸骨結合ともよばれる胸骨角は，成人になると軟骨結合から線維軟骨結合に変化するが，加齢とともに骨化する．
- いわゆる“みぞおち”に相当する**剣状突起**は，軟骨性突起である．加齢とともに骨化することが多い．また，胸骨体との連結部（胸骨剣結合）には線維軟骨板がみられるが，加齢により骨化する傾向にある．

脊柱側弯

前額面でみて脊柱が弯曲した状態を脊柱側弯といい，臨床では側弯症と称される．脊柱側弯が生じると，椎骨が側屈するだけでなく回旋の要素が加わる．胸椎部における脊柱側弯の場合，肋椎関節を介して肋骨にも回旋が生じる．そのため，前屈姿勢では肋骨角が後方に突出し，典型的な肋骨のこぶである肋骨隆起が顕著となる．一般に，右凸の側弯症の方が前屈した場合，右側に肋骨隆起が現れる．

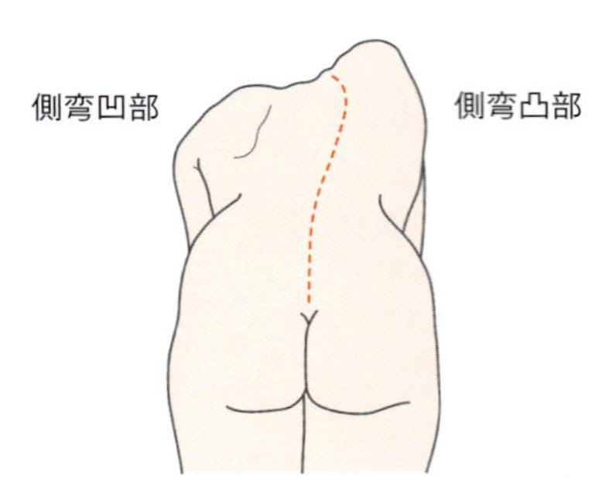

図5-20　側弯症でみられる肋骨隆起

2）胸郭の関節と運動

- 胸郭の主たる連結は，胸肋関節と肋椎関節である．この2つ以外の連結には，第5～9肋軟骨の相対する隆起にみられる軟骨間関節，肋骨前端と肋軟骨後端との間の肋骨肋軟骨連結がみられるが（⇨図5-18B），その詳細は割愛する．
- **胸肋関節**は，第2～7肋軟骨の自由端と，これに相当する胸骨の肋骨切痕からなる半関節である．固い関節包に包まれる胸肋関節は複数の靱帯によっても補強されるが，この靱帯は胸骨膜へと移行する．
- 第1肋骨は通常関節を形成せず，硝子軟骨を介して胸骨の第1肋骨切痕と結合する．なお，仮肋である第8～10肋骨の肋軟骨は胸骨とは連結せず，1つ上の肋軟骨と結合して**肋骨弓**を形成する（⇨図5-18B）．言うまでもなく，第11・12肋骨は胸骨との連結はない．
- 肋骨が胸椎と連結する**肋椎関節**は，肋骨頭関節と肋横突関節からなる（図5-21）．**肋骨頭関節**は，肋骨頭と胸椎の肋骨窩との間にある関節である．第1肋骨および第11・12肋骨の肋骨頭は，第1胸椎および第11・12胸椎の肋骨窩と関節をなす．
- 第2～9胸椎では上および下肋骨窩がそれぞれ半分の関節面を形成し，肋骨頭と連結する．第10胸椎には上肋骨窩のみが存在し，第9胸椎の下肋骨窩とともに，第10肋骨の肋骨頭と関節を形成する．この関節内には**関節内肋骨頭靱帯**があって，その関節腔を上下に二分する．また，関節包の前面は，椎間円板と付着する**放射状肋骨頭靱帯**によって補強される（図5-22）．
- 一方の**肋横突関節**は，第1～10肋骨結節の関節面と胸椎の横突肋骨窩との間にある半関節である．この関節は，**肋横突靱帯**，**外側肋横突靱帯**，**上肋横突靱帯**によって補強されている（図5-22）．なお，第11・12肋骨はこれらの靱帯によって結合されているだけで，いわゆる滑膜性関節ではない．
- 胸椎の運動は，頸椎と比較して可動性が乏しい（⇨図5-9）．特に，肋骨を介して胸骨と連結する第1～10胸椎では，屈曲－伸展，側屈の運動が少ない．一方，第11・12胸椎では浮遊肋との連結であるため，屈曲－伸展の可動性が他の胸椎よりも大きい．つまり，胸椎の運動

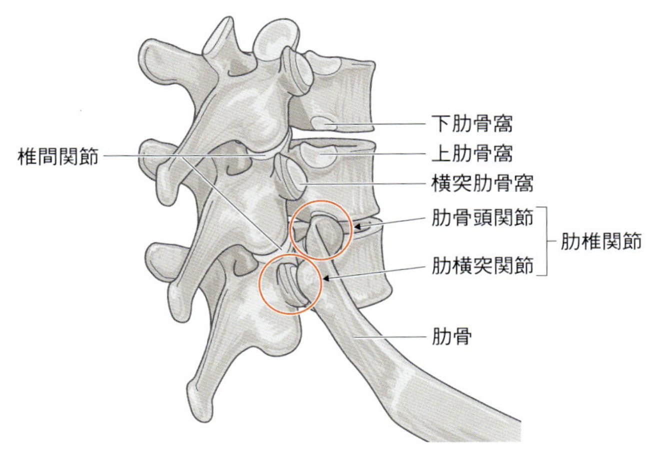

図5-21　肋椎関節の構造

肋椎関節とは，肋骨頭関節と肋横突関節の総称である．第2～10肋骨の肋骨頭は，それぞれ上下の胸椎に存在する上および下肋骨窩と関節を形成する．文献8をもとに作成．

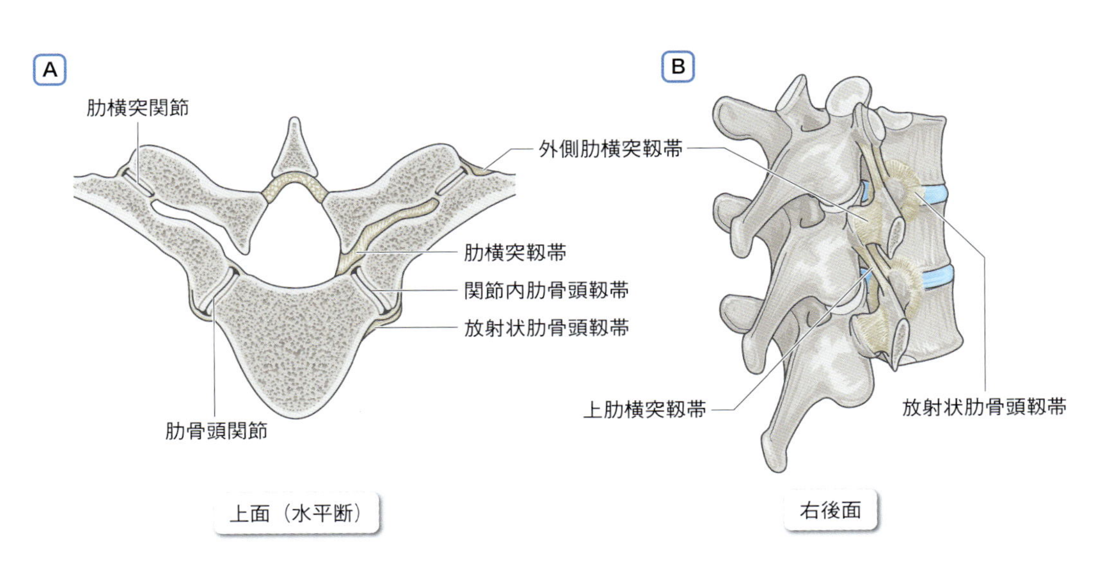

図5-22　肋椎関節の靱帯

肋骨頭関節の関節包内には関節内肋骨頭靱帯が，関節包前面には放射状肋骨頭靱帯がみられる．一方の肋横突関節は，肋横突靱帯，外側肋横突靱帯，上肋横突靱帯によって補強される．文献9をもとに作成．

は，胸肋・肋椎関節の可動性に大きく影響を受ける．

- 呼吸は吸気と呼気からなる．吸息活動の70～80％を担うのは**横隔膜**であるが，これに外肋間筋，傍胸骨内肋間筋とも称される内肋間筋前部線維が補助的に作用する．また強制吸気では，斜角筋群や胸鎖乳突筋なども作用する．一方の呼気は通常，胸郭の弾性によって生じるが，強制呼気では内肋間筋中・後部線維や腹筋群などが作用する（⇨付録表8）．
- 吸息には，胸椎の伸展と同時に胸郭全体が挙上する．これと同時に，胸郭の拡大が生じる．この胸郭の拡大には，肋椎関節の運動が大きく関与する．肋骨頭関節と肋横突関節を結んだ直線が肋骨頸と平行であるため，この直線が運動軸とほぼ一致する．したがって，上位肋骨

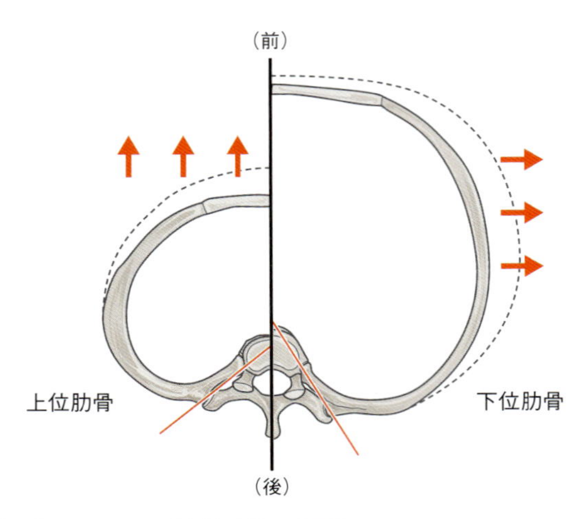

図5-23　吸気時にみられる肋椎関節の運動

吸息時の肋椎関節における運動では，肋骨頭関節と肋横突関節を結んだ直線がおおむねその運動軸となる．そのため，上位肋骨ではポンプハンドル運動が生じ，胸郭の前後径が主に増大する．一方の下位肋骨ではバケツハンドル運動が生じ，胸郭の横径が主に増大する．

の運動軸は前額面に，下位肋骨では矢状面により近いことになる（図5-23）．

- 上位肋骨では，胸郭の前後径が主に増大し，胸骨は前上方に変位する．この運動を**ポンプハンドル運動**という．これに対して下位肋骨では，肋骨外側が上方に変位して主に胸郭の横径が増大する．この運動を**バケツハンドル運動**という．つまり，上位肋骨では胸郭の前後方向の，下位肋骨では左右方向の拡大が優位に生じる．

臨床で重要！

斜角筋群による吸気運動

頸部の側面を走行して上位肋骨に付着する3つの斜角筋は，第1・2肋骨を挙上させることで，強制吸気筋として作用する．呼吸不全患者では，横隔膜を中心とした吸息活動が得られず，斜角筋群や胸鎖乳突筋などの強制吸気筋の過活動が生じる．特に，斜角筋群は，頸椎が固定された場合に肋骨を挙上することで吸気を補助する．

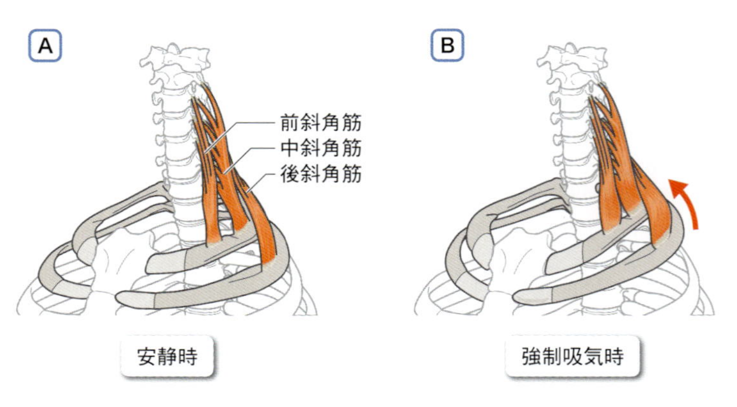

図5-24　斜角筋群の収縮による第１・２肋骨の挙上

4 腰椎の構造と運動

1）腰椎の構造

- 大きな荷重を受ける腰椎の椎体は，大きくて厚い．四角板状の棘突起は大きく厚いため，容易に触知できる．また，側方にみられる肋骨の遺残である**肋骨突起**は，下位のものほど大きい．横突起の遺残である**乳頭突起**は上関節突起の外側に，**副突起**は肋骨突起根部の後面に小突起としてみられる（図5-25）．
- 下位腰椎は前傾した仙骨と連結するため，全体に前方へと傾斜している．この前方傾斜角が，腰椎の前弯を形成する（⇨図5-1）．

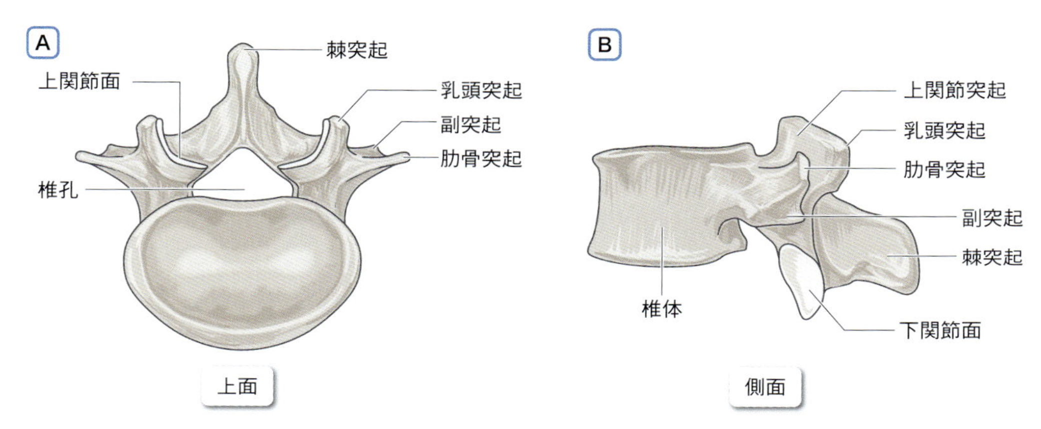

図5-25　腰椎の構造

上半身の重さを支持する腰椎は，他の椎骨と比して大きい．本来の横突起は，乳頭突起，副突起とよばれる小突起として残存し，筋や靱帯の付着部となる．文献10をもとに作成．

臨床で重要！

脊椎分離症と脊椎分離すべり症

上・下関節突起の間の平坦な部分は，関節突起間部とよばれる．成長期において，腰椎の伸展や回旋を強いる過度な運動を行うことで，同部位の疲労骨折が生じる．この関節突起間部における骨折を脊椎分離症といい，第3～5腰椎（特に第5腰椎）で好発する．また，分離した椎体が前方に転位した場合には，脊椎分離すべり症となる．

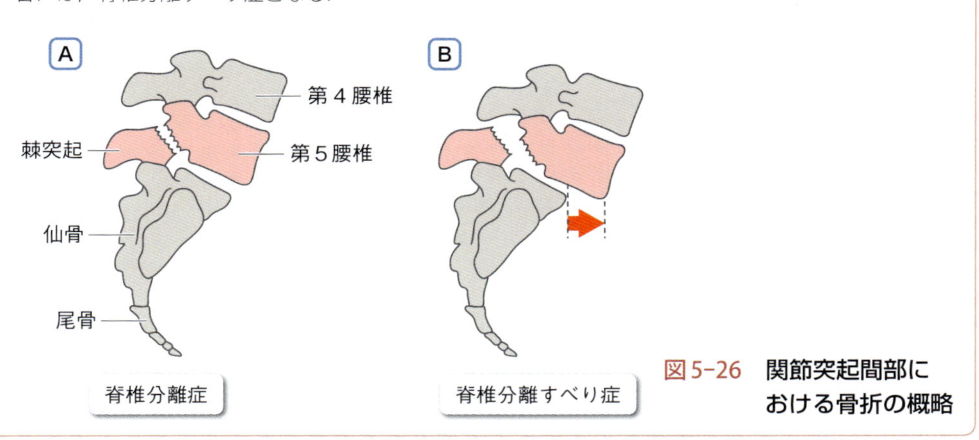

図5-26　関節突起間部における骨折の概略

2）腰椎の関節と運動

- 腰椎の連結で特異的なものには，**腸腰靱帯**がある（⇨図5-31）．第4・5腰椎の肋骨突起と腸骨稜を結ぶ強い靱帯であり，腰方形筋の付着部である．そもそもこの靱帯は，腰方形筋の一部が変化して形成されたものと考えられている．
- 腰椎の運動をみると，側屈および回旋の可動範囲が非常に小さい（⇨図5-9）．関節面が頸・胸椎に比して矢状面に近いため，特に回旋運動が困難である．これに対して屈曲－伸展の可動範囲は大きく，下位ほど大きい特徴がある．
- 体幹の屈曲－伸展運動にみられる腰椎と骨盤の連動した運動パターンは，**腰椎骨盤リズム**と称される．体幹を前屈させた場合，一般には腰椎の屈曲運動がまず生じて，これに続いて股関節が屈曲することで骨盤（寛骨）が前傾する．この腰椎と股関節の運動の比率は，おおむね1：1である．なお，伸展時にはこの逆の運動がみられる．
- 腰椎を中心とした下部体幹の安定化を確保するためには，腹筋と背筋が同時収縮を行う．腹腔の前壁をなす腹筋には腹直筋と錐体筋があり，これらは**前腹筋**と称される．一方で側壁をなす**側腹筋**は，浅層からみて外腹斜筋，内腹斜筋，腹横筋が存在する．
- 腹筋のなかでも，下部体幹の安定性に大きく関与するのが腹横筋と内腹斜筋の中・下部線維である．腹横筋と内腹斜筋の中部線維は，腰背部にある厚い強靱な筋膜である**胸腰筋膜**に付着し，背筋群と連結する（図5-27）．一方の下部線維は腸骨稜に付着するため，骨盤の運動制御にも関与する．
- 背筋は，脊柱起立筋，横突棘筋，短分節筋に大別される．背筋のなかで最も表層にあって，体軸全体の粗大な伸展運動の動力となるのが腸肋筋，最長筋，棘筋からなる**脊柱起立筋**である．一方，最も深層に位置し1椎間だけを連結する筋は，**短分節筋**と称される．棘間筋と横突間筋から構成されるが，その収縮張力はきわめて小さい．筋紡錘などの受容器が多くみられ，運動感覚のフィードバックに関与する．
- 脊柱起立筋と短分節筋の間に位置する多裂筋，半棘筋，回旋筋は，**横突棘筋**と称される．脊柱起立筋より少ない椎間を連結する横突棘筋は，体軸の繊細な運動の制御に関与する．なかでも，多裂筋は臨床で重視されることが多い．これらの横突棘筋に加えて，後述する**大腰筋**も体幹の安定性に寄与する（⇨p.123）．

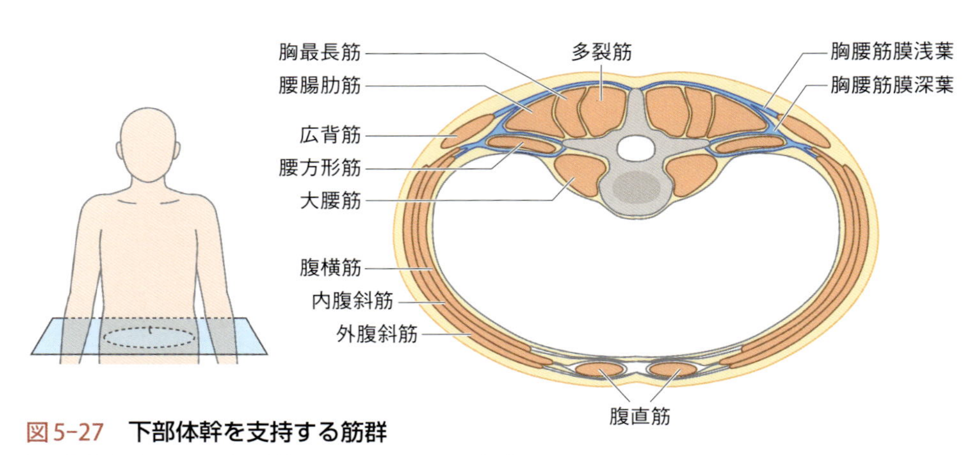

図5-27　下部体幹を支持する筋群

第4腰椎高位でみた下部体幹筋の水平断を示す．側腹筋である外腹斜筋，内腹斜筋，腹横筋は，胸腰筋膜を介して背筋と連結する．この図においては，脊柱起立筋である胸最長筋と腰腸肋筋，横突棘筋である多裂筋のみが背筋として描かれている．

Let'sTry 腰椎の棘突起を触診してみよう

左右の腸骨稜の頂点を結んだ線を**ヤコビー線**という．一般的に，第４腰椎棘突起もしくは第４・５腰椎棘突起間を通り，腰椎を触診するうえで重要な指標となる．まず，腸骨稜の頂点を後方から触診し，その高位の棘突起を触知する．骨性の硬さとして感じた場合には，これを第４腰椎棘突起と同定する．ただし，骨間の間隙を感じた場合には，第４・５腰椎棘突起間となる．このヤコビー線を基準にして，腰椎の棘突起を頭尾側に触診していくことで，各腰椎の棘突起を触知できる．なお，両側の上後腸骨棘を結んだ線上には，第２正中仙骨稜が一致する．

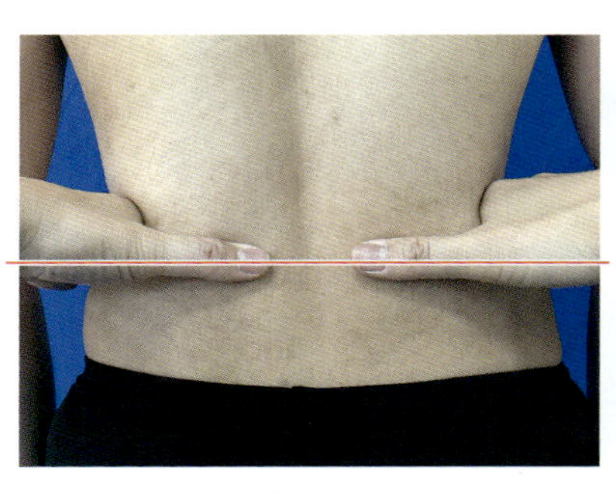
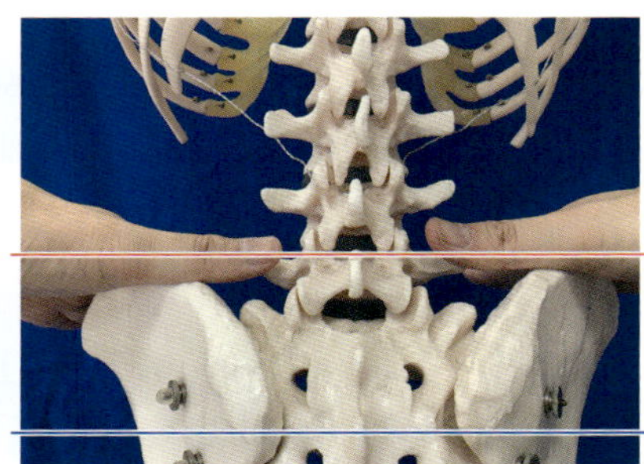

図5-28　ヤコビー線

臨床で重要！

コアの筋群

身体の中心部に位置し，頭部，頸部，肋骨，脊柱，骨盤を制御する筋は，コアと称される．つまり，腹腔を支持する役割を有し，深層に位置する筋がコアである．コアの代表となるのは，横隔膜，骨盤底筋，そして一部の腹筋および背筋である．腹筋では，腹横筋と内腹斜筋の中・下部線維が，背筋では多裂筋がコアの中核を担う．

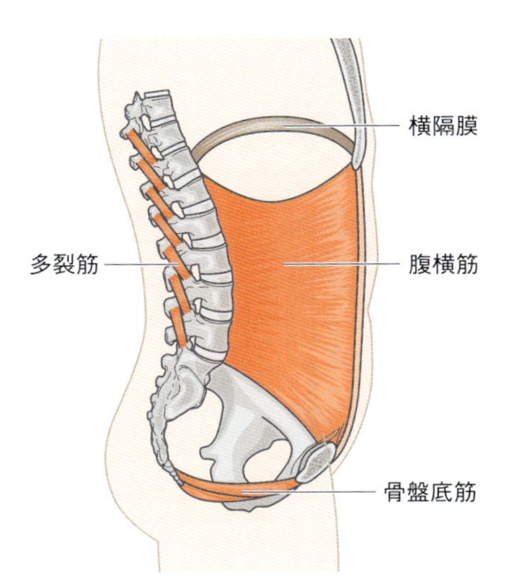

図5-29　主なコアの筋群

5 骨盤帯の構造と運動

1）骨盤帯の構造

- 左右の寛骨，仙骨および尾骨による構成体を**骨盤帯**，あるいは単に**骨盤**と称する（図5-30）．この部位には，上方からは上半身の重量が，下方からは床反力が作用する．
- 仙椎が骨化して形成される**仙骨**は逆三角形を呈し，その下端部は**仙骨尖**（せんこつせん）とよばれる．仙骨の上端部は**仙骨底**と称され，その前縁にある突出部を**岬角**（こうかく）という．また，仙骨の外側面には**耳状面**がみられる．
- 椎骨における椎孔に相当する部分は**仙骨管**と称され，ここには馬尾が存在する．仙骨の前面には左右4対の**前仙骨孔**が，後面には**後仙骨孔**がみられる．この孔は椎骨が形成する椎間孔に相当する部位であり，前仙骨孔からは仙骨神経の前枝が，後仙骨孔からは後枝が出入りする．

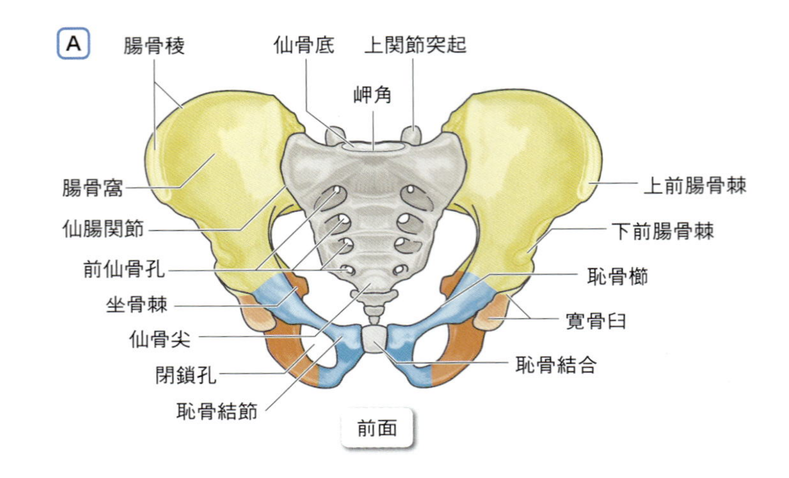

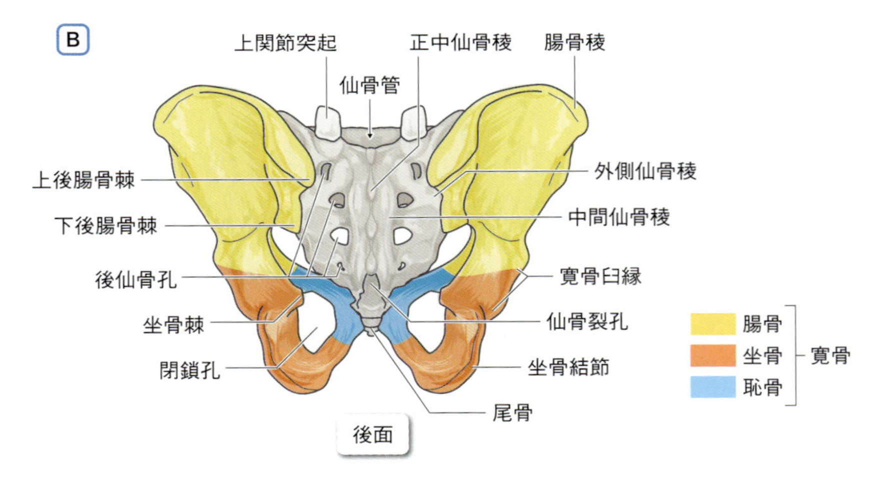

図5-30 骨盤帯の構造

骨盤帯は，左右の寛骨，仙骨および尾骨により構成される．寛骨は3つの骨（腸骨，坐骨，恥骨）から構成され，思春期までは硝子軟骨によって結合されているが，それ以降では1つの骨となる．環状を呈する骨盤帯の前方は恥骨結合で，後方は仙腸関節で連結される．文献7をもとに作成．

- 仙骨後面には5つの隆起がみられる．中央にみられる**正中仙骨稜**は，仙椎棘突起が融合したものである．その外側で後仙骨孔のすぐ内側には，関節突起が癒合した**中間仙骨稜**がみられる．さらに，後仙骨孔外側には横突起が癒合して形成された**外側仙骨稜**がみられる．
- 3〜5個の尾椎が融合した**尾骨**は，ヒトにおいて退化した骨である．仙骨に続く小さな骨であり，成人では仙骨とも融合する．
- 扁平骨に分類される**寛骨**は，**腸骨**，**坐骨**，**恥骨**からなる．思春期まではY軟骨という硝子軟骨によって結合されているが，成人では骨化して1つの寛骨となる．3つの骨の癒合部の外側には，股関節の関節窩となる**寛骨臼**が形成される．なお，寛骨の下方には坐骨と恥骨で囲まれた**閉鎖孔**がみられるが，閉鎖膜がほぼ全域にわたって覆う．
- 骨盤帯は環状をなし，後方は仙腸関節，前方は恥骨結合で連結される（図5-30A，5-31）．仙骨外側面の耳状面と寛骨の耳状面で形成される**仙腸関節**は，半関節に分類される．一般に関節面が男性より女性で，高齢者より若年者で滑らかであるため，女性や若年者の方がその

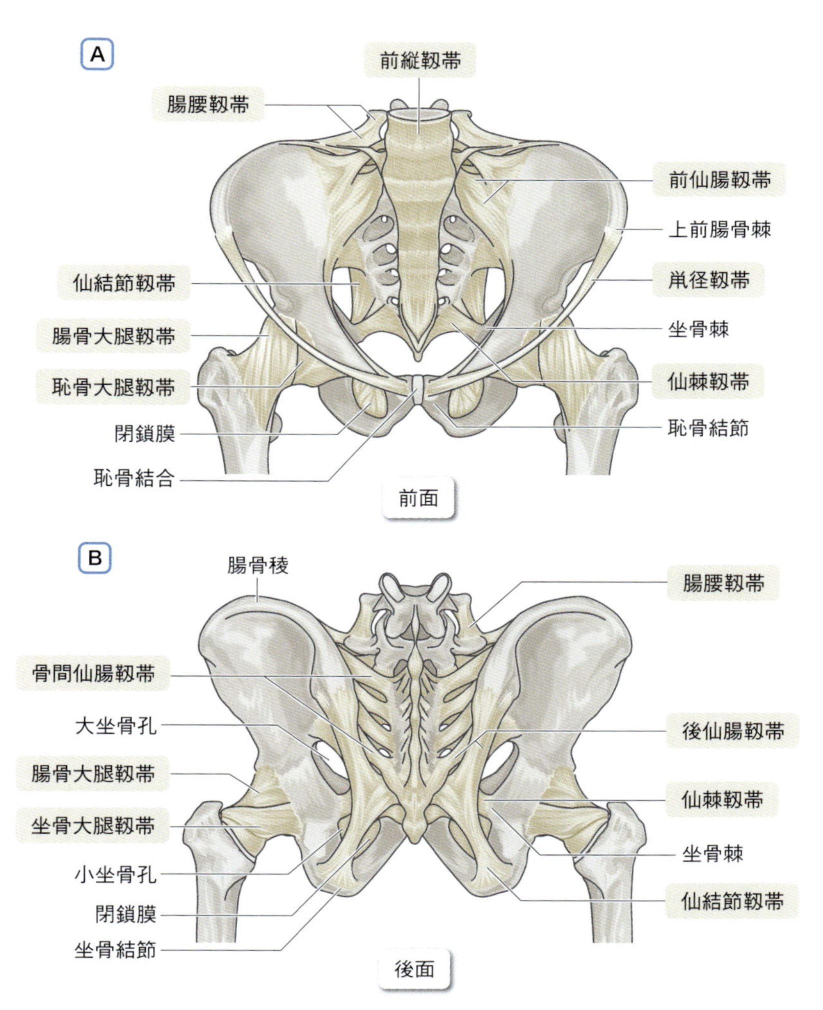

図5-31 骨盤帯の関節構造

環状をなす骨盤帯は，前方の恥骨結合，後方の仙腸関節で連結される．恥骨結合は線維軟骨結合であり，恥骨間円板を介在する．一方の仙腸関節は滑膜性関節ではあるが，多くの靭帯によってその運動は大きく制限される．文献7をもとに作成．

抵抗性は低い．

- 左右の恥骨は線維軟骨結合によって連結され，**恥骨結合**と称される．左右の恥骨結合面は薄い硝子軟骨に覆われ，さらに両者の間に線維軟骨よりなる恥骨間円板をはさんで連結する．
- 寛骨と仙骨・尾骨の結合は，**仙結節靱帯**と**仙棘靱帯**によってなされる（図5-31）．また，仙腸関節，恥骨結合においても，隣接する複数の靱帯によって補強されている．特に仙腸関節の背側には**骨間仙腸靱帯**が存在し，同関節の安定性を提供している．

臨床で重要！

腰仙連結に作用するせん断力

脊柱に存在する前弯もしくは後弯は，荷重負荷により脊柱に反復してかかる力を分散・吸収する役割を担っている．しかし，この弯曲の移行部では大きな力が集中しやすい．特に腰仙椎移行部では，仙骨底が前下方に傾斜しているため，上半身の重量の合力（BW）は前方せん断力（BWs）と垂直方向にかかる圧迫力（BWc）を生む．腰椎の前弯が増大して仙骨底の傾斜が大きくなるほど，前方せん断力が増大して疼痛を中心とした機能障害が生じやすい．

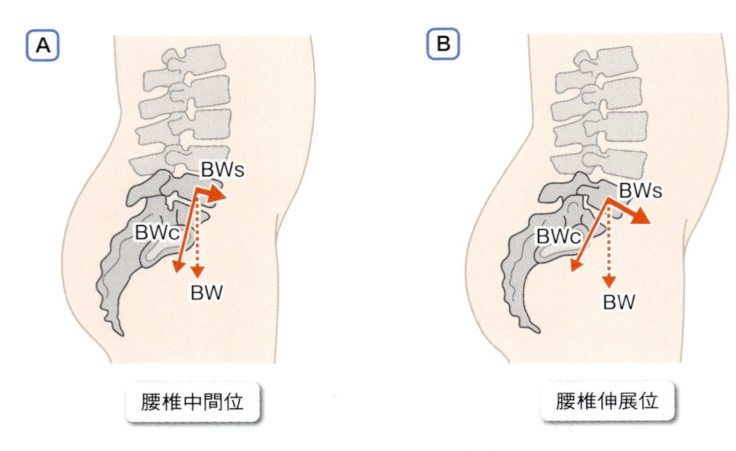

図5-32　腰仙椎移行部に生じる前方せん断力

文献8をもとに作成．

2）骨盤帯の運動

- 仙腸関節では，寛骨（腸骨）に対して仙骨が前傾する前屈，その反対の後屈が生じる（図5-33）．前者をうなずき運動，後者を逆うなずき運動とよぶこともある．背臥位と比較した場合，立位では上半身の重心が仙腸関節の前方，股関節の後方を通過するため，仙腸関節としては前屈した状態となる．
- 寛骨と仙骨，さらには腰椎の運動は連動したものであるため，運動の表現が難しい．例えば，腰椎の前弯を増強させた場合には骨盤が前傾するが，このとき仙骨も前傾する．つまり，寛骨と仙骨が同じ角度だけ傾斜した際には，仙腸関節での運動はみられないことになる．
- 恥骨結合の運動は受動的なものがほとんどである．立位で骨盤帯を回旋させた場合，仙腸関節では相反的運動が生じる．この運動の際には，恥骨結合である程度の捻じれるような運動が必要となる．
- 骨盤底の筋は，骨盤底・骨盤腔にある筋の総称で，肛門挙筋や尾骨筋などがあり，単に**骨盤底筋**と称される．尿道や膣，肛門を引き締める役割を有し，排尿・排便以外のときには常に緊張した状態を保っている．そのため，速筋線維に比して遅筋線維の占める割合が高い．

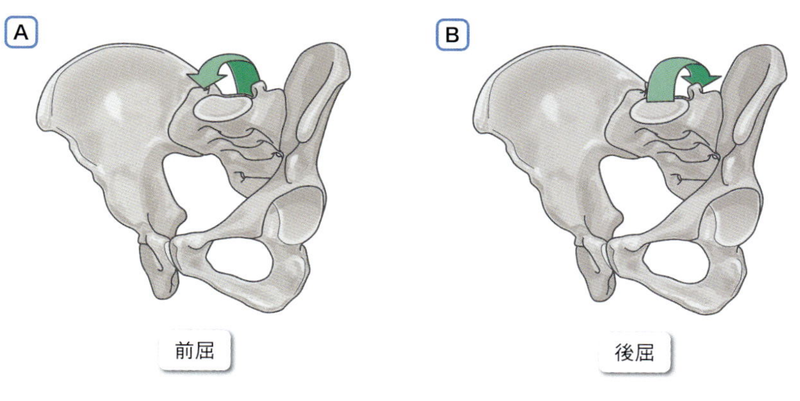

図5-33　仙腸関節の運動

寛骨に対して仙骨が前傾する運動を前屈（うなずき運動），その反対の運動を後屈（逆うなずき運動）という．

臨床で重要！

妊娠による仙腸関節と恥骨結合の変化

仙腸関節は，多くの靱帯で強固に連結されているため，その動きは脊柱や股関節に連動した受動的なものとなる．一方の恥骨結合の運動は，仙腸関節以上に受動的な動きで，その可動性も乏しい．しかし，妊娠維持や胎児娩出においては，仙腸関節および恥骨結合の弛緩が必要である．妊娠期に分泌されるホルモンであるリラキシンは，子宮筋の収縮を抑えて仙腸関節および恥骨結合を弛緩させる．このような変化は妊婦にとって必要であるものの，これらの結合の可動性が増大することで骨盤帯は不安定となる．

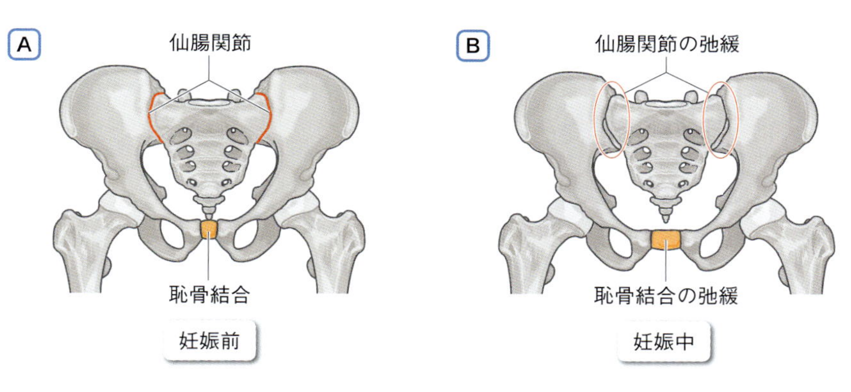

図5-34　妊娠による骨盤帯の変化

文献

1）「図解　関節・運動器の機能解剖　上肢・脊柱編」（井原秀俊，他/訳），協同医書出版社，1986
2）「プロメテウス解剖学アトラス　解剖学総論/運動器系 第2版」（坂井建雄，松村讓兒/監訳），医学書院，2011
3）「ヴォルフ　カラー人体解剖学図譜」（P. Köpf-Maier/編，井上貴央/日本語版編），西村書店，2011
4）Nachemson AL：The lumbar spine an orthopaedic challenge. Spine, 1：59-71, 1976
5）「標準理学療法学・作業療法学 専門基礎分野　運動学」（伊東 元，高橋正明/編），医学書院，2012
6）「筋骨格系のキネシオロジー 原著第3版」（Andrew PD，他/監訳），医歯薬出版，2018
7）「プロメテウス解剖学アトラス　解剖学総論/運動器系 第3版」（坂井建雄，松村讓兒/監訳），医学書院，2017
8）「オーチスのキネシオロジー 身体運動の力学と病態力学 原著第2版」（山﨑 敦，他/監訳），ラウンドフラット，2012
9）「解剖学アトラス 原著第10版」（平田幸男/訳），文光堂，2012
10）「標準解剖学」（坂井建雄/著），医学書院，2017
11）「日本人体解剖学 上巻 解剖学総論・骨格系・筋系・神経系 第20版」（金子丑之助/原著，金子勝治/監修），南山堂，2020

第6章

下肢帯・下肢の構造と運動

学習のポイント

- 下肢帯と自由下肢骨の構造と，それらが形成する関節の概略を説明できる
- 股関節の構造と運動について説明できる
- 膝関節の構造と運動について説明できる
- 脛骨大腿関節における機能解剖学的な特徴を説明できる
- 脛骨と腓骨の連結の構造と，その運動について説明できる
- 足関節および足部の構造と運動について説明できる
- 足関節および足部における機能解剖学的な特徴を説明できる

1 下肢帯と股関節(こかんせつ)の構造と運動

1）下肢帯の総論

- 骨盤帯の構成要素である左右の寛骨は，**下肢帯**とも称される．この下肢帯より遠位部に位置する骨を**自由下肢骨**という（図6-1）．
- 下肢帯を意味する扁平な形状の**寛骨**は，上方の**腸骨**，前下方の**恥骨**，そして後下方の**坐骨**からなる．思春期までは3つの骨が硝子軟骨（Y軟骨）によって結合されているが，それ以降では寛骨臼の中央で接して1つの骨となる．
- 腸骨の上縁はやや厚くなっており，**腸骨稜**と称される（⇨図5-30）．その前端と後端は突出して，容易に触診が可能である．この突起を上前腸骨棘，上後腸骨棘という．この両突起の下方には小突起があり，それぞれ下前腸骨棘，下後腸骨棘という．

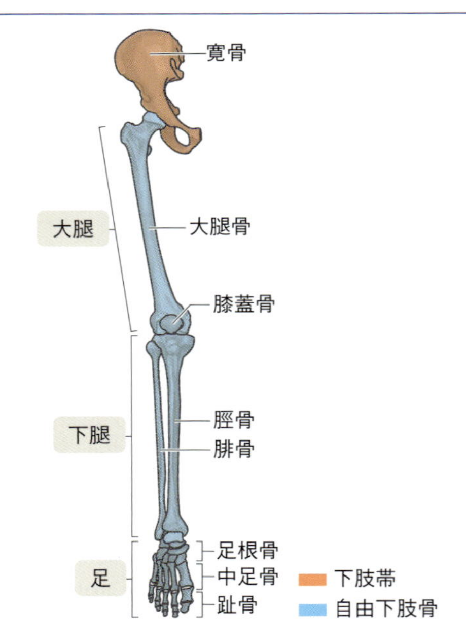

図6-1 下肢の骨（前面）
下肢の骨は下肢帯と自由下肢骨から構成される．

2）股関節の構造

- **股関節**は，寛骨臼と大腿骨頭からなる臼状関節である（図6-2）．**寛骨臼**（かんこつきゅう）は，寛骨外側面の中央に位置する大きく深い半円状の陥凹であり，**大腿骨頭**の約2/3を入れる．寛骨臼を水平面でみると前方に開いた形状を呈する．この傾斜角を**寛骨臼前傾角**といい，正常では約20°である（⇨図6-4B）．
- 大腿骨頭と相対する関節面は下向きのC字状をなし，**月状面**と称される（図6-2）．月状面は馬蹄形を呈し，その表面を関節軟骨が覆う．一般に大きな応力が作用する関節面では，関節軟骨は厚い．月状面はもちろん，相対する大腿骨頭も前上方で関節軟骨は特に厚い．
- 寛骨臼下縁の月状面が存在しない部分は**寛骨臼切痕**とよばれ，ここには**寛骨臼横靱帯**が位置する（図6-2）．また寛骨臼の中央部で，月状面に囲まれる部分はより陥凹している．この部位を**寛骨臼窩**といい，脂肪組織が埋めている．
- 寛骨臼の下方には恥骨と坐骨に囲まれた大きな孔があり，**閉鎖孔**とよばれている．この孔の大部分は閉鎖膜という結合組織が覆っている（⇨図5-31）．この閉鎖膜を隔てて，外閉鎖筋と内閉鎖筋が相対する．
- 大腿骨の近位骨端に位置する**大腿骨頭**は，内上方に向かって突出している．そのため荷重や筋収縮により生じる関節応力は，股関節の前上方に集中する．大腿骨頭のほぼ中央には関節軟骨が欠如する大腿骨頭窩があり，大腿骨頭靱帯が付着する．大腿骨頭の下方のやや細い部分を**大腿骨頸**というが，臨床では**大腿骨頸部**と称する．

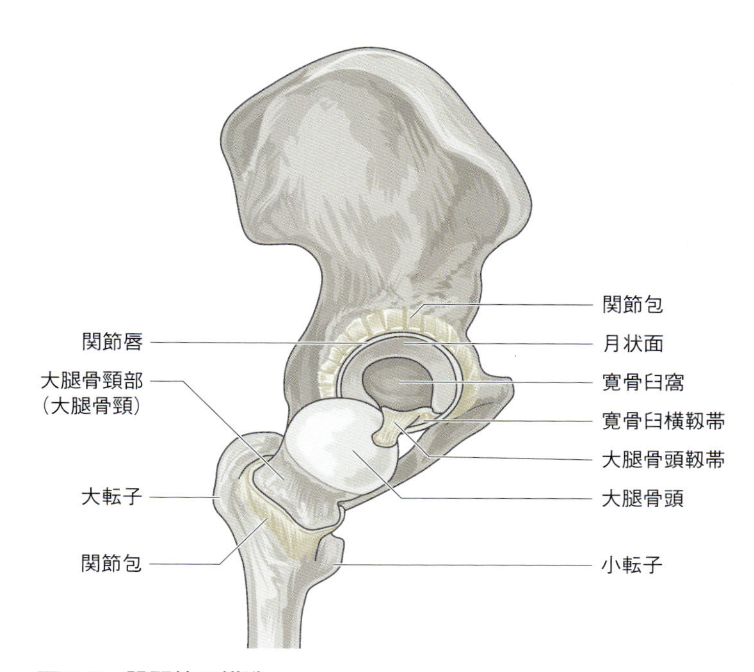

図6-2　股関節の構造

関節頭である大腿骨頭の約2/3が，関節窩である寛骨臼に対応する（図は右外側から観察し，大腿骨頭を寛骨臼から外したもの）．馬蹄形をなす月状面の表面には関節軟骨が存在する．文献1をもとに作成．

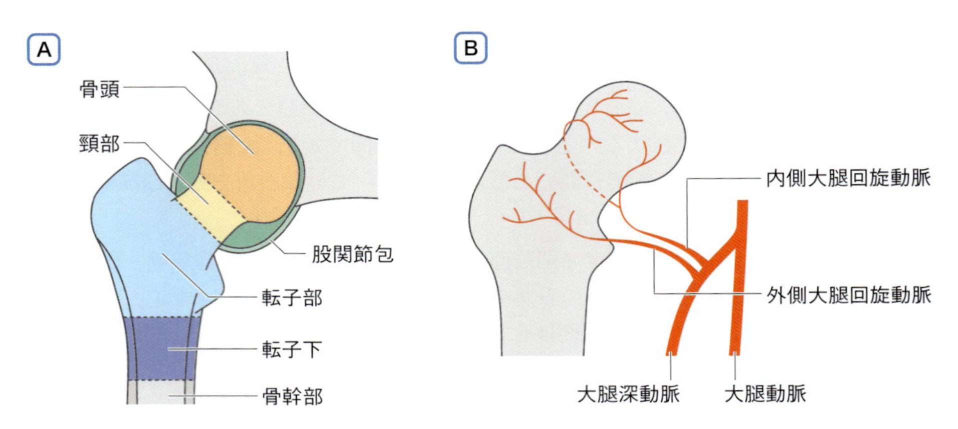

図6-3　大腿骨近位部の構造と栄養動脈

大腿骨近位部における臨床的名称を図に記す．大腿動脈から分枝した内側大腿回旋動脈が，大腿骨頭および頸部の大部分を栄養する．また，外側大腿回旋動脈も同部位に栄養を与える．なお，閉鎖動脈の枝である大腿骨頭靱帯動脈は，大腿骨頭の靱帯付着部のみに分布する．文献2をもとに作成．

- 大腿骨頸の外上方には**大転子**，内下方には**小転子**という隆起がみられる．この大転子と小転子を結ぶ領域を大腿骨転子部，その下方で大腿骨体に続く領域を大腿骨転子下と臨床ではよんでいる．大腿骨近位部の血行には，大腿動脈からの枝が主に関与する（図6-3）．
- 成人の大腿骨頸は，大腿骨体に対して15～20°の**前捻角**を有する（図6-4B）．一方，前額面においては大腿骨体に対して大腿骨頸が内側に傾斜している．この角度は上腕骨と同様に**頸体角**と称され，健常な成人では120～130°である（図6-4A）．前捻角は発達に伴う股関節の運動により，頸体角は立位・歩行に伴う荷重により漸減する．

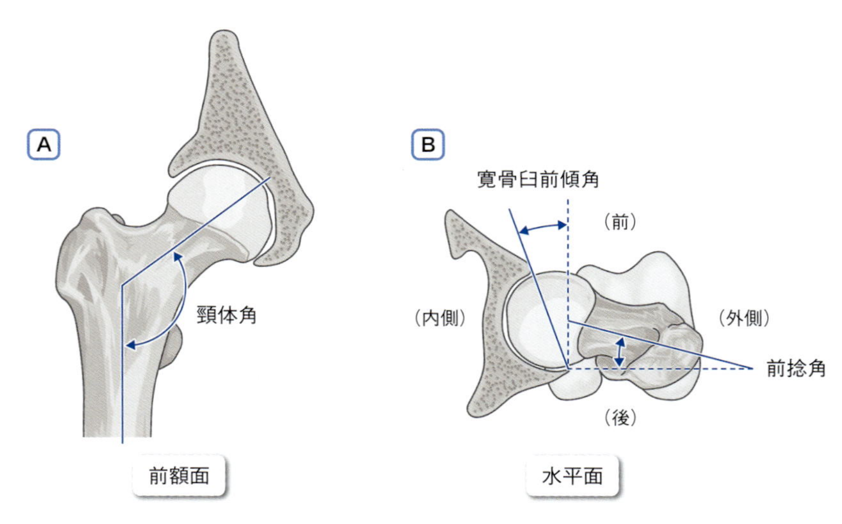

図6-4　寛骨および大腿骨のアライメント

内上方に向かって突出する大腿骨頭は，前額面において頸体角を有する．また水平面でみると，寛骨臼を前方に開いた形状を呈し，これを寛骨臼前傾角という．これに相対するように，大腿骨には前捻角が存在する．文献3をもとに作成．

- 寛骨臼の辺縁部には線維軟骨からなる**関節唇**がみられ（⇨図6-2），関節窩をより深くして関節の安定性をもたらす．また，関節唇から連続した寛骨臼横靱帯が寛骨臼切痕に存在し，大腿骨頭靱帯の起始をなす．これらの組織には固有感覚受容器が存在し，関節の位置覚や運動覚を受容する．
- 関節包内に位置する**大腿骨頭靱帯**は股関節内転時にのみ緊張し，股関節の制動にはほとんど寄与しない．この靱帯は，大腿骨頭窩周囲の骨頭部を栄養する動脈を導いている．また，股関節包の内面には**輪帯**と称される靱帯が存在し，関節包の過度な伸張を制限する．
- 股関節包の外面は，強靱な3つの関節包靱帯によって補強されている（⇨図5-31）．股関節伸展位ではこれらの靱帯が捻じれて緊張が増すため，関節が不動の肢位となる．人体中で最強と称される**腸骨大腿靱帯**は，逆Y字形を呈する．股関節の前面と上面を補強するこの靱帯は，伸展と外旋，さらには内転時に緊張を強める．
- 股関節包を補強する靱帯として，前下部には**恥骨大腿靱帯**が，後面には**坐骨大腿靱帯**が存在する．前者は股関節の外転および伸展・外旋を，後者は内旋および伸展・外転を制動する．つまり，これら3つの靱帯はすべて，股関節屈曲位で弛緩する．
- 鼡径靱帯，縫工筋内側縁，長内転筋外側縁で形成される三角領域は，**大腿三角（スカルパ三角）**と称される（図6-5）．大腿神経，大腿動・静脈が通過する部位であり，その深層には大腿骨頭が存在する．鼡径靱帯の深層外側部の筋裂孔には腸腰筋（大腰筋と腸骨筋）と大腿神経が，内側部の血管裂孔には大腿動・静脈がみられる．

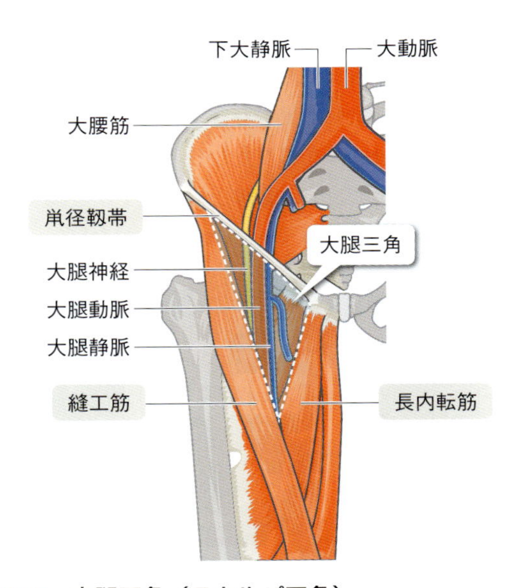

図6-5　大腿三角（スカルパ三角）

内側から順に静脈（vein），動脈（artery），神経（nerve）と走行する．これらの頭文字をとってVANと位置関係を覚えるとよい．

寛骨臼の形態異常とバイオメカニクス

発達に伴う寛骨臼の形成が不十分であるため，大腿骨頭に対する寛骨臼（臼蓋）の被覆率が正常より低下した状態を寛骨臼形成不全あるいは臼蓋形成不全という．寛骨臼形成不全をきたすと，股関節に作用する応力の大きさ，向きに変化が生じる．出生前後の股関節脱臼はその一因であり，中高年になって変形性股関節症を発症することが多い．

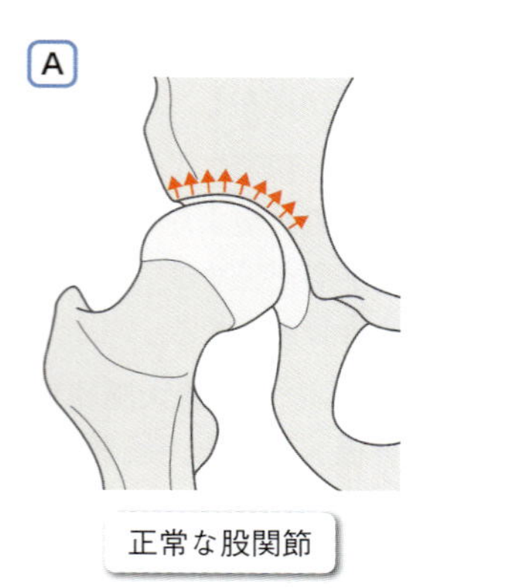

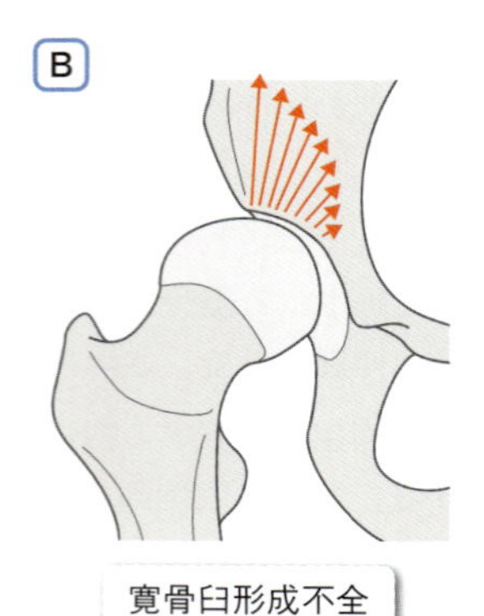

図6-6　**股関節に作用する応力**

Let'sTry　ローザー・ネラトン線を触知してみよう

椅子に浅く腰掛けた状態で股関節屈曲90°として，上前腸骨棘，大転子，坐骨結節を触診してみよう．このとき，大転子が上前腸骨棘と坐骨結節を結ぶ線であるローザー・ネラトン線よりも前方に位置する．この肢位から背もたれに体を寄りかかり，股関節が約45°屈曲位となるように体幹を後方に傾けると，上前腸骨棘と坐骨結節を結ぶ直線上に大転子が位置する．大腿骨頸部の骨折や寛骨の形態異常があると，大転子はローザー・ネラトン線に一致しない．

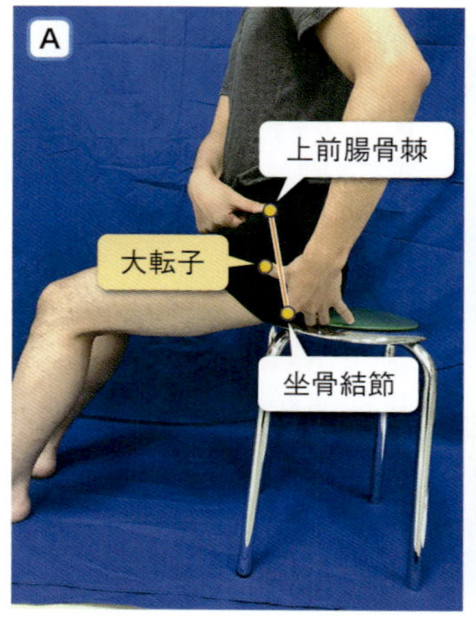

股関節 90°　屈曲位

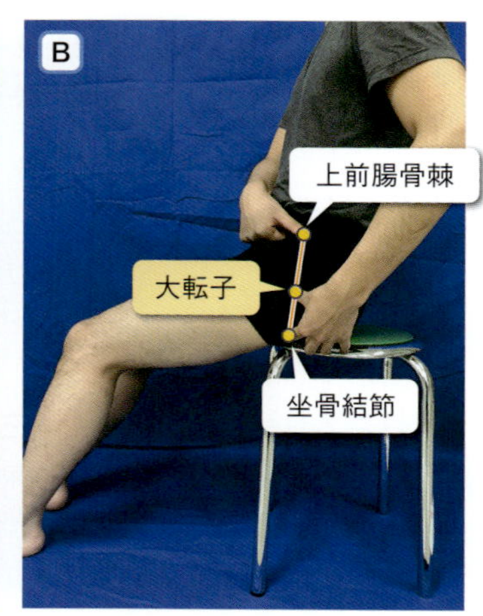

股関節 45°　屈曲位

図6-7　**ローザー・ネラトン線と大転子の関係**

3）股関節の運動

- 股関節の運動自由度は3であり，矢状面上での屈曲－伸展，前額面上での外転－内転，水平面上での外旋－内旋が可能である．股関節に関与する筋の作用については，付録表11，12を参照していただきたい．
- 第5章**4**で記したように，体幹の屈曲－伸展運動時には腰椎と骨盤が連動して運動を行う（**腰椎骨盤リズム**）．大腿骨に対して骨盤が前傾－後傾を行った場合，股関節の運動としては屈曲－伸展を意味する．また，側屈や回旋の可動性が少ない腰椎の運動（⇨図5-9）においては，股関節の外転や回旋を伴うのが一般的である．
- 正常な股関節屈曲の関節可動域は，一般に120～130°とされる．しかし，寛骨と大腿骨の間で生じる運動は約90°であり，残りは寛骨の後傾による運動である．この寛骨後傾は，腰椎の生理的前弯の減少に伴う運動となる（図6-8）．
- 主要な股関節屈筋として腸腰筋，つまり大腰筋と腸骨筋が存在する．第1章**3**で述べたように，静止立位におけるヒトの重心は骨盤内に存在する．**大腰筋**は，第12胸椎～第5腰椎の側面に起始し大腿骨小転子に付着するため，身体で唯一重心をまたいで付着する筋である．つまり，直立二足姿勢を維持するために重要な姿勢保持筋といえる．
- 股関節伸展に作用する主な筋としては，大殿筋とハムストリングスがあげられる．**大殿筋**は，股関節における単関節筋であり，二足で立位・歩行を行うヒトにとっては重要な筋である．一方，二関節筋である**ハムストリングス**は，股関節伸展と膝関節屈曲に作用する．
- 股関節の内・外転筋は，立位・歩行時における骨盤の平衡に関与する．特に，外転筋の作用は姿勢や歩行に影響を及ぼす．片脚立位時には，股関節に対して外部内転モーメントが生じる．これに拮抗する内部外転モーメントの産生には，中殿筋が大きく寄与する．
- 片脚立位時の股関節は，第1のてことして捉えることができる．一側下肢の質量は体重の1/6であるため，外部内転モーメントを産生する力としては体重の5/6が外力として作用する．内部モーメントアームが外部モーメントアームの1/3だった場合，外転筋力は外力の3倍が必要となる（図6-9）．
- 片脚立位になった際，前額面において支持脚の骨盤に対して非支持脚の骨盤が下降する現象を，**トレンデレンブルグ徴候**という．股関節外転筋力が十分に発揮された場合，骨盤は床面に対してほぼ水平位を保持できる．なお，トレンデレンブルグ徴候を伴う異常歩行を**中殿筋歩行**という．

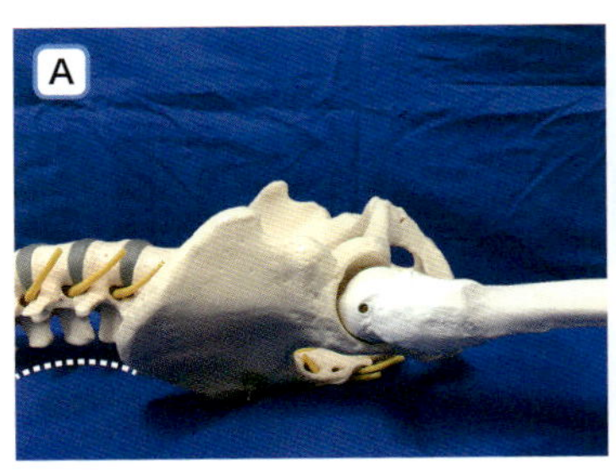

股関節屈曲 0°

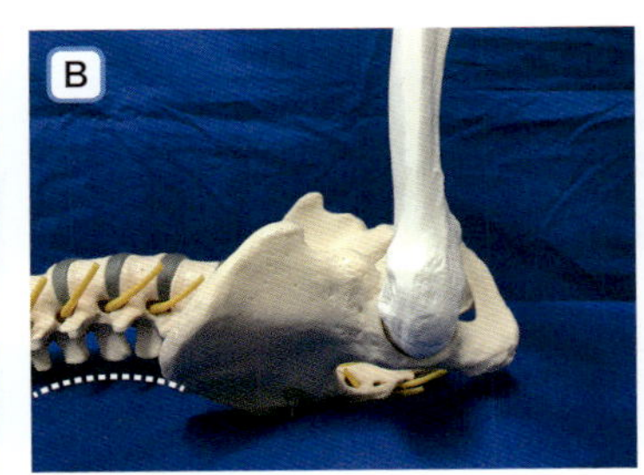

股関節屈曲 90°

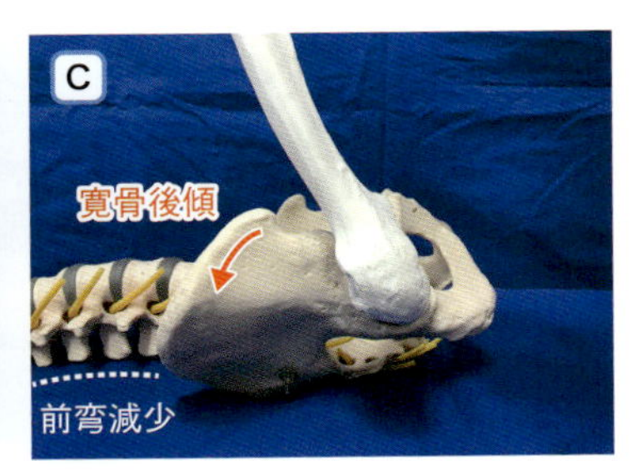

股関節屈曲 120°

図6-8　股関節屈曲に伴う腰椎・寛骨の運動

股関節屈曲0°（屈曲－伸展中間位）から屈曲した場合，90°までは股関節のみで運動が可能である．しかし，それ以上の屈曲運動では腰椎の前弯が減少し，寛骨の後傾，すなわち骨盤の後傾が生じる．

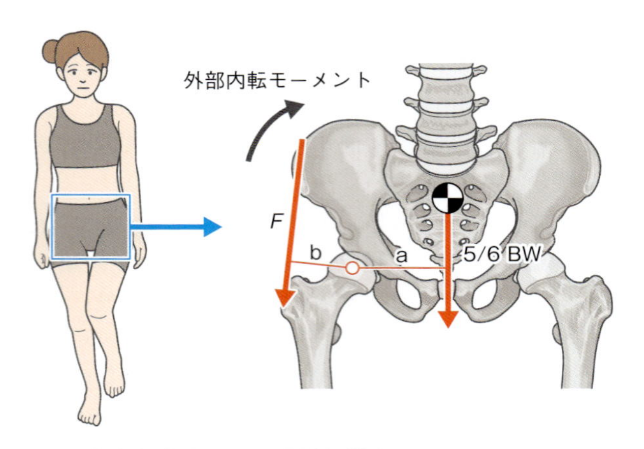

図6-9　片脚立位時の股関節外転筋力

片脚立位では，股関節に対して外部内転モーメントが作用する．股関節に作用する外力は体重（BW）の5/6である．内部モーメントアーム（b）が外部モーメントアーム（a）の 1/3 であれば，外転筋力（*F*）は外力の3倍が必要となる．

- 肩関節における回旋筋腱板を構成する筋と同様，股関節の深層に位置する内・外旋筋は，関節の安定性に関与する．特に，梨状筋，上・下双子筋，内・外閉鎖筋，大腿方形筋は，**深層外旋六筋**と称され，立位・歩行時に重要な役割を担う．

臨床で重要！

臨床でよくみる下肢伸展挙上運動

膝関節を伸展位に保持したままで，股関節を屈曲して床面から下肢全体を挙上させる運動を下肢伸展挙上（SLR）という．仮に，小転子に付着する股関節屈筋である腸腰筋のみが作用した場合には，一側下肢の重量の数倍もの力が必要とされる．この図では，F_2に一側下肢の重量（体重の約1/6の重量）が外力として作用する．このとき，外部モーメントアーム（b）が内部モーメントアーム（a）の3倍であれば，内力F_1は外力F_2の3倍が必要となる．

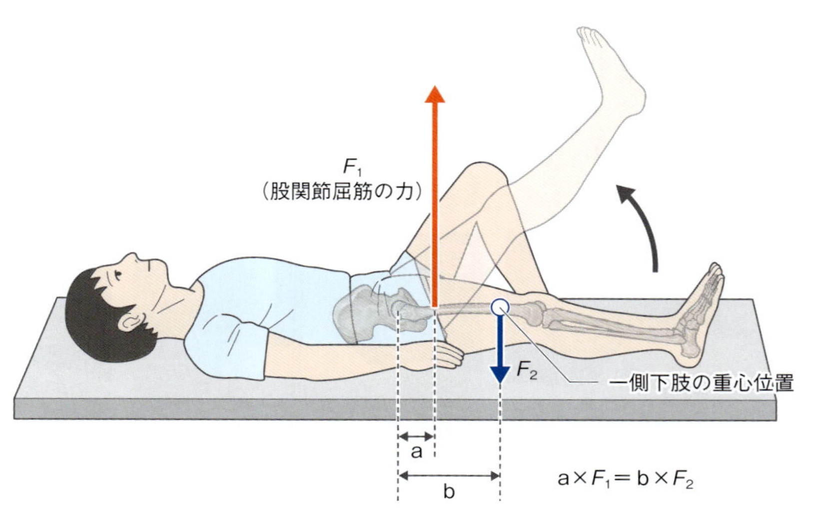

図6-10　下肢伸展挙上運動時の力のモーメント

Let'sTry 片脚立位で体幹を側屈させると股関節外転筋が変化することを体感してみよう

遊脚側に体幹を側屈すると外部モーメントアーム（a_1）が長くなり，外部内転モーメントが大きくなる．このとき，内部モーメントアーム（b_1）はほぼ変化がないため，より大きな外転筋力（F_1）が必要となる（A）．反対に，立脚側に体幹を側屈すると外部モーメントアーム（a_2）が短くなり，外部内転モーメントが小さくなる．このときにも内部モーメントアーム（b_2）はほぼ変化しないため，発揮される外転筋力（F_2）は小さくて済む（B）．このように，外転筋力を小さくするために立脚側に体幹を傾ける代償動作を**デュシェンヌ現象**という．

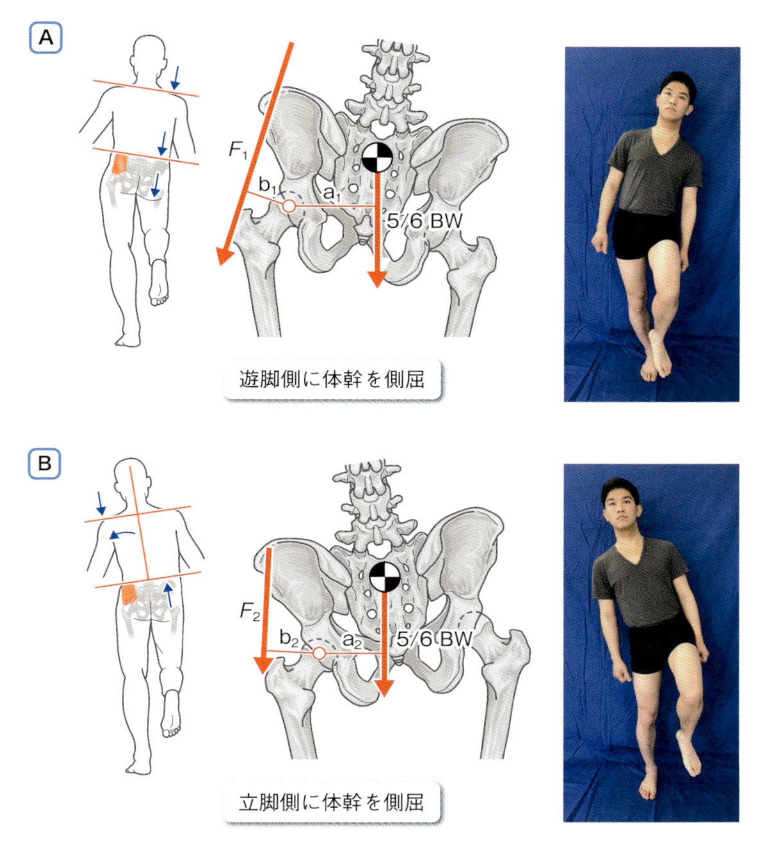

図6-11　股関節外部内転モーメントと外転筋力の関係

2 膝関節（ひざかんせつ）の構造と運動

1）膝関節の構造

- **膝関節**は2つの関節の総称である．1つは大腿骨と脛骨からなる脛骨大腿関節，もう1つは大腿骨と膝蓋骨からなる膝蓋大腿関節である（図6-12）．腓骨は膝関節の構成要素ではないが，膝関節に作用する筋や靱帯の付着部を提供する．

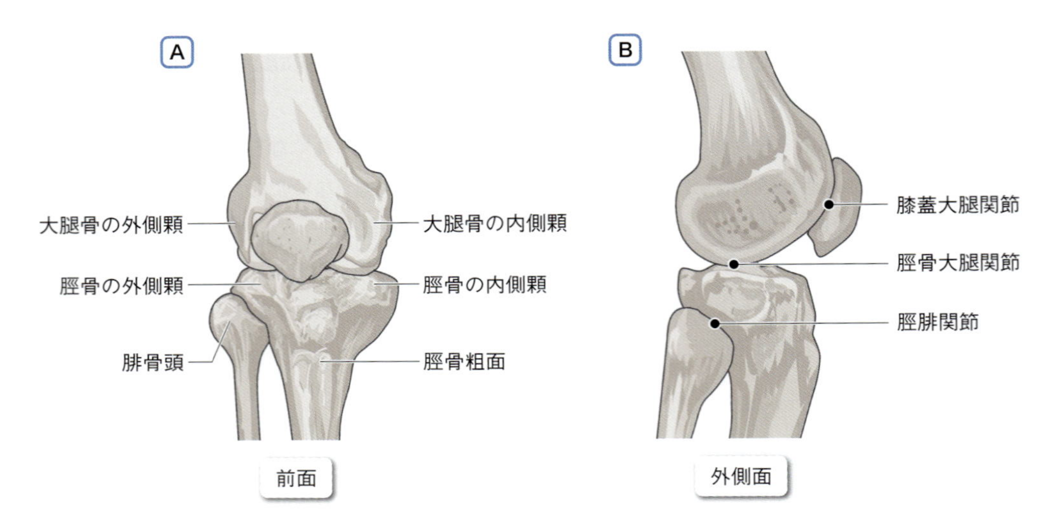

図6-12　膝関節および脛腓関節の構造

膝関節は，大腿骨の内・外側顆と脛骨の内・外側顆からなる脛骨大腿関節と，大腿骨の膝蓋面と膝蓋骨後面の関節面からなる膝蓋大腿関節で構成される．この２つの関節は，共通の関節包を有する．また脛腓関節は，脛骨外側顆の腓骨関節面と腓骨頭にある腓骨頭関節面で構成されるが，膝関節には含まれない．文献４をもとに作成．

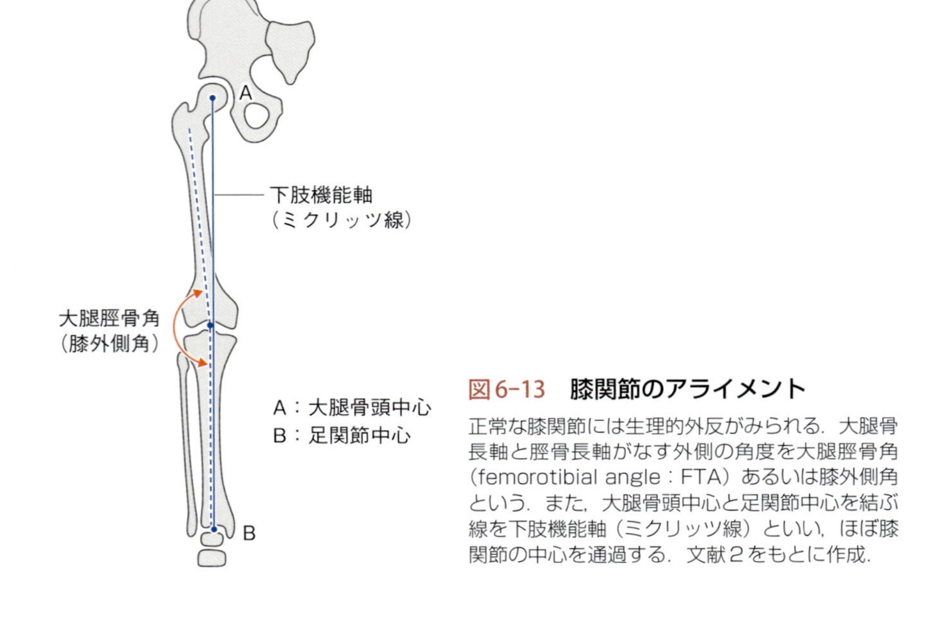

図6-13　膝関節のアライメント

正常な膝関節には生理的外反がみられる．大腿骨長軸と脛骨長軸がなす外側の角度を大腿脛骨角（femorotibial angle：FTA）あるいは膝外側角という．また，大腿骨頭中心と足関節中心を結ぶ線を下肢機能軸（ミクリッツ線）といい，ほぼ膝関節の中心を通過する．文献２をもとに作成．

- 前額面で膝関節のアライメントをみると，大腿骨長軸と脛骨長軸がなす外側の角度は180°弱であり，生理的外反を呈する．この角度は，立位X線正面像で計測することが一般的で，**大腿脛骨角**あるいは膝外側角として知られている（図6-13）．日本人では正常で176°前後となる．
- 荷重時の下肢全長の立位X線正面像をみた場合，大腿骨頭中心と足関節中心を結ぶ線がおおむね膝関節の中心を通過する．この線を**下肢機能軸**（ミクリッツ線）といい，下肢荷重線をあらわす（図6-13）．健常な日本人では，中央よりもやや内側を通ることが多い．

- **脛骨大腿関節**は，大腿骨の内・外側顆と脛骨の内・外側顆からなる双顆関節である（図6-12）．大腿骨の遠位骨端は肥大して，**内側顆**と**外側顆**を形成する．この両顆の下面には脛骨との関節面を有するが，前方では内外側の関節面が合して膝蓋面を形成する．
- 大腿骨の外側顆は内側顆より前方に突出しており，長軸・短軸の長さはともに内側顆より外側顆がやや長い（図6-14）．矢状面で内・外側顆をみると円形ではなく，前後に長い楕円形を呈する．なお，両顆の間にある深い陥凹部を**顆間窩**という．
- 脛骨の近位骨端も肥大した形状をなし，臨床では**脛骨顆部**として知られている．大腿骨の内側顆，外側顆に相対する部位を脛骨の**内側顆**，**外側顆**といい，その上面にあって関節軟骨が存在する部位を**上関節面**という．
- 脛骨の内側顆はわずかに凹状を，外側顆はわずかに凸状を呈する．そのため，関節半月が介在して関節面の適合性を高めている．また，両上関節面の間には**顆間隆起**がみられる．
- **膝蓋大腿関節**は，大腿骨の**膝蓋面**と膝蓋骨後面の関節面からなる鞍関節である（図6-12）．大腿四頭筋腱の種子骨である膝蓋骨は動滑車の役割をなし，その収縮効率を高める．なお，内・外側への膝蓋骨の制動には内側・外側膝蓋大腿靱帯が関与する．特に，**内側膝蓋大腿靱帯**は重要な役割を担う（図6-15B）．
- 膝蓋骨の関節面を水平面でみると，凸面の頂点をなす**中央稜**を境に内・外側関節面がみられる（図6-14B）．外側関節面はやや凹状，内側関節面は凸状を呈するため，膝蓋骨は外側に変位しやすい．

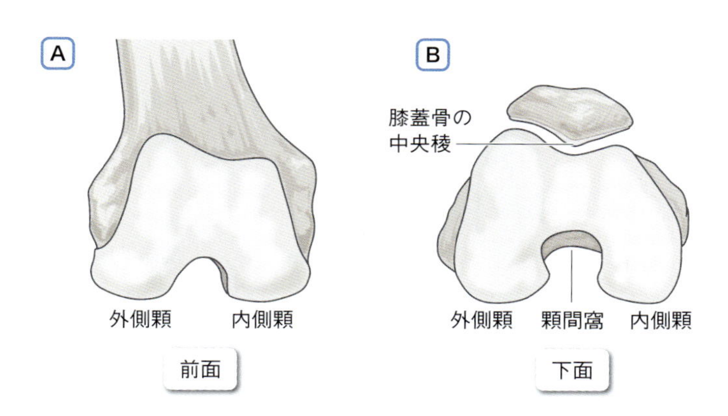

図6-14 大腿骨の外側顆，内側顆の形状

前面からみると長軸・短軸はともに，内側顆より外側顆がやや長い（膝蓋骨は描かれていない）．また下面からみると，外側顆は内側顆より前方に突出している．なお，両顆の間にある深い陥凹部を顆間窩という．文献5をもとに作成．

- 脛骨大腿関節と膝蓋大腿関節を覆う関節包の内面には滑膜が存在し，両関節で共通の関節腔を形成する．関節包の前面は，大腿四頭筋腱から起こる膜様の組織である**内側膝蓋支帯**，**外側膝蓋支帯**が補強するものの，伸張性が高い（図6-15）．これに対して後面では，**斜膝窩靱帯**や**弓状膝窩靱帯**が補強するため，その伸張性は乏しい（図6-16）．
- 膝関節には関節腔と連続した滑液包がみられる．特に，**膝蓋上嚢**とも称される**膝蓋上包**は，膝蓋骨の上方にあって大腿四頭筋の共同腱である大腿四頭筋腱の深層に位置する大きな滑液包である（図6-17）．膝蓋上包をはじめとする深在性滑液包は，関節の可動性に大きく影響を及ぼす．

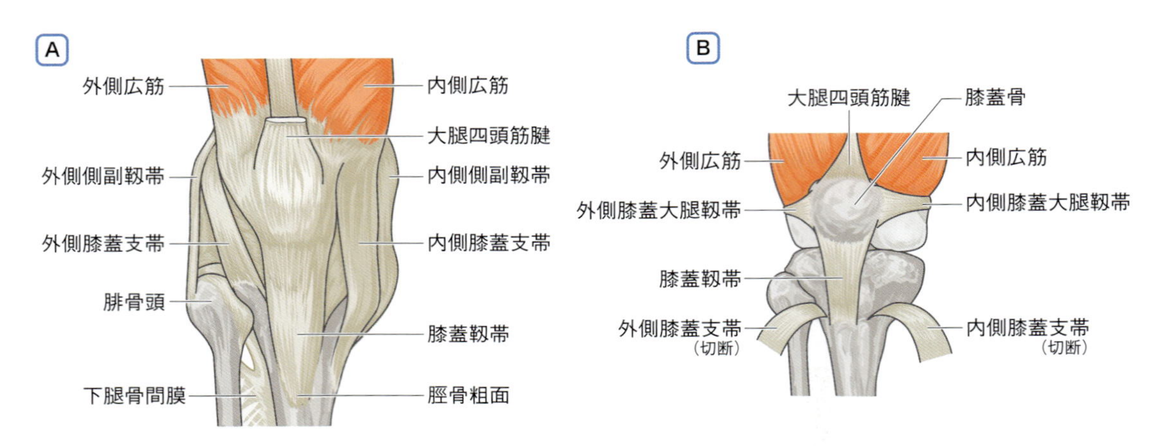

図6-15　**膝関節前面の概観**

膝関節包の前面は，大腿四頭筋腱から起こる膜様の組織である内側膝蓋支帯，外側膝蓋支帯によって補強される．その深層（B）には内側・外側膝蓋大腿靱帯が存在し，膝蓋骨の制動に関与する．文献4，6をもとに作成．

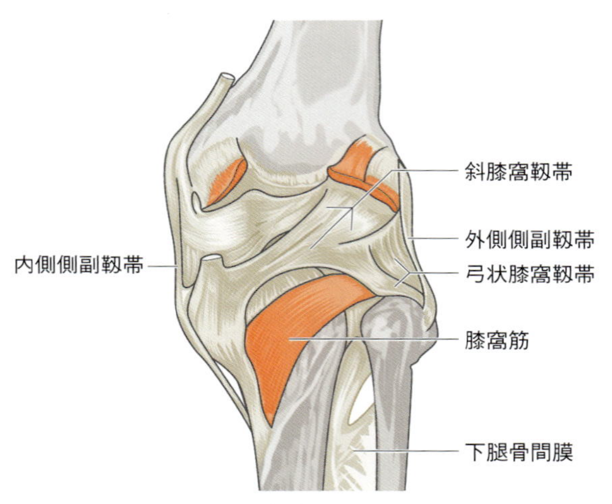

図6-16　**膝関節後面の概観**

膝関節包の後面は，斜膝窩靱帯や弓状膝窩靱帯によって補強される．文献4をもとに作成．

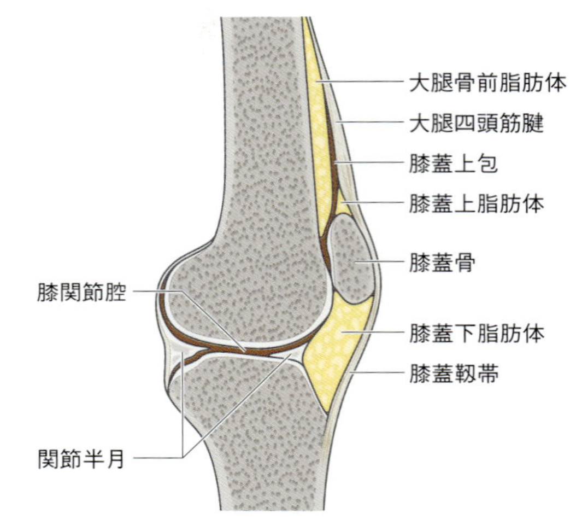

図6-17　**膝関節における滑液包，脂肪体（矢状断）**

膝関節腔は大腿四頭筋の深層に位置する膝蓋上包と連続している．その深層には大腿骨前脂肪体が，膝蓋骨の頭側，尾側には膝蓋上脂肪体，膝蓋下脂肪体がそれぞれ存在する．文献7をもとに作成．

- **大腿四頭筋**（大腿直筋，外側広筋，内側広筋，中間広筋の総称）は，大腿四頭筋腱，膝蓋骨を介して**膝蓋靱帯**となり，脛骨粗面に付着する（図6-15，6-17）．大腿四頭筋腱の深層には**膝蓋上脂肪体**が，膝蓋靱帯の深層には**膝蓋下脂肪体**が，さらには膝蓋上包と大腿骨の間には**大腿骨前脂肪体**が存在する（図6-17）．これらの脂肪体は滑液包と関連して，関節運動時の摩擦を軽減させる．
- この関節包を補強する靱帯として，関節包外靱帯に分類される内・外側側副靱帯がある（図6-15，6-16，6-18）．腓骨頭に付着する**外側側副靱帯**は膝内反の制動因子となり，膝窩筋腱と線維連絡することもある．一方，膝外反の制動因子となる**内側側副靱帯**は，関節裂隙の近傍に付着する深層線維と，やや遠位部に付着する浅層線維からなる．

- さらには，関節包内靱帯に分類される**前十字靱帯**，**後十字靱帯**が存在し，脛骨大腿関節の前後方向の安定性に関与する（図6-18）．顆間窩内で十字形に交叉する両靱帯は下腿内旋時に絡み合い，脛骨大腿関節の安定性を増す．後十字靱帯は前十字靱帯よりも幅が広く，その強度も高い．これらの関節包内・外の靱帯には，神経終末が存在する．
- 大腿筋膜の外側には，殿筋膜が肥厚して帯状になった**腸脛靱帯**がみられる．大殿筋，大腿筋膜張筋の付着部となり，外側広筋の表層を走行する．その遠位部は，膝蓋骨の表層および外側部，そして脛骨上外側部に停止する（⇨付録図20）．
- 脛骨大腿関節には，線維軟骨性結合組織である**関節半月**が存在する（図6-18B）．一般には半月板と称され，**内側半月**と**外側半月**がある．前述したように，脛骨大腿関節の形状の問題がみられるため，関節半月は関節面の適合性を高めることに寄与する．さらには，荷重に伴う圧力の分散・吸収，関節包内運動の誘導，関節の位置覚・運動覚の受容，滑液分散などがその機能としてあげられる．
- 関節半月は体表に近い外縁は楔（けつ）状で厚くなり，ここに関節包が付着する．一方の内縁は遊離しているが，最前方の前角と最後方の後角は脛骨に付着する．また，内側・外側半月の前角は**膝横靱帯**で結ばれるが（図6-18），ここには前十字靱帯の線維の一部が合流する．
- 内側半月はC字状を呈し，内側側副靱帯の深層線維，半膜様筋腱の一部が付着する．これに対して半環状でO字状を呈する外側半月には，膝窩筋腱の一部が付着するものの，外側側副靱帯とは結合しない．なお，関節半月の外縁にのみ神経や血管が存在する．

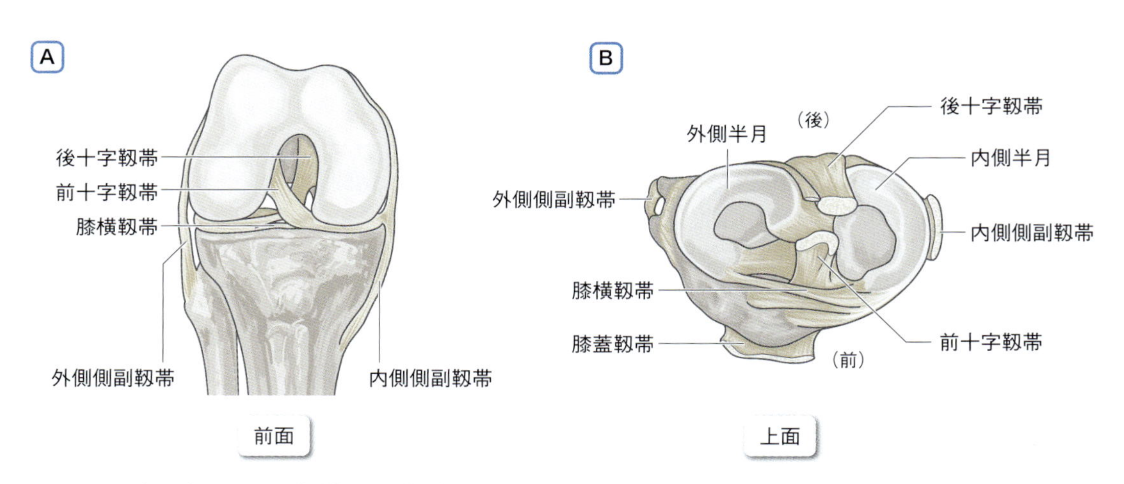

図6-18　膝関節における靱帯および関節半月

膝関節には，関節包外靱帯である内・外側側副靱帯，関節包内靱帯である前十字靱帯，後十字靱帯がみられる．また，脛骨大腿関節には関節半月が介在する．内側半月と外側半月の前角は膝横靱帯で結合される．

内反膝と外反膝

大腿脛骨角が正常（170～175°）よりも大きい状態を内反膝（O脚），正常よりも小さい状態を外反膝（X脚）という．破線で示した下肢機能軸は，内反膝の場合に膝関節中心よりも内側を，外反膝の場合に外側を通過する．

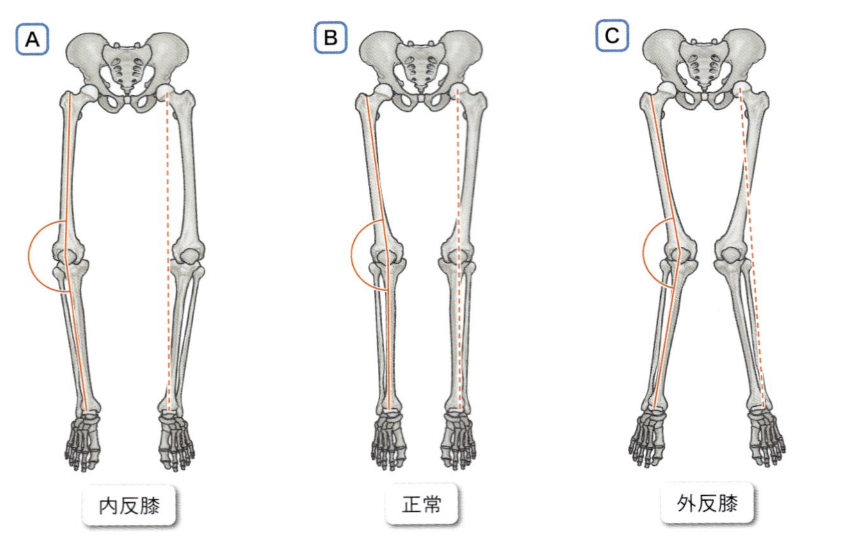

図6-19　**大腿脛骨角と下肢機能軸の関係**

2）膝関節の運動

- 2つの顆状を呈する関節面が並んで存在する脛骨大腿関節は，唯一の双顆関節である．書籍によっては蝶番関節，その亜型であるらせん関節，あるいは顆状関節と記されているので注意を要する．日本解剖学会による『解剖学用語改訂13版』（2007年）より，双顆関節という用語が新たに採用されている．
- 脛骨大腿関節の運動自由度は2であり，矢状面上での屈曲－伸展と水平面上での外旋－内旋が可能である．なお，膝蓋大腿関節の運動については後述するが，基本的には脛骨大腿関節の運動に連動した大腿骨に対する膝蓋骨の変位となる．膝関節に関与する筋の作用については，付録表12，13を参照していただきたい．
- 脛骨大腿関節でみられる屈曲－伸展の運動軸は，大腿骨の内側顆と外側顆を結んだ線とおおむね一致する．膝関節では屈曲約135°，伸展約10°の関節可動域を有するが，その中間域での関節包内運動は転がりが生じる．この中間域で屈曲運動を行った場合は，大腿骨に存在する運動軸は脛骨に対して後方へと変位する．これを**ロールバック機構**という（図6-20）．
- さらに膝関節の屈曲，つまり深屈曲運動を行った場合には，関節内での構成運動に変化がみられる．この可動域では，脛骨に対する大腿骨の滑りが構成運動の中心をなす（図6-21）．例えば正座をするとき，殿部に踵部が接触する深屈曲運動では，脛骨に対して大腿骨が大きく後方へと変位する．
- 一方，膝伸展運動をその最終域で行った場合には，大腿骨に対する脛骨の外旋が生じる．この運動は，**終末強制回旋運動**（Screw-home movement）として知られている（図6-21）．この運動が生じる要因としては，内側顆の長軸の長さが外側顆より短く，矢状面に対して大

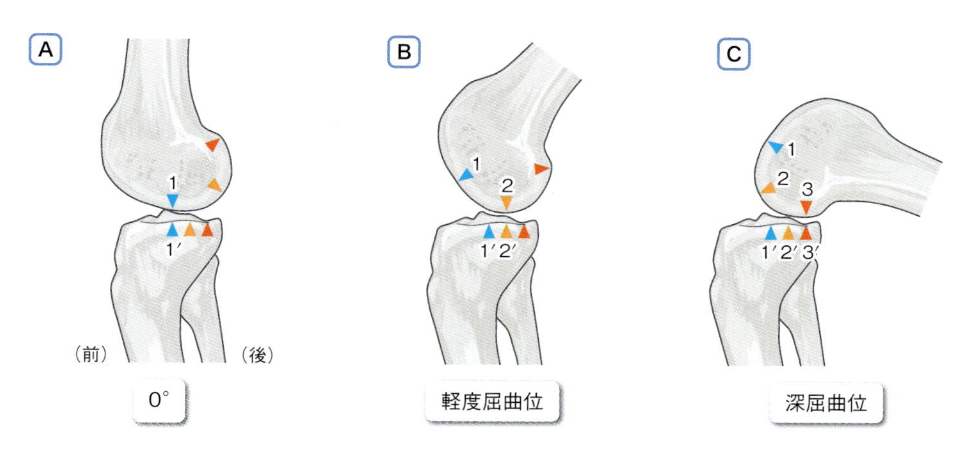

図6-20　膝関節屈曲運動時のロールバック機構

0°（中間位）では▲，軽度屈曲位では▲，深屈曲位では▲が大腿骨と脛骨の接触点となる．つまり，膝関節が伸展位から屈曲すると，脛骨の関節面に対して大腿骨顆部の接触点が次第に後方へと変位する．文献6をもとに作成．

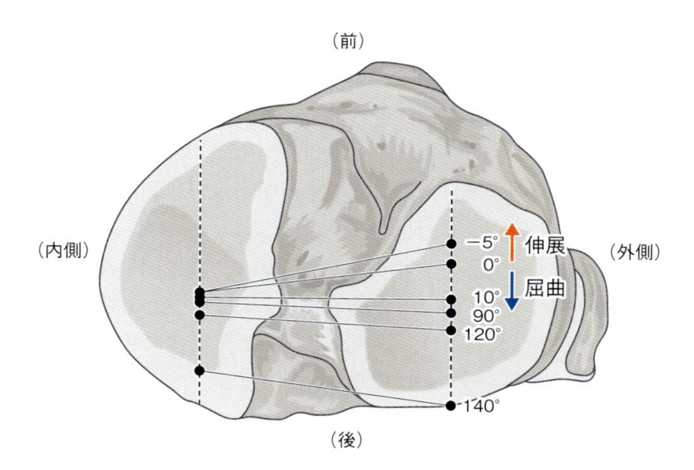

図6-21　脛骨大腿関節の骨運動

大腿骨後顆部を近似円とみなして，その中心点を脛骨関節面に投影させた図である（脛骨を上面より観察）．屈曲120°から140°に至る深屈曲運動では，脛骨に対する大腿骨の滑りが大きくみられる．一方，膝伸展運動の最終域では，大腿骨に対する脛骨の外旋が生じる（終末強制回旋運動）．その中間域での構成運動は，主に転がりが生じる．なお，図中の−5°は伸展5°を意味する．文献8，9をもとに作成．

きく傾斜していることが大きい．さらには，膝関節伸展時に前十字靭帯が緊張すること，後述するQ角の存在が影響する．

- 関節半月は，膝関節周囲の軟部組織と結合しているが，脛骨に固定されているわけではない．そのため，大腿骨の内側顆と外側顆の移動方向へと変位する（図6-22）．その移動量は，外側半月に比して内側半月で少ないが，これには側副靭帯の付着の有無が大きく関与している．
- 膝蓋大腿関節，つまり大腿骨に対する膝蓋骨の主な運動は，前額面でみた上下，左右への変位である．膝関節屈曲位から伸展した場合，大腿四頭筋腱を介して膝蓋骨は上方へと牽引される．この際，膝蓋骨には外側への牽引力も作用するため，内側膝蓋大腿靭帯がその制動に大きく関与する（⇨図6-15B）．

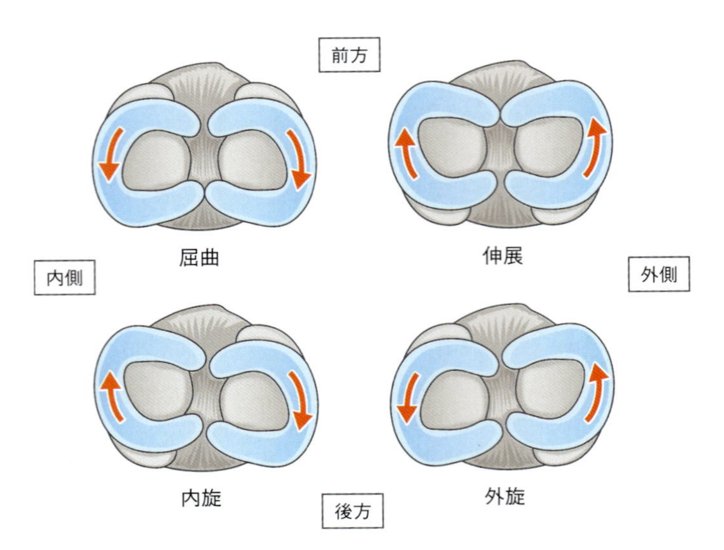

図6-22　関節半月の運動

脛骨を上面より観察．関節半月は，大腿骨の内・外側顆の移動方向へと変位する．文献10をもとに作成．

- 膝関節伸展筋である大腿四頭筋が収縮すると，その力の作用線はおおむね上前腸骨棘の方向へと向かう．前述のように膝関節が生理的外反を呈するため，大腿骨長軸は垂直軸に対して外側に傾斜する．その一方で膝蓋靭帯は脛骨粗面に付着するため，大腿四頭筋の収縮力は膝蓋骨を上方および外側へと変位させる．
- 上前腸骨棘と膝蓋骨中央を結んだ線（大腿四頭筋長軸）に対して，膝蓋骨中央と脛骨粗面上縁中央を結んだ線（膝蓋靭帯長軸）のなす角は，膝伸展位で約15°である．この角度を**Q角**と称する（図6-23）．膝関節が屈曲した場合には，大腿骨に対して脛骨は内旋し脛骨粗面が内側に変位するため，Q角は減少する．
- 膝関節伸展の主動筋は言うまでもなく大腿四頭筋である．ただし，股関節屈曲にも作用する大腿直筋は二関節筋であり，さほど大きな張力を発揮できない．膝関節伸展の張力は，その多くを3つの広筋群に依存している．
- スクワットのような閉鎖運動連鎖運動の場合，膝関節が屈曲するほど外部モーメントアームが長くなるため，重量に変化がなくても外部膝関節屈曲モーメントが漸増する．このとき，身体内では内部膝関節伸展モーメントを産生するために，大腿四頭筋は大きな張力を発揮する（図6-24）．
- 一方，座位で行う膝関節伸展運動のような開放運動連鎖運動の場合，膝関節が伸展するほど外部モーメントアームが長くなるため，外部膝関節屈曲モーメントが漸増する．したがって，伸展運動に伴い大腿四頭筋の張力は大きくなる（図6-24）．ただし，この運動時の重量は下腿・足部であるため，スクワットに比較して外力は小さい．
- 大腿四頭筋の拮抗筋となるのはハムストリングスであるが，ハムストリングスを構成する大腿二頭筋長頭，半腱様筋，半膜様筋は二関節筋である．一方で，腓腹筋も膝関節屈曲に作用するが，足関節底屈にも作用する二関節筋である．したがって，純粋な膝関節屈筋は大腿二頭筋短頭のみとなる．

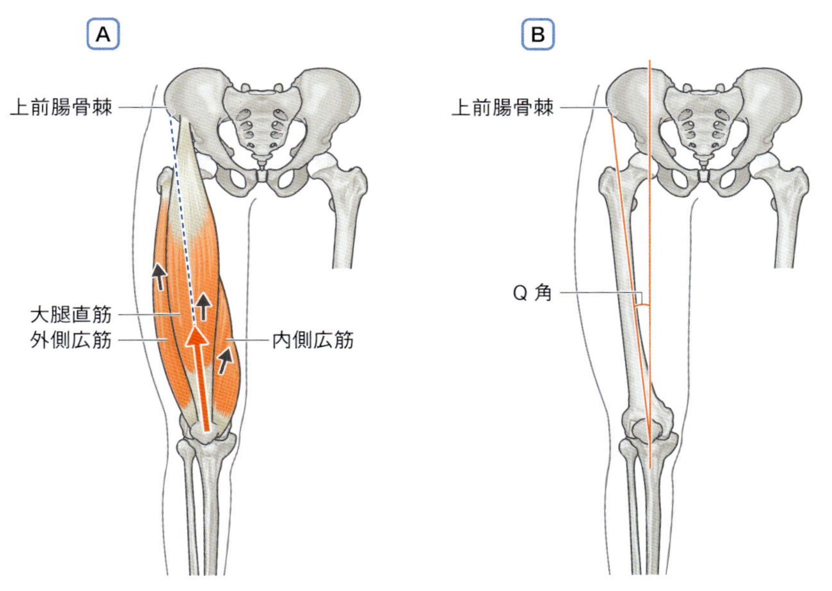

図6-23　Q角

Q角は，大腿四頭筋長軸に対して膝蓋靱帯長軸がなす角度である．大腿四頭筋長軸は，4つの筋の収縮に伴うベクトルと向きが一致する（深層に位置する中間広筋は描かれていない）．大腿四頭筋が収縮すると，膝蓋骨は上方および外側へと牽引される．Q角が大きい人ほど，外側への牽引力が増大する．文献11をもとに作成．

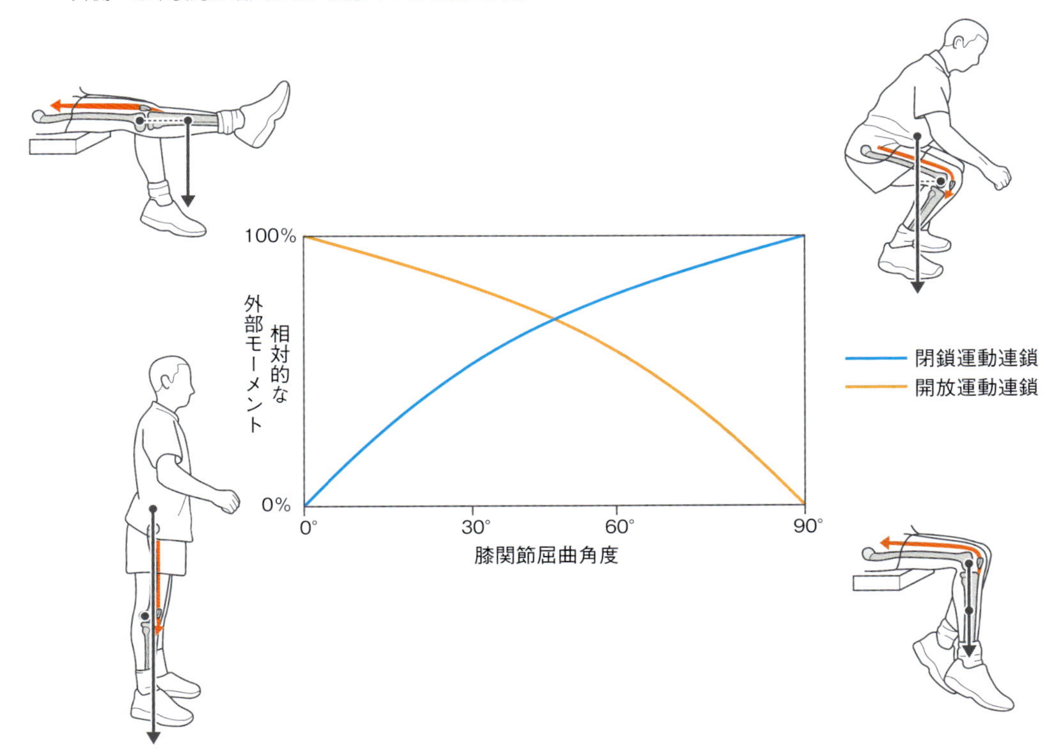

図6-24　脛骨大腿関節に作用する外部モーメント

閉鎖運動連鎖の運動であるスクワットでは，膝関節の屈曲に伴い膝関節における外部モーメントアームが長くなるため，外部モーメントが大きくなる．一方，開放運動連鎖の運動である座位での膝関節伸展運動では，膝関節の伸展に伴い外部モーメントアームが長くなるため，外部モーメントが大きくなる．ただし，2つの運動では外力（重量）に大きな差があるため，このグラフの縦軸は相対的な外部モーメントを意味する．文献12をもとに作成．

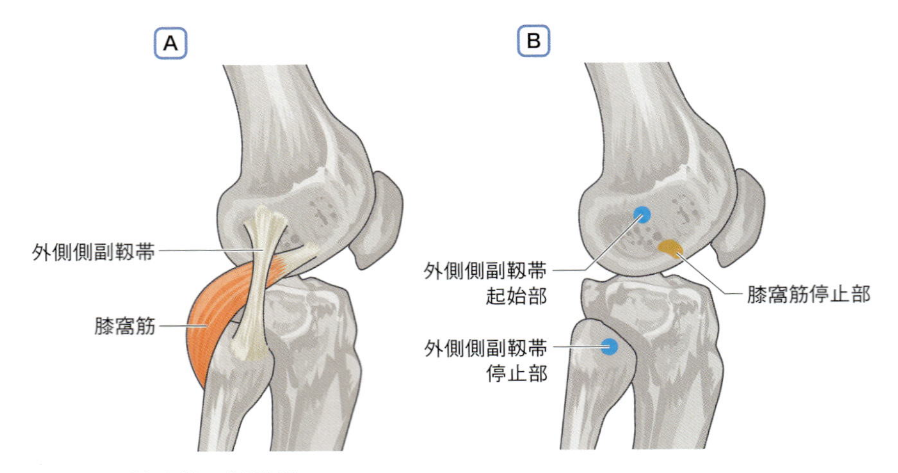

図6-25　膝窩筋の付着部

膝窩筋は，外側側副靱帯起始部の直下，あるいは下前方に付着する．膝関節屈筋として作用するためには，大腿骨外側上顆に存在する屈曲－伸展の運動軸よりも後方に付着しなくてはならない．したがって，膝関節屈曲には作用しがたい．

- 多くの書籍では，膝窩筋を膝関節屈筋として記している．しかし，その付着や走行からして屈曲に作用するとは考えにくい（図6-25）．主な作用としては，大腿骨に対する脛骨の後方移動を抑制し，膝関節後方の安定を提供することがうかがえる．

Let'sTry 膝関節に作用する筋力の変化を体感してみよう

体幹傾斜角度の異なる２種類のスクワットを行い，大腿四頭筋の収縮の差異を感じてみよう．まず，体幹前傾位のままスクワットを行う（A）．次いで，体幹を直立位にしたままでスクワットを行う（B）．後者の方が外部屈曲モーメントアームは長いため，膝関節に作用する外部屈曲モーメントが増大する．これに抗する内部伸展モーメントを増大させるために，大腿四頭筋の収縮力がより求められる．

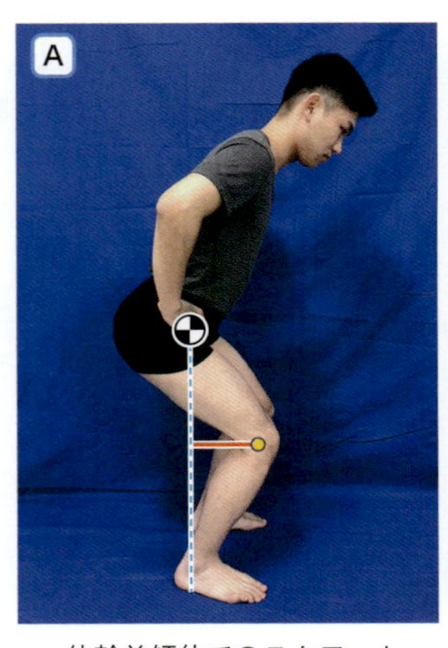

体幹前傾位でのスクワット

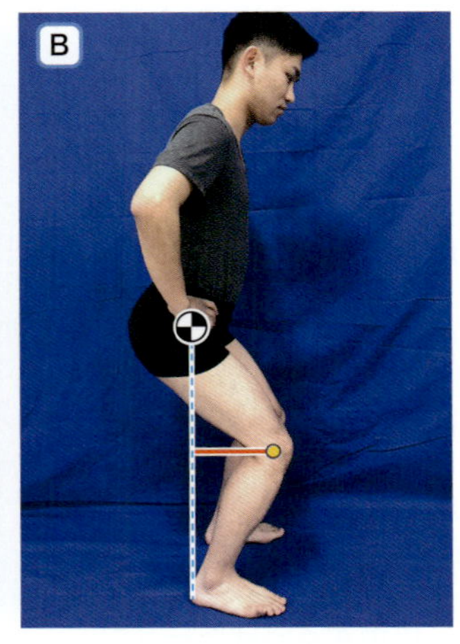

体幹直立位でのスクワット

重心線
外部屈曲モーメントアーム

図6-26　体幹傾斜角度の異なるスクワット動作

膝蓋大腿関節に作用する圧縮応力

膝蓋大腿関節においては膝蓋骨が滑車の機能を有しているため，大腿四頭筋の収縮力（A）により膝蓋靱帯には同程度の力（B）が作用する．その結果として膝蓋大腿関節の圧縮応力（AとBの合成ベクトル）が作用する．開放運動連鎖の運動で，膝関節90°屈曲位から伸展していくと，外部屈曲モーメントアームの延長に伴い，大腿四頭筋の収縮力が漸増して膝蓋大腿関節の圧縮応力も増大する．しかし，中間可動域（①）を越えるとAは大腿骨長軸と平行に作用するため，膝蓋大腿関節の圧縮応力は漸減する（②）．なお，閉鎖運動連鎖の運動では，膝関節屈曲角度の増大に伴い圧縮応力も漸増する．

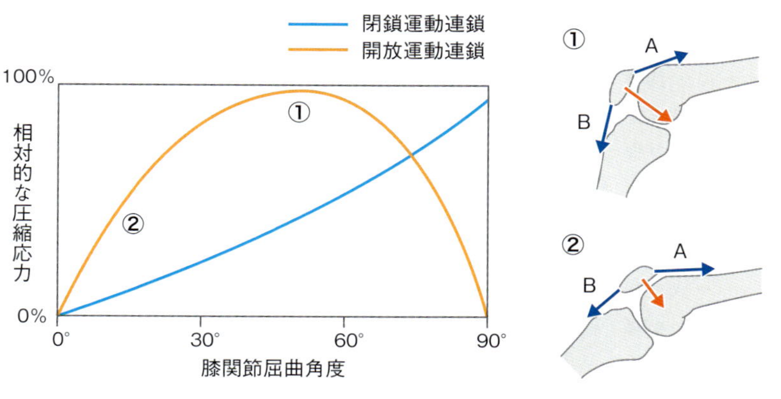

図6-27　膝関節角度と膝蓋大腿関節に作用する圧縮応力の関係

3 脛骨と腓骨の連結の構造と運動

1）脛腓関節，脛腓靱帯結合の構造

- 下腿を構成する脛骨と腓骨には，2つの連結がみられる．近位部には，脛骨外側顆の腓骨関節面と腓骨頭にある腓骨頭関節面で構成される**脛腓関節**がみられる（⇨図6-12）．関節包を補強する靱帯として，前面には**前腓骨頭靱帯**が，後面には**後腓骨頭靱帯**が存在する．前述した脛骨大腿関節とは，異なる関節腔を有する．
- 遠位部には，脛骨の腓骨切痕と腓骨の遠位骨端がなす**脛腓靱帯結合**がみられる（図6-28，6-29）．線維性連結に相当し，いわゆる滑膜性関節ではない．その前面には**前脛腓靱帯**が，後面には**後脛腓靱帯**が存在し，同部を補強する（図6-29）．また，下腿骨間膜の線維束が肥厚した**骨間靱帯**が存在する．
- **下腿骨間膜**は，脛骨と腓骨の骨端縁を結合する組織であり，足外在筋の起始部となる（図6-29AB）．その線維束は主に脛骨から起こり，腓骨に向かって斜めに下行する．前述した骨間靱帯には，下腿骨間膜との明確な境はなく，前・後脛腓靱帯とも結合している．

2）脛腓関節，脛腓靱帯結合の運動

- 半関節に分類される脛腓関節と脛腓靱帯結合の運動は，足関節の運動に付随したものである．したがって，直接運動に関与する筋も存在しない．足関節の背屈運動時には，脛・腓骨間が離開し，腓骨はわずかながら上方移動，外旋を行う．その詳細は，足関節の項（次節4）で記す．なお，腓骨は膝関節に作用する筋や靱帯の付着部となるが，膝関節の構成要素ではないため，その運動には関与しない．

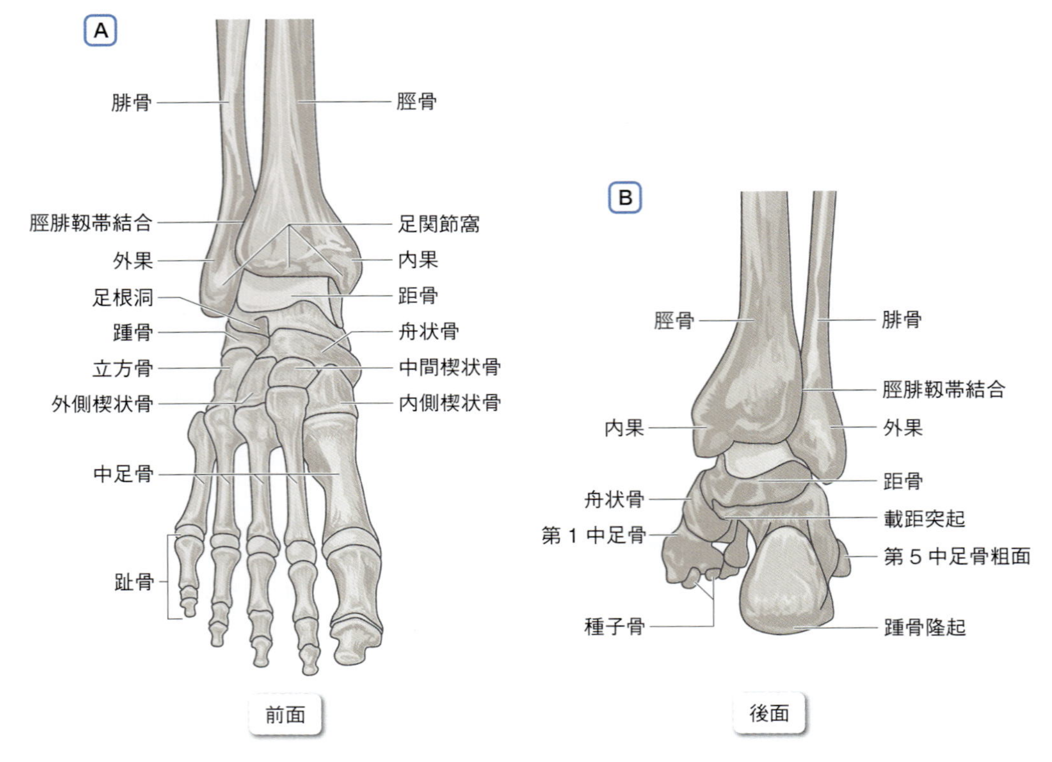

図6-28　下腿遠位部，足関節および足部の構造

下腿を構成する脛骨と腓骨の遠位部は，足関節の構成要素として関与する．足関節とは距腿関節を意味し，これより遠位部を足部という．足部には，7個の足根骨，5個の中足骨，14個の趾骨がある．文献4をもとに作成．

4　足関節と足部の構造と運動

1）足関節と足部の構造

- **足関節**は解剖学的に**距腿関節**とよばれるが，これより遠位部が**足部**となる．この両者は手関節と手の関係以上に，ユニットとして運動を行う．ここには，7個の**足根骨**，5個の**中足骨**，14個の**趾骨**が存在するが（図6-28），これに脛・腓骨の遠位部が加わって機能する．なお，距骨・踵骨は**後足部**を，舟状骨・立方骨・楔状骨は**中足部**を，中足骨・趾骨は**前足部**を形成する．
- 足部の床面に対しての軽い弯曲を**足のアーチ**あるいは**足弓**といい，その構成には骨，靱帯，筋が関与する（図6-30）．これらが共同体として作用することで，適度な剛性と柔軟性が生まれる．足のアーチの主な役割は，荷重時の衝撃を吸収して圧を分散すること，さらには足部に作用する力を伝達することがあげられる．
- 足のアーチには，内側縦アーチ，外側縦アーチ，横アーチの3つがある（図6-30）．**内側縦アーチ**は，踵骨－距骨－舟状骨－内側楔状骨－第1中足骨から構成される．舟状骨がキーストーン（中央に位置する要石）となり，いわゆる土踏まずを形成する．底側踵舟靱帯，内・外側距踵靱帯，楔舟靱帯などが関与する（図6-29CD）．なかでも，スプリング靱帯（ばね靱帯ともよばれる）として知られる**底側踵舟靱帯**は，内側縦アーチの支持に大きく寄与する．

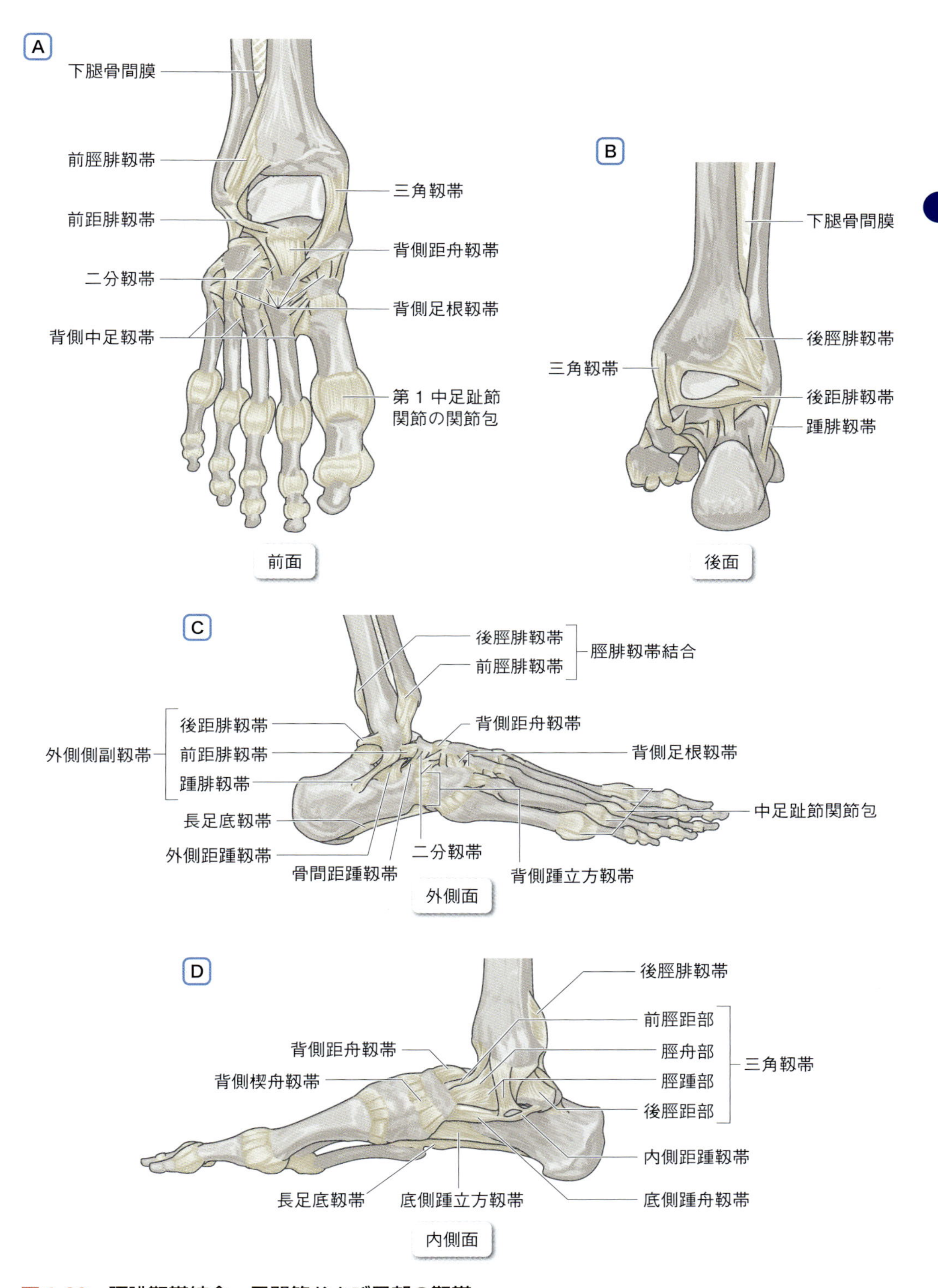

図6-29　脛腓靱帯結合，足関節および足部の靱帯

下腿遠位部の前面には前脛腓靱帯が，後面には後脛腓靱帯が存在する．脛骨と腓骨の骨端縁を結合する下腿骨間膜は，その遠位部が肥厚して骨間靱帯を形成する．この骨間靱帯と下腿骨間膜との明確な境はない．文献４をもとに作成．

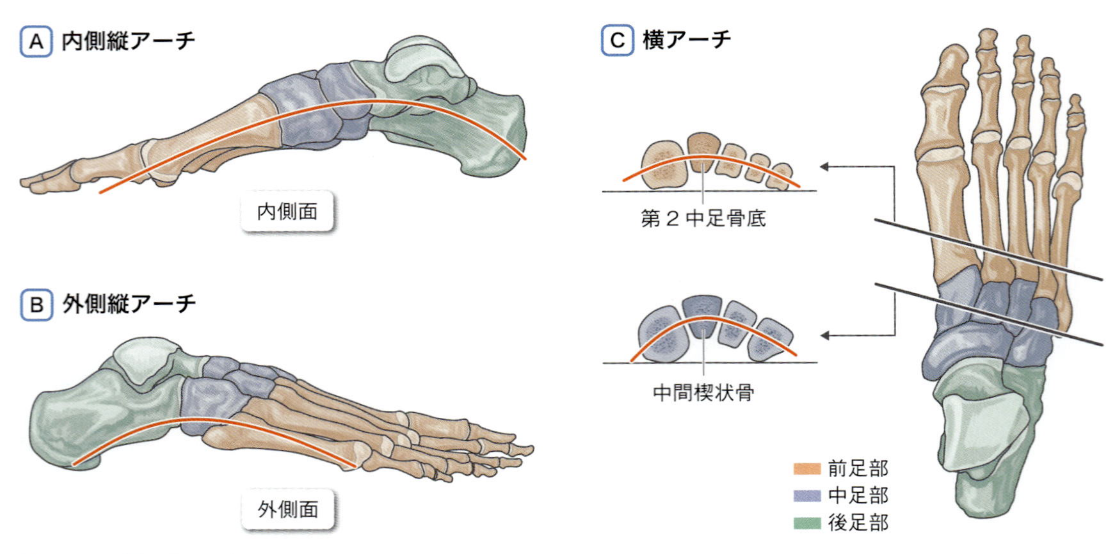

図6-30　足のアーチ

距骨・踵骨を後足部，舟状骨・立方骨・楔状骨を中足部，中足骨・趾骨を前足部と称する．足弓とも称される足のアーチは，内側縦アーチ，外側縦アーチ，横アーチの３つからなる．その構成には複数の骨，靱帯，筋が関与する．文献13をもとに作成．

- 踵骨－立方骨－第５中足骨からなる**外側縦アーチ**は，皮膚や軟部組織を介して床面と接している．このアーチの支持には，長足底靱帯や，短足底靱帯とも称される底側踵立方靱帯が関与する（図6-29D）．外側縦アーチのキーストーンは，踵立方関節部に相当する．
- **横アーチ**は，２つの縦アーチを結び，足部の広い領域を横断するアーチである．基本的には，楔状骨および立方骨による足根骨部の横アーチと，中足骨底による中足骨部の横アーチが存在する．足根骨部の横アーチのキーストーンは中間楔状骨であり，骨間楔間靱帯や骨間楔立方靱帯が関与する．一方の中足骨部の横アーチでは第２中足骨底がキーストーンとなり，深横中足靱帯が関与する．
- 楔状骨と中足骨を結ぶ骨間靱帯の形態は，個人による差異が大きい．ただし，内側楔状骨から第２中足骨にかけて存在する骨間楔中足靱帯は形態的に太く，強度も強い．この靱帯を特に**リスフラン靱帯**と称し，横アーチの保持に大きく関与する．

- 足関節および足部の関節の概要を図6-31に示す．**距腿関節**は蝶番関節に分類される．その関節窩は，脛骨の内果関節面および下関節面と腓骨の外果関節面によって形成され，**果間関節窩**とよばれる．一方の関節頭は，距骨上面に位置する距骨滑車となる．この関節窩，関節頭はともに，後方部よりも前方部が広い形状をなす（図6-32）．
- 距骨滑車には前後に走る浅い陥凹部があり，これに対応するゆるやかな隆起が脛骨の内果関節面にみられる．そのため，ほぼ１軸性の運動しか生じない．
- 距腿関節の関節包は比較的薄いが，内・外側部は靱帯によって補強されている（図6-29A～C）．腓骨の外果から起こる**外側側副靱帯**は，独立した３つの靱帯の総称である．距骨に至る靱帯を**前距腓靱帯**，**後距腓靱帯**，踵骨に至る靱帯を**踵腓靱帯**と称する．なかでも前距腓靱帯は強度が低く，回外運動が強制された際に生じる内反捻挫で損傷しやすい．

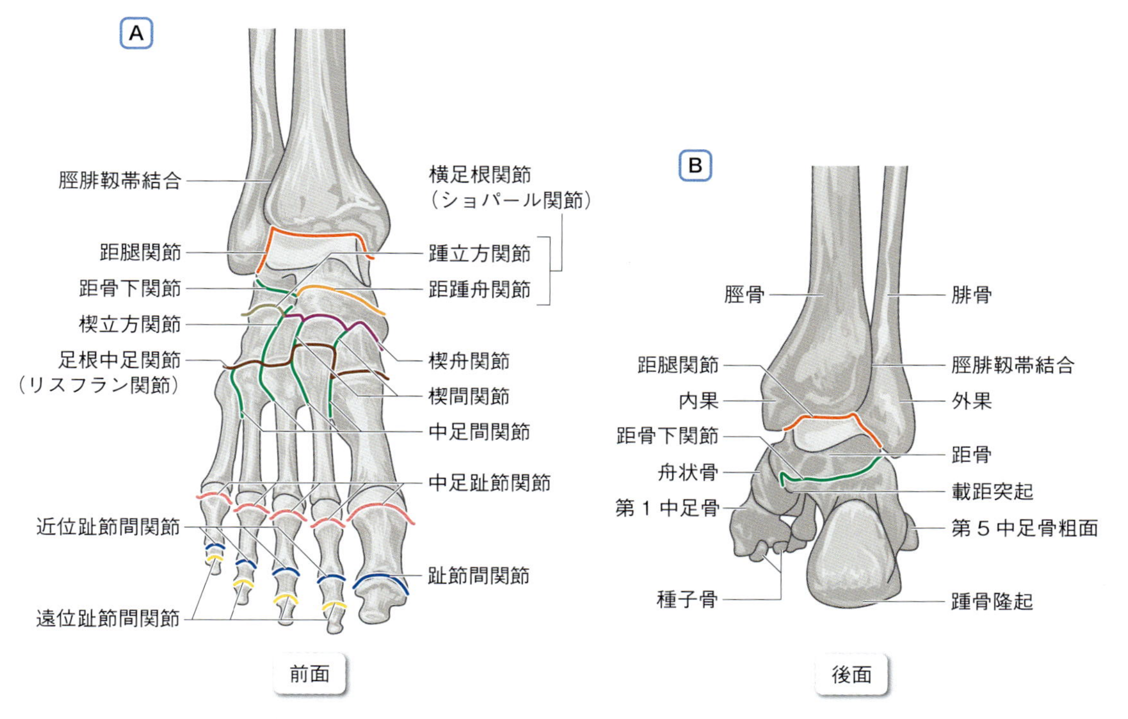

図6-31　足関節および足部の関節

下腿遠位部には，脛骨と腓骨による線維性連結である脛腓靱帯結合がみられる．足関節，足部には数多くの関節が存在するが，基本的には手関節および手と類似している．文献４をもとに作成．

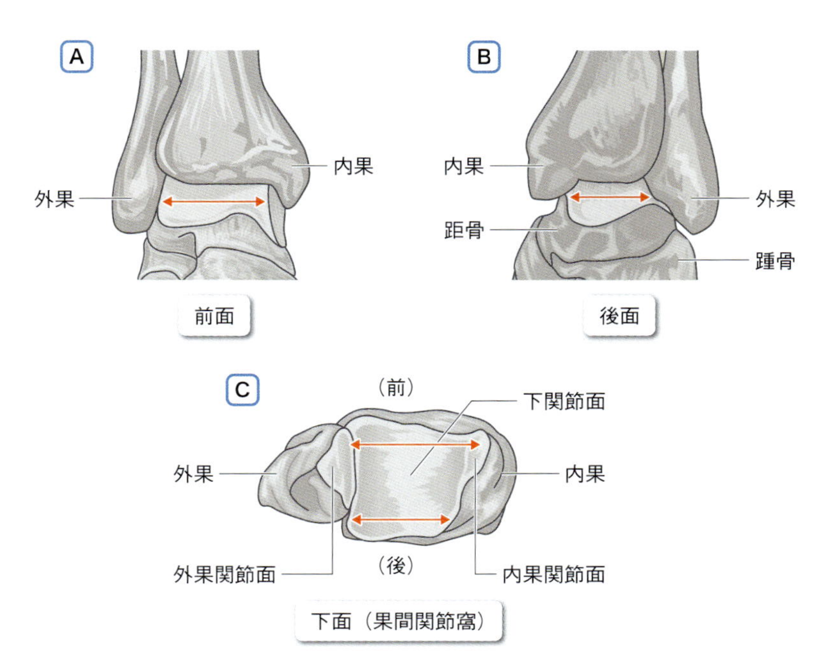

図6-32　距腿関節の関節構造

距腿関節の関節窩に相当する果間関節窩は，脛骨の内果関節面および下関節面と腓骨の外果関節面によって形成される．これに相対する関節頭は，距骨上面に位置する距骨滑車となる．関節窩，関節頭はともに，後方部よりも前方部が広い形状を呈する．文献４をもとに作成．

- 脛骨の内果に起始する内側側副靱帯は，**三角靱帯**と称されることが多い．扇状に広がる三角靱帯は強靱であり，舟状骨に至る脛舟部，踵骨に至る脛踵部，距骨に至る脛距部に分類される（図6-29D）．このうち，脛距部の前部線維は距腿関節の関節面近くに付着するため，大きな制動機能を発揮する．
- 膝関節と同様，距腿関節周囲にもいくつかの脂肪体が存在する（図6-33）．アキレス腱と長母趾屈筋，踵骨上縁に囲まれた部分には**ケーラー脂肪体**が，距骨頭の前方には**距骨前脂肪体**が存在し，足関節の運動を円滑にしている．また，踵部皮下組織としては，蜂巣状の脂肪組織が多数存在し，圧迫荷重に耐えうる構造を呈する．この組織を**踵骨下脂肪体**という．

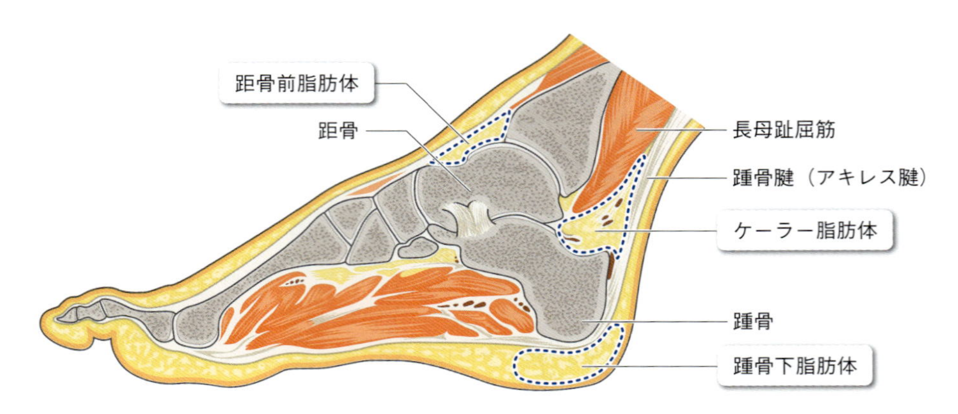

図6-33　足関節脂肪体

足関節，足部においても膝関節と同様，複数の脂肪体が存在する．文献４をもとに作成．

- 後足部の距骨と踵骨は，舟状骨や立方骨とも関節を形成する．距骨と踵骨にはそれぞれ，相対する３つの関節面がみられる．そのうち，距骨の後踵骨関節面と踵骨の後距骨関節面がなす顆状関節を**距骨下関節**という（図6-34）．関節包は薄く，内・外側距踵靱帯によって補強される．
- 距骨の前・中踵骨関節面は，踵骨の前・中距骨関節面と相対して関節面をなす．さらには，距骨頭の舟状骨関節面は舟状骨の後関節面と相対して関節面をなす．これらの３つの関節面は１つの関節腔内に存在する．顆状関節に分類されるこの複合関節を，**距踵舟関節**という（図6-31）．
- 踵骨の立方骨関節面は，立方骨の後関節面と不完全な鞍関節を形成する．この関節を**踵立方関節**という（図6-31）．距踵舟関節において距骨と舟状骨が関節をなす部と踵立方関節を合わせて，**横足根関節**と称する．この横足根関節は外科的な切断部位の１つであり，**ショパール関節**ともよばれる．
- 距骨の下面をみると，後踵骨関節面と中・前踵骨関節面の間には距骨溝が存在する．また踵骨の上面をみると，後距骨関節面と中・前距骨関節面の間には踵骨溝が存在する．この２つの溝によって**足根洞**が形成される（図6-28A，6-34）．この足根洞は，前外方が広く後内方に向かって狭い空間をなし，ここに強靱な**骨間距踵靱帯**がみられる．距骨下関節の前方で，距踵舟関節の後方に位置する．
- 前述したように，足のアーチにも大きく寄与する靱帯が多数存在する．底側踵舟靱帯や長足底靱帯は横足根関節を補強する．また，踵立方関節の関節包を背外側から覆う**二分靱帯**は，内側の踵舟靱帯，外側の踵立方靱帯からなる（図6-29AC）．

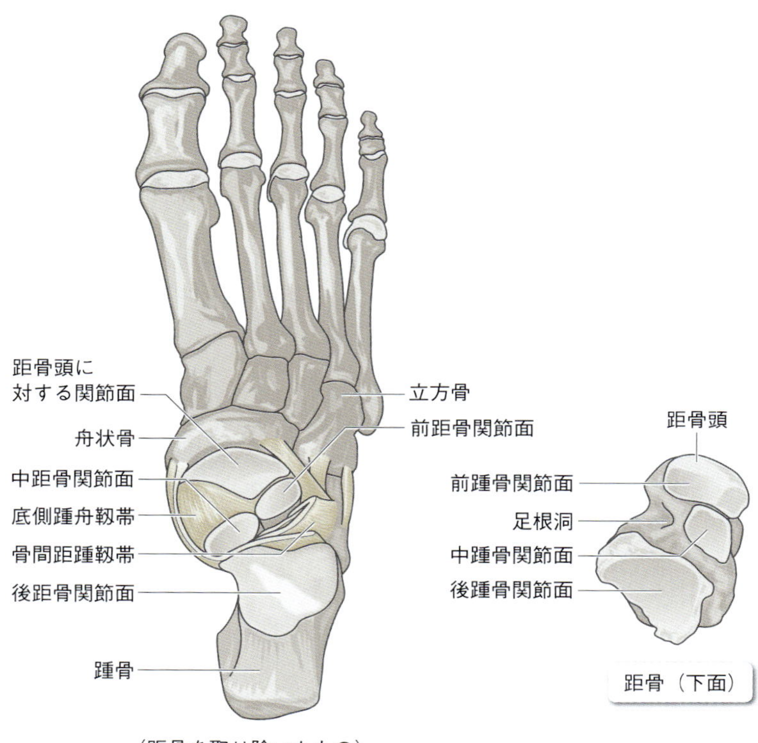

図6-34　距骨下関節の関節構造

後足部に位置する距骨と踵骨には，相対する３つの関節面がある．距骨の後踵骨関節面と踵骨の後距骨関節面によって，距骨下関節が形成される．この関節面の前方には踵骨溝および距骨溝が存在し，足根洞を形成する．足根洞は，前外方（外果前下方）が広く後内方に向かって狭い空間をなすが，この足根洞内に骨間距踵靱帯が存在する．文献1，14をもとに作成．

- 中足部の足根骨間には3つの関節が存在する（図6-31A）．舟状骨と3つの楔状骨との間の半関節を**楔舟関節**，外側楔状骨と立方骨の間の半関節を**楔立方関節**という．さらには，おのおのの楔状骨間の半関節である**楔間関節**が存在するが，これらの関節腔は共通である．一方，立方骨と舟状骨の間は線維性結合による連結であり，関節はみられない．
- 遠位足根骨と中足骨底の間には，**足根中足関節**（TM関節）がみられる．外科的な切断部位の1つであり，**リスフラン関節**ともよばれる（図6-31A）．内側楔状骨と第1中足骨底で形成される鞍関節を，第1足根中足関節という．他の足根中足関節とは独立した関節包を有している（手の手根中手関節と類似）．
- 半関節に分類される第2～5足根中足関節は，共通の関節包を有している．中間楔状骨は第2中足骨底と，外側楔状骨は第3中足骨底と，立方骨は第4・5中足骨底との関節面を有する．他の中足骨に比して，第2中足骨は長く後方に突出しているため，内・外側楔状骨間に中足骨底がはさまれる（図6-28A）．
- 足根中足関節の周囲には数多くの靱帯が存在し，これらをまとめて足根靱帯とも称する．また，足趾が形成する関節にも多くの靱帯が関与するが，その詳細は解剖学書を参照されたい．

- 隣接する中足骨底が対向する中足骨底との間になす関節を，**中足間関節**という（図6-31A）．平面関節に分類される中足間関節の関節腔は，第2～5足根中足関節の関節腔と共通である．
- 中足骨頭と基節骨底で形成される球関節を**中足趾節関節**（MP関節），各趾骨の頭と相対する趾骨底で形成される蝶番関節を**趾節間関節**（IP関節）という（図6-31A）．手と同様，第2～5趾には**近位趾節間関節**（PIP関節）と**遠位趾節間関節**（DIP関節）が，母趾にはIP関節のみが存在する．
- 第1中足骨頭の足底側には通常，2個の種子骨が存在する（図6-31B）．母趾外転筋，短母趾屈筋，母趾内転筋の腱に埋まり，中足趾節関節の関節包と側副靱帯に付着する．なお，種子骨は第1基節骨頭の足底側や他の中足骨にも，しばしば存在する．

臨床で重要！

足のアーチの構造異常

縦アーチが正常より減少した状態を扁平足という．内側縦アーチの低下をもって判断することが一般的であり，キーストーンである舟状骨の床面からの高さが指標とされる．多くの扁平足では距骨が内側に傾斜した状態（距骨下関節外がえし位）になることが多い．反対に，縦アーチが正常より増大した状態を凹足という．

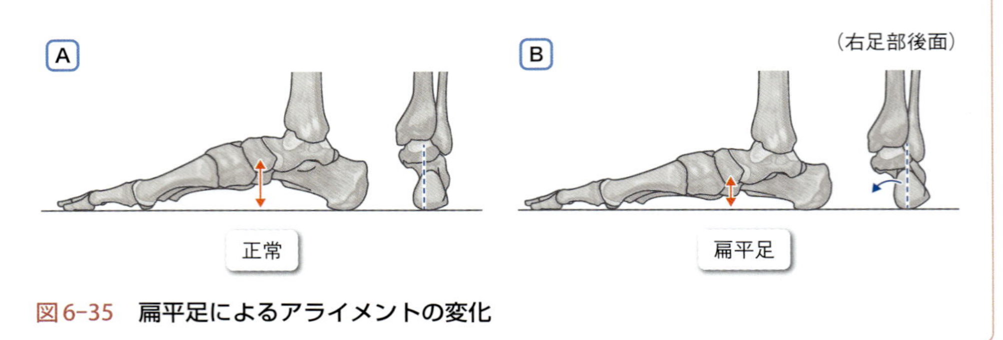

図6-35　扁平足によるアライメントの変化

2）足関節と足部の運動

- 3つの運動面で足関節および足部の運動を考えると，矢状面では背屈－底屈，水平面では外転－内転，前額面では外がえし－内がえしが生じる．しかし実際には，回内－回外という複合運動として生じる．足底が外方を向く**回内**は背屈・外転・外がえしの，足底が内方を向く**回外**は底屈・内転・内がえしの組合せ運動である（図6-36）．
- 蝶番関節に分類される距腿関節における運動自由度は1であり，背屈－底屈運動を主に行う．足関節の運動軸はおおむね，腓骨の外果と脛骨の内果を通過する．ただし，外果は内果のやや後下方に位置するため，背屈運動には外転・外がえしが，底屈運動には内転・内がえしが伴う．つまり，回内－回外様の運動がみられる．
- 距腿関節の関節窩をなす果間関節窩，さらには関節頭をなす距骨滑車は前方が広く後方が狭い楔状形を呈する（⇨図6-32）．つまり関節窩，関節頭ともに，後方部よりも前方部が広い形状をなす．そのため，背屈した際には距骨滑車が果間関節窩に押し込まれて，脛腓靱帯結合は開大する．また，底屈時には脛腓間が狭くなる（図6-37）．
- 足関節の背屈－底屈運動に伴う脛腓靱帯結合の受動的な運動は，脛腓関節と連動して生じる．背屈時には，腓骨が脛骨に対してわずかながら挙上および外旋を伴う．一方，底屈時には下制および内旋がわずかに生じるが，このとき果間関節窩に幅の狭い距骨滑車の後面が相対するため，関節内に間隙ができて不安定な構造となる．

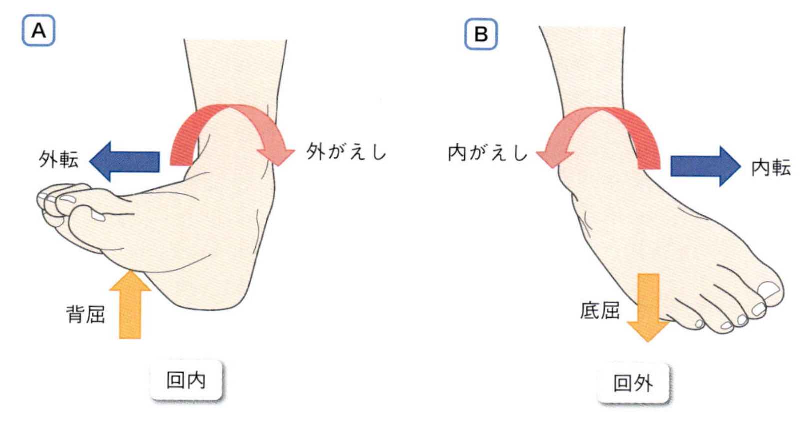

図6-36　足関節，足部での基本的な運動

足関節および足部では，両者の複合運動が生じる．足底が外方を向く回内は背屈・外転・外がえしの，足底が内方を向く回外は底屈・内転・内がえしの組合せ運動である．

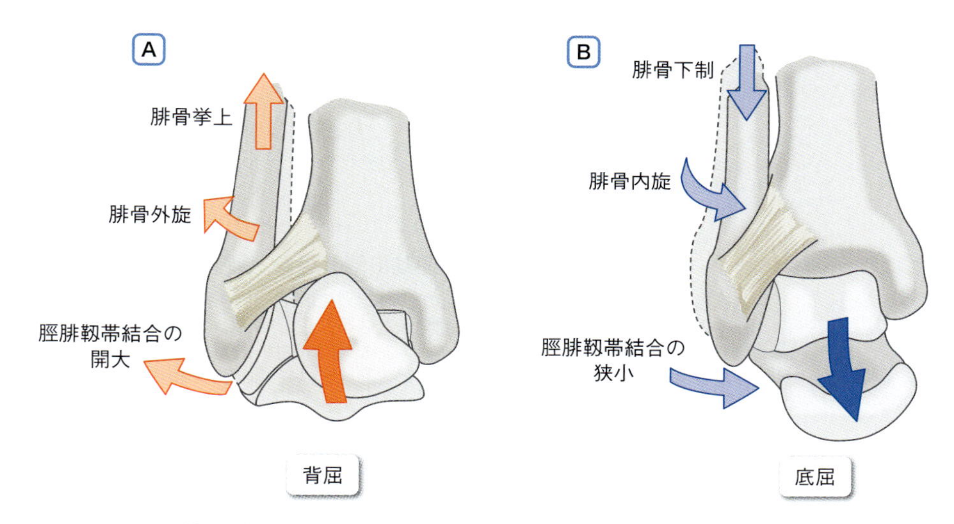

図6-37　足関節運動時にみられる腓骨の変位

底屈位から背屈運動を行った場合，距骨滑車が果間関節窩に押し込まれて，脛腓靱帯結合は開大する．さらには，わずかながら腓骨は挙上・外旋を伴う．一方，底屈運動を行った場合には，その逆の運動が生じる．この運動は，中枢に位置する脛腓関節にも多少の影響を及ぼす．文献15をもとに作成．

- 顆状関節である距骨下関節の運動自由度は2であり，外転を伴った外がえしと内転を伴った内がえしが生じる．しかし，外転－内転の可動性はごくわずかであり，主たる運動は外がえし－内がえしである．足関節および足部が回内をした場合，踵骨が外がえし位になるために骨性の安定性が高まる．反対に回外をした場合には踵骨が内がえし位になるため，関節としては不安定になる．
- 距踵舟関節の運動は，踵立方関節と連動して生じる．回内－回外が生じるものの，その可動性はあまり大きくない．足関節および足部が全体的に回内位となった場合には，踵骨の前方部が距骨頭と平行な位置関係となり，可動性の高い足部が形成され足のアーチは低くなる．一方で回外位となった場合には，踵骨の前方部に対して距骨頭が垂直に位置するため，剛性の高い足部を形成し足のアーチは高くなる（図6-38）．

- 距骨下関節が回内を行う場合には，距腿関節とともに安定性を高めているが，遠位部に位置する横足根関節では自由度が増大する．このことは，歩行時に後足部から中足部に荷重が移行する時期の衝撃吸収に作用する．その後，前足部に荷重がなされると足部では回外が生じるが，このときの横足根関節は高い安定性を得ることになる．
- 足根中足関節を中心とした中足部における関節運動は，関節面の滑りを中心としたわずかなものである．これらの複合運動の結果として，回内－回外が生じる．なかでも，第2足根中足関節は横アーチのキーストーンによる関節になるため，その運動は著しく少ない．
- 足趾の運動には，中足趾節関節と趾節間関節が関与する．球関節に分類される中足趾節関節の運動自由度は3であるが，主な運動は屈曲－伸展である．また，蝶番関節である趾節間関節の運動自由度は1であり，屈曲－伸展のみがみられる．基本構造は手指と同様であるが，その運動は著しく少ない．

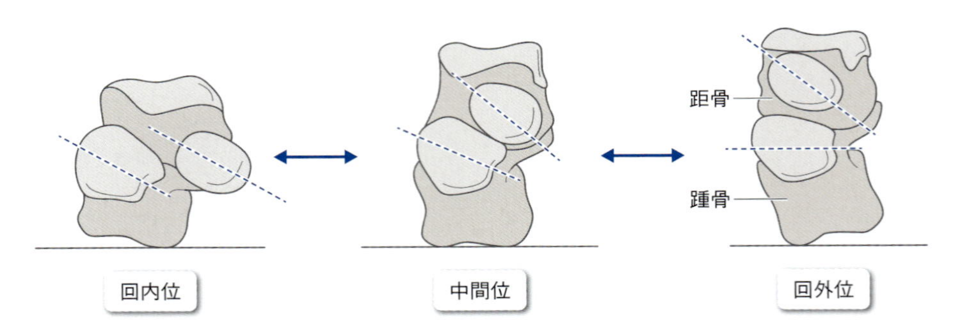

図6-38　足関節および足部の運動に伴う距骨・踵骨の変位

右横足根関節の近位関節面を，前面からみた図を示す．足関節および足部が回内位となった場合には，踵骨の前方部が距骨頭と平行な位置関係となる．このとき，可動性の高い足部が形成される反面，足のアーチは低下する．一方，回外位となった場合には，踵骨の前方部に対して距骨頭が垂直に位置するため，剛性の高い足部が形成されて足のアーチは高くなる．文献16をもとに作成．

- 手の筋と同様，足に作用する筋も足外在筋と足内在筋に大別される．**足外在筋**は，大腿骨または下腿に起始を有し，足の骨に停止を有する．これらの足外在筋は，同じ神経から支配を受ける筋が，下腿に存在する4つの区画（コンパートメント）に分かれて存在する．
- 足関節部では，下腿筋膜が肥厚して足外在筋の腱を覆う支帯が発達している（図6-39）．前区画に含まれる伸筋群の腱を保持する**上伸筋支帯**と**下伸筋支帯**，外側区画に含まれる腓骨筋群の腱を保持する**上腓骨筋支帯**と**下腓骨筋支帯**がある．さらには，深後区画に含まれる屈筋群の腱を保持する**屈筋支帯**があり，内果後方では**足根管**を形成する．支帯の作用は，腱を固定することで，筋収縮の効率を高めることにある．
- **足内在筋**は，足の骨に起始と停止を有し，足背と足底に位置する．足背の筋は，短母趾伸筋と短趾伸筋のみである．一方の足底の筋には，**母趾球筋**（母趾外転筋，短母趾屈筋，母趾内転筋），**小趾球筋**（短小趾屈筋，小趾外転筋），**中足筋**（短趾屈筋，足底方形筋，掌側・背側骨間筋，虫様筋）がある．
- 前述した足のアーチの支持には，足外在筋，足内在筋がともに影響を及ぼす．内側縦アーチには，前・後脛骨筋や長腓骨筋などの足外在筋，母趾外転筋などの足内在筋，さらには足底腱膜が大きく関与する．また，外側縦アーチには長・短腓骨筋，小趾外転筋が，横アーチには長腓骨筋や後脛骨筋，母趾内転筋が関与する．

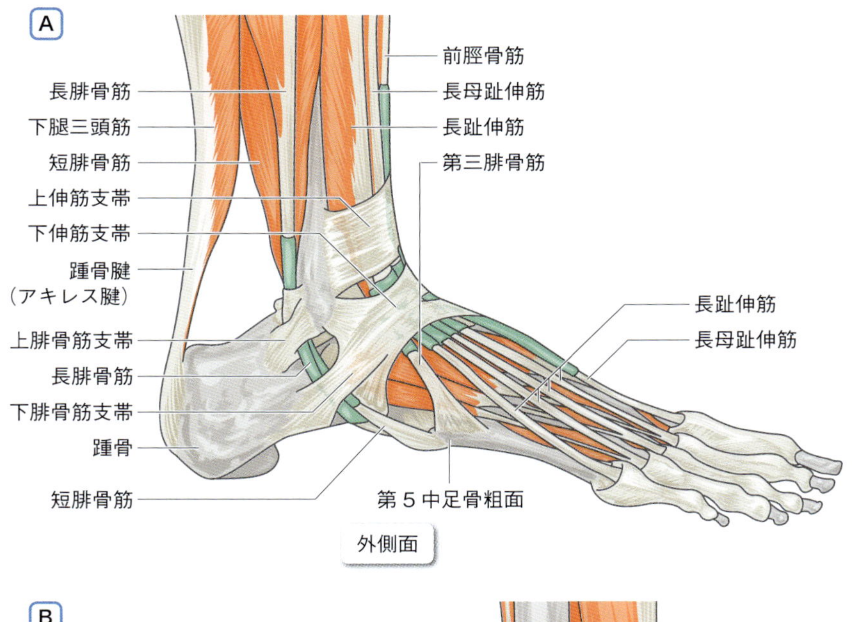

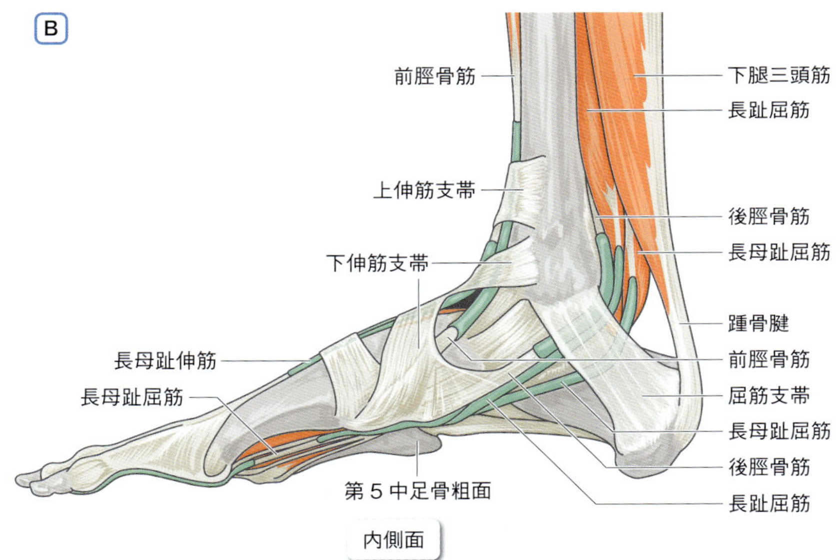

図6-39　足関節部にみられる支帯

足関節部には，腱を固定することで筋収縮の効率を高めるための支帯が存在し，足外在筋の腱を覆う．伸筋群の腱を保持する上伸筋支帯と下伸筋支帯，腓骨筋群の腱を保持する上腓骨筋支帯と下腓骨筋支帯，屈筋群の腱を保持する屈筋支帯がある．緑色の部分は，滑液鞘を示す．文献４をもとに作成．

- 下腿筋膜の浅葉は足底全面を覆うが，その中央部は強靭な縦走線維をなす．これを**足底腱膜**と称する．踵骨隆起の内・外側結節から起こり，第１～５趾に至り屈筋腱の腱鞘および中足趾節関節に終わる．足趾の関節が伸展すると足底腱膜が緊張して，足のアーチの剛性は高まる．この一連の構造を，**ウィンドラス機構**あるいは**巻き上げ機構**という（図6-40B）．

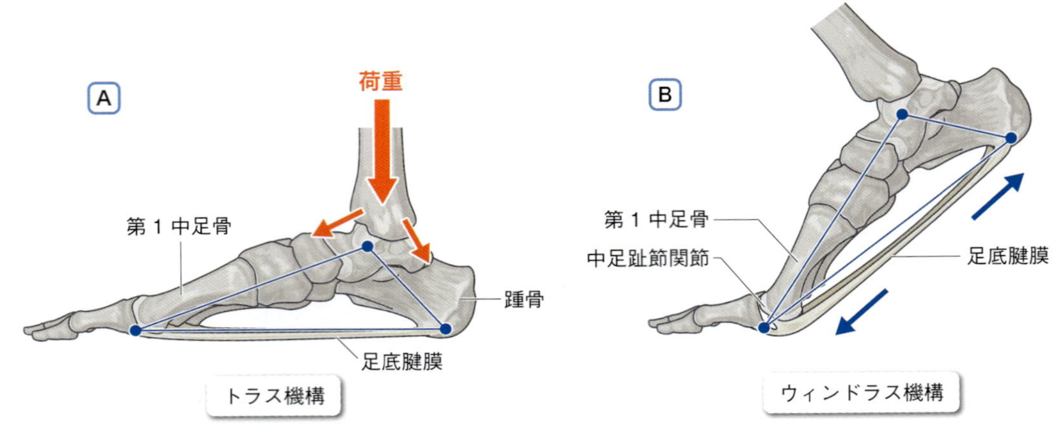

図6-40　トラス機構とウィンドラス機構

足部に荷重が生じると，足のアーチは低下する．このとき，足底全面下腿筋膜の浅葉である足底腱膜，足部の筋や靭帯に受動張力が生じると，弾性力が産生されて衝撃吸収を行う．この機構をトラス機構という．一方，足趾の関節が伸展すると足底腱膜は緊張し，足のアーチの剛性は高まる．これをウィンドラス機構という．これらの機構は，歩行時に大きく機能を発揮する．文献17をもとに作成．

- 足のアーチの保持には，複数の筋や靭帯が寄与する．歩行をはじめとする運動により足部に荷重がなされると，足根骨間には滑り運動が生じ，足のアーチは低下する．このとき，筋や靭帯，さらには足底腱膜の受動張力が弾性力を産生し，衝撃吸収を行う．この機構を**トラス機構**という（図6-40A）．

臨床で重要！

内反捻挫

足関節捻挫では，足関節・足部が強制回外することで生じる内反捻挫が多くみられる．回外位になると，距腿・距骨下関節の可動性が大きくなり不安定となる．この際，外側側副靭帯が主たる制動要素となるが，降伏応力を超えると靭帯は断裂する．この内反捻挫による靭帯損傷は前距腓靭帯に多いが，重度捻挫症例では距骨下関節の安定性に重要な骨間距踵靭帯にも損傷を伴うことがある．

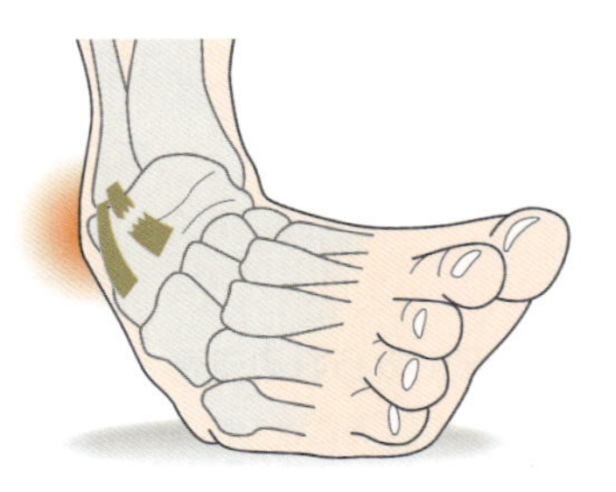

図6-41　内反捻挫による靭帯損傷

Let'sTry 足部の向きを変えて荷重をして足アーチの変化を体感してみよう

立位で一歩足を前に出して荷重をさせて，足部の安定性を体感してみよう．まずは，体の正面に第2趾を向けて立ち，その指先の直上に膝関節が位置するようにして荷重をかけてみる（A）．次に体の正面に母趾を向けて荷重すると，回内位となり足アーチが低下する（B）．さらには，体の正面に第3趾を向けて荷重すると，回外位となり足アーチが高くなる（C）．最後に，体の正面に第2趾を向けた荷重を再度行ってみると，最も足関節・足部の安定がよいことを実感できる．

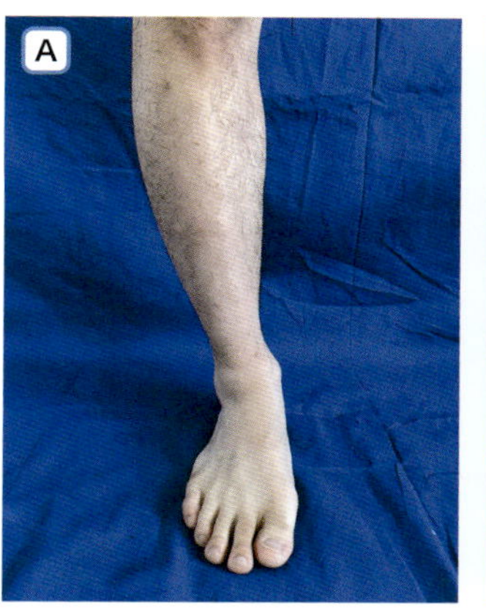

第2趾荷重

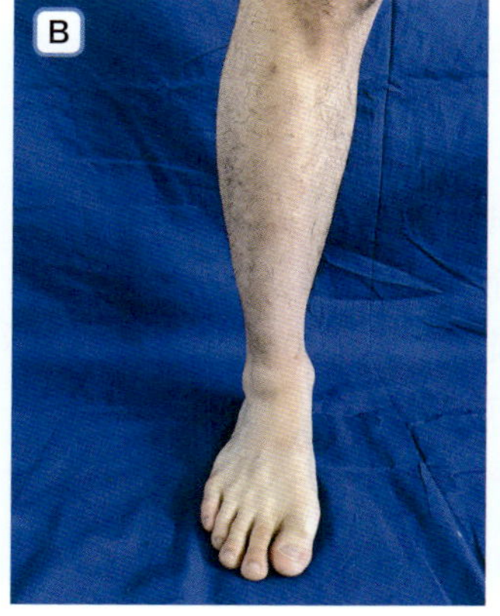

母趾荷重

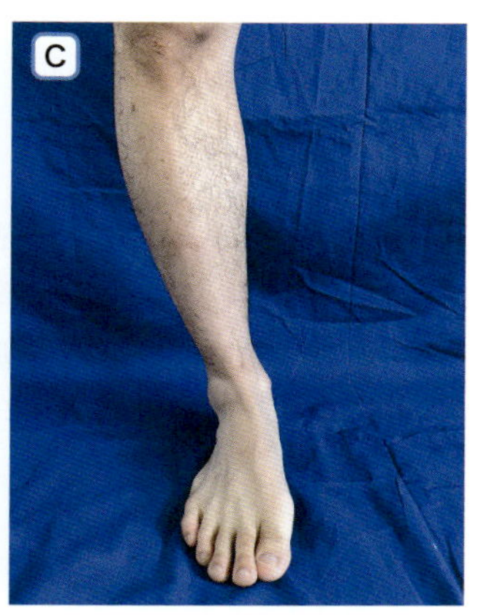

第3趾荷重

図6-42　荷重時にみられる足アーチの変化

文献

1）「標準解剖学」（坂井建雄/著），医学書院，2017
2）「標準整形外科学 第13版」（中村利孝，松野丈夫/監，井樋栄二，他/編），医学書院，2017
3）「股関節理学療法マネジメント」（永井 聡，対馬栄輝/編），メジカルビュー社，2018
4）「プロメテウス解剖学アトラス　解剖学総論/運動器系 第3版」（坂井建雄，松村讓兒/監訳），医学書院，2017
5）「膝関節・大腿 最新整形外科学大系 第17巻」（越智光夫/専門編集），中山書店，2006
6）「運動療法のための 機能解剖学的触診技術 下肢・体幹 改訂第2版」（青木隆明/監，林 典雄/著），メジカルビュー社，2012
7）「Gray's anatomy」（Gray H），Lea & Febiger，1974
8）Nakagawa S，et al：J Bone Joint Surg Br，82：1199-1200，2000
9）「新ブラッシュアップ理学療法―新たな技術を創造する臨床家88の挑戦」（福井 勉/編），ヒューマン・プレス，2017
10）「整形外科痛みへのアプローチ 2．膝と大腿部の痛み」（鳥巣岳彦/編，寺山和雄，片岡 治/監），南江堂，1996
11）「オーチスのキネシオロジー 身体運動の力学と病態力学 原著第2版」（山﨑 敦，他/監訳），ラウンドフラット，2012
12）「筋骨格系のキネシオロジー 原著第3版」（Andrew PD，他/監訳），医歯薬出版，2018
13）「運動器疾患の「なぜ？」がわかる臨床解剖学」（工藤慎太郎/編著），医学書院，2012
14）「日本人体解剖学 上巻（骨格系・筋系・神経系）改訂19版」（金子丑之助/原著，金子勝治，穐田真澄/改訂），南山堂，2000
15）「カラー版 カパンジー機能解剖学 原著第6版 II 下肢」（塩田悦仁/訳），医歯薬出版，2010
16）「結果の出せる整形外科理学療法」（山口光國，他/著），メジカルビュー社，2009
17）「病気がみえる vol. 11 運動器・整形外科」（医療情報科学研究所/編），メディックメディア，2017

第7章

姿勢

学習のポイント

- 体位と構えの違いを説明できる
- 安定性と可動性の関係性を説明できる
- 基本的立位肢位での理想的アライメントを説明できる
- 抗重力筋について説明できる

1 体位と構え

- 運動学における**姿勢**は，身体の構えを意味する．第1章 1 で述べたように，身体が重力の方向とどのような関係にあるかを示すものを**体位**という．主な体位としては，背臥位，腹臥位，側臥位，座位，長座位，立位がある（⇨図1-2）．
- 空間における身体各部の位置を表現する場合，あるいは関節運動を表現する場合には，共通の認識が必要となる．運動学では，身体各部の相対的位置関係を**構え**という．前述の基本的立位肢位（⇨図1-1B）を基準として，記述されることになる．具体例は，図1-7を参照していただきたい．
- 体位と構えを示すことによって，姿勢や運動を表現することができる．運動は，姿勢が経時的に変化したものである．したがって，動作中であってもある瞬間の姿勢を切り出すことは可能である（連写で撮った写真のイメージ）．これを**動的姿勢**という．一方で，動作の開始時や終了時のように静止している姿勢も存在する．これを**静的姿勢**という．

2 安定性と可動性

- 第1章の重心の項（⇨p.21）で「安定性」という語句を使用した．**安定性**とは，落ち着いている状態を維持することが可能な能力，つまり平衡状態からの変化に対する抵抗能となる．さらには，平衡状態がわずかに乱れた場合に，元の状態に戻すことが可能な能力も含まれる．
- 力学的にみた場合，**可動性**は安定性の対義語であり，その類義語には移動性がある．文字どおり，動かすことが可能な能力を意味するが，平衡状態を乱す能力とも考えられる．安定性が高い状況では可動性が低いために，平衡状態を乱すことが困難となる．一方で不安定な状況は，可動性の高いことを意味する．身体動作においては，静的・動的姿勢を変動しやすい，あるいは変化させやすい状況となる．

- 物体の重量，重心の高さ，支持基底面の広さ，重心線の位置，接触部の摩擦などが，安定性，あるいは可動性を大きく左右する．その関係性を図7-1に示す．これ以外には，中枢神経や感覚器が関与する生理的因子，心理的因子がある．生理的因子としては視覚情報の影響が大きく，一般には閉眼より開眼で安定性は高い．
- 次項ではヒトの姿勢について記述するが，よい姿勢は一概に安定性が高い姿勢というわけではない．安定性が高い姿勢では，姿勢を変えることが困難なことになる．

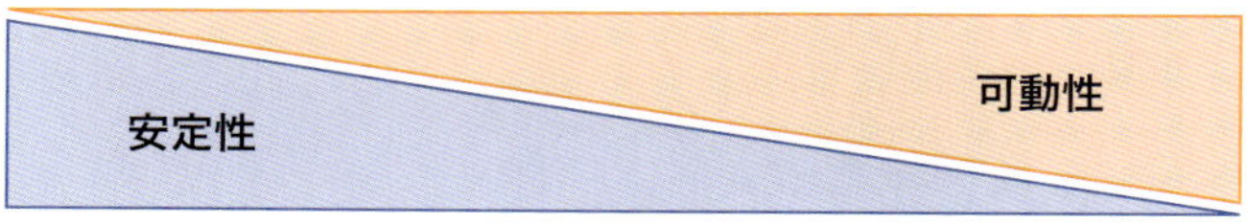

安定性		可動性
重い	物体の重量	軽い
低い	重心の高さ	高い
広い	支持基底面の広さ	狭い
BOS の中心に近い	重心線の位置	BOS の中心から遠い
摩擦抵抗が大きい	接触部の摩擦	摩擦抵抗が小さい

図7-1　安定性・可動性に影響を与える因子

安定性と可動性はトレードオフの関係（例：安定性が高い状況では可動性が低い）にあるが，姿勢や動作によってその重みづけは大きく変化する．ここに示したもの以外の因子として，中枢神経や感覚器が関与する生理的因子，心理的因子がある．なお図中のBOS（Base of support）は，支持基底面を意味する．

3 ヒトの姿勢

- ヒトの主な体位には，臥位，座位，立位がある（⇨図1-2）．これらの体位は，静的姿勢として捉えられる．本項では立位を中心に，運動学的さらには運動力学的解釈を行う．
- 基本的立位肢位における成人の**身体重心**は，骨盤内に位置する．より詳しくみると第2仙椎の前方にあって，足底から計測するとおおむね身長の55～56％の高さに位置する．しかし，頭部を中心とした上半身の重量が大きな小児では，身体重心の位置が相対的に高くなる．また，体格や体型，姿勢によって異なる．
- 姿勢の評価を行う際，**アライメント**という語句が使用される．本来の意味は，一列に並べること，整列，配列などであるが，運動学では体節相互の位置関係を意味する．姿勢評価においては，身体各部の解剖学的指標であるランドマークの空間的位置を視診や触診で確認する．一方，アライメントが不良な状況は，**マルアライメント**と称される．
- 基本的立位肢位の理想的アライメントでは，重力によって生じる各関節の外部モーメントが最小な姿勢においてみられる．図7-2に示すのは，前額面および矢状面からみた基本的立位肢位の理想的アライメントである．この図に示すランドマークは，重心線に一致している．
- 重心線が関節中心を通過するとき，モーメントアームがゼロになるため，外部モーメントはゼロとなる．基本的立位肢位では外部モーメントが小さいため，各関節において産生される内

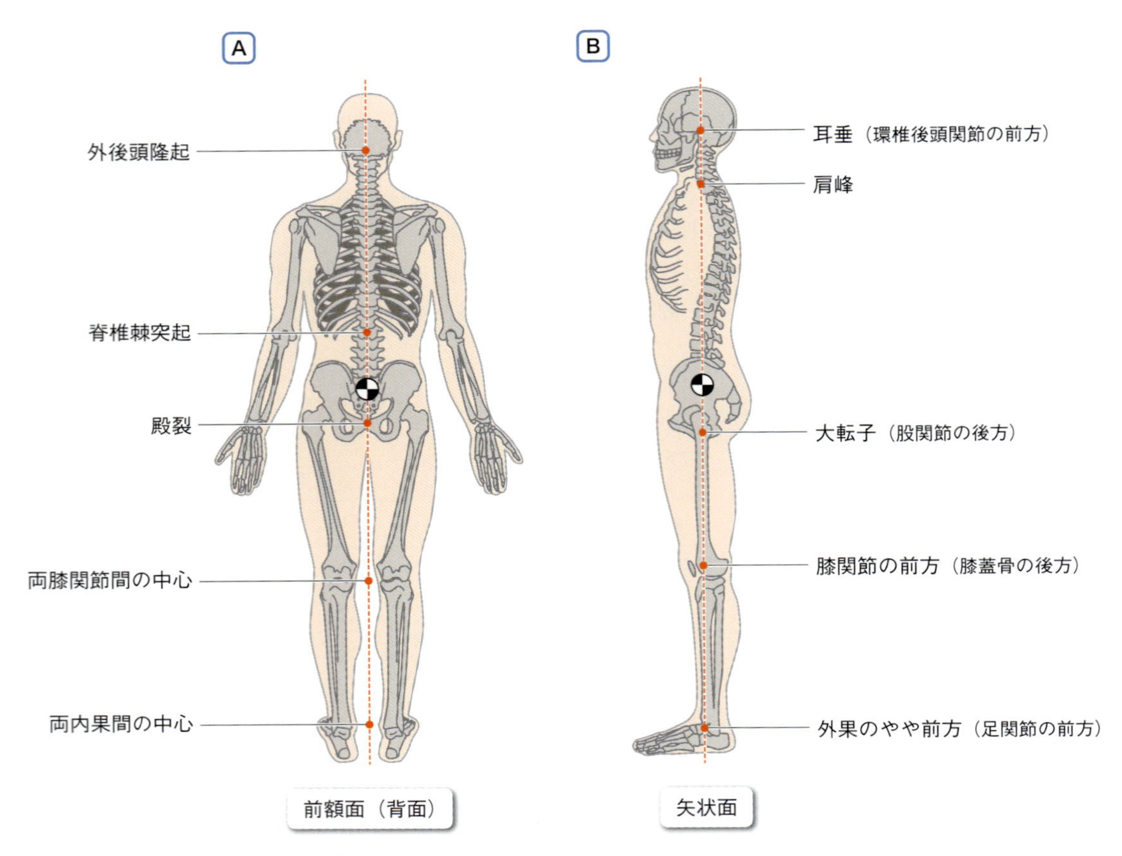

図7-2　基本的立位肢位の理想的アライメント
基本的立位肢位の理想的アライメントでは，図に示すランドマークが重心線に一致する．文献1をもとに作成．

部モーメントも小さくて済む．内部モーメント産生に関与する内力は，関節包や靱帯の張力，そして何より筋収縮力が不可欠となる．ただし，理想的アライメントにおいては，全体的にみて筋活動が最低限となる．

- 立位は抗重力姿勢であるため，重力が外力として作用する．これに対する内力は，関節包や靱帯，筋によって産生される．基本的立位肢位では，下肢や体軸骨格の筋が持続的に収縮する．重力に抗して立位姿勢を保持するために作用する筋群を**抗重力筋**という（図7-3）．理想的アライメントにある場合，筋収縮による消費エネルギーは極力少ないものとなる．
- 抗重力筋のうち，特に活動性が高い頸部筋群，脊柱起立筋，ハムストリングス，ヒラメ筋は，**主要姿勢筋群**と称される．このうち，足関節の底屈筋であるヒラメ筋には，持続的収縮が求められる．矢状面における重心線は，足関節の前方を通過するため，外部背屈モーメントが身体に作用する．これに抗するために，遅筋線維が豊富な単関節筋であるヒラメ筋の活動が必要とされる．

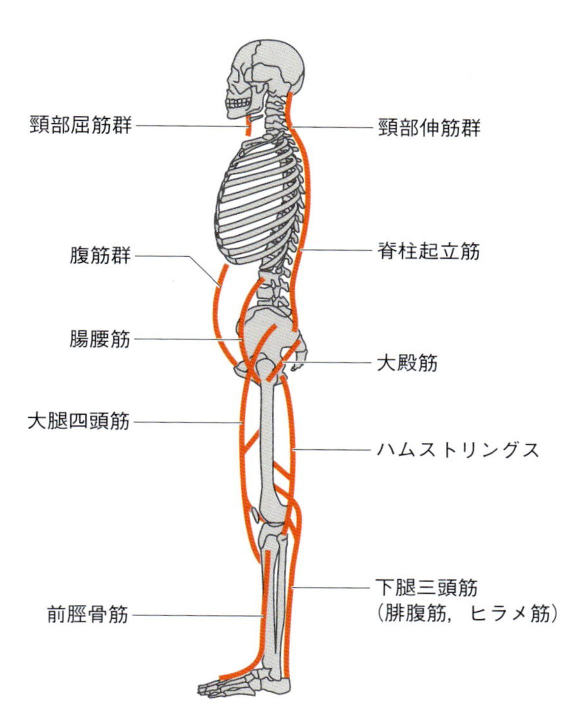

図7-3　抗重力筋

立位姿勢においては，重力が外力として作用する．これに抗して作用し，姿勢を保持するために活動する筋群を抗重力筋という．腹側（前面）の筋群と背側（後面）の筋群に大別される．文献1をもとに作成．

Let'sTry　立位姿勢の安定性の変化を体験しよう

課題1：開眼で両足を揃えた立位状態から閉眼にすると，身体の動揺が増加する（片脚立位ではより顕著）．この動揺の変化は視覚の影響を反映している．

課題2：開眼で両足を揃えた立位状態から，両足を前後に揃えた立位にすると，左右方向の動揺が増加する．支持基底面はほぼ同一であるが，重心線が支持基底面の中心から辺縁に近づくため側方への動揺が増加する．

表7-1　2つの課題の条件

	課題1	課題2
一定にする条件	支持基底面	視覚条件：開眼
変化させる条件	開眼 → 閉眼	足の内側縁を揃える → 足を前後に揃える

ファンクショナルリーチテスト

壁に触れない位置で，足を肩幅に広げて立ち，一側の肩関節を90°屈曲位にする．この肢位から，体幹を回旋させずにできるだけ腕を前方に伸ばし，水平移動距離を計測する．この距離は，立位において重心を前方に移動できる能力を反映するため，転倒危険性のスクリーニングに使用される．日本語では機能的上肢到達検査と訳される．

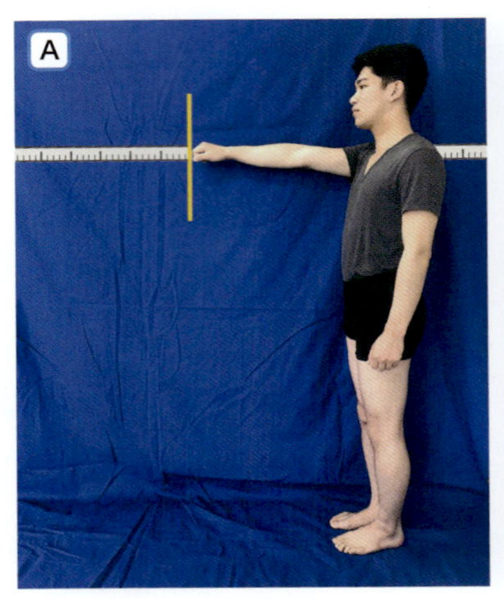

図7-4　テストの実際

文献2をもとに作成．

■ **文献**

1）「臨床運動学 第3版」（中村隆一/編著，齋藤 宏，長崎 浩/著），医歯薬出版，2002

2）「臨床評価指標入門－適用と解釈のポイント」（内山 靖，他/編），協同医書出版社，2003

第8章

正常歩行

学習のポイント

- 正常歩行における距離因子と時間因子を説明できる
- 歩行周期の相・期を説明できる
- 立脚相にみられるロッカー機能について説明できる
- 正常歩行時にみられる関節運動，筋活動について説明できる

1 歩行周期

1）歩行の概要

- 二足歩行は，足部を床面と接地して直立位を保持しつつ，左右の下肢を交互に振り出す連続した運動によって，身体を移動させる動作である．機能的にみた場合，歩行時の身体は2つのユニットに区分される．歩行のメカニズムを発生させる能動的な部位は両下肢と骨盤からなり，**ロコモーターユニット**と称される．その上に載っている頭・頸部，体幹および両上肢で構成される受動的な部分を**パッセンジャーユニット**という．なお身体重心が位置する骨盤は，パッセンジャーユニットの底部をなすため，両ユニットに含まれる（図8-1）．
- 歩行は，ロコモーターユニットによる周期的運動によって成立する移動動作であるため，**歩行周期**として捉えられる．一側の踵（かかと）が接地した後に対側の踵が接地するまでの動作を**1歩**という．これに対して，一側の踵が接地した後に再び同側の踵が接地するまでの動作を**重複歩**という．この2歩の歩行動作は1歩行周期と称されるが，ここには距離因子と時間因子が包括される．

2）距離因子と時間因子

- 歩行の距離因子としては，歩幅，重複歩距離，歩隔，足角がある（図8-2）．ステップ長とも称される**歩幅**は1歩に要した距離，ストライド長とも称される**重複歩距離**は1歩行周期（重複歩）に要した距離を示す．また，連続して接地する左右の踵中央間の側方距離を**歩隔**といい，歩行時の支持基底面に大きく影響する．一方，身体の進行方向と足部長軸（踵と第2趾を結んだ線）がなす角度を**足角**という．
- 歩行の時間因子としては，歩行速度，歩行率，ステップ時間，ストライド時間がある．**歩行速度**は単位時間あたりの移動距離を意味し，自然な歩行（自由歩行）では80～85 m/分である．単位時間内の歩数（歩数/分）を**歩行率**というが，**ケイデンス**と称されることが多い．

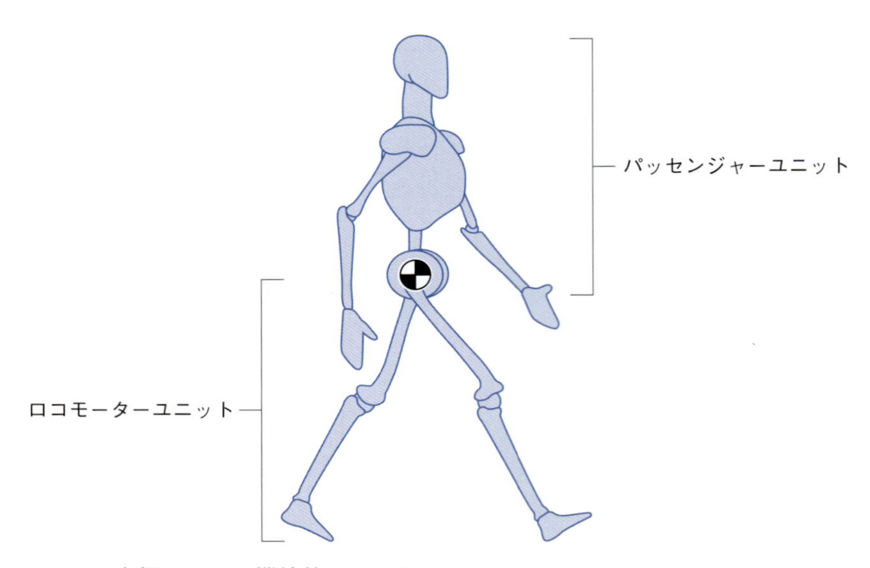

図8-1　歩行における機能的ユニット

歩行時の身体は，機能的にみて2つのユニットに区分される．両下肢と骨盤からなる部分をロコモーターユニット，頭・頸部，体幹および両上肢からなる部分をパッセンジャーユニットという．骨盤は両ユニットに含まれる．

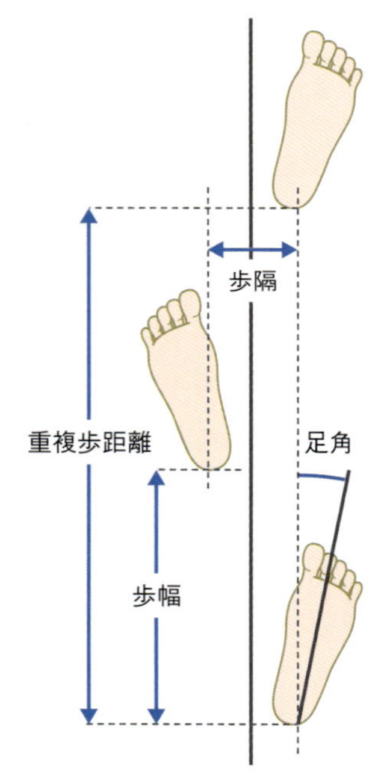

図8-2　歩行の距離因子

歩幅や重複歩距離は，下肢長や歩行速度によって大きく変化する．自然な歩行での重複歩距離は，身長の約80～90％である．また，歩隔は8～10 cm程度，足角は5～7°といわれるが，体格や意識によって大きく変化する．

自然な歩行における成人のケイデンスは110～120歩/分である．また，1歩に要した時間を**ステップ時間**，1歩行周期（重複歩）に要した時間を**ストライド時間**という．

- 一般的に歩幅，重複歩距離や歩行速度は女性より男性が，ケイデンスは男性より女性が高値を示すとされるが，体格（主に下肢長）や動作時の意識によって大きく変化する．また，小児や高齢者では歩幅，重複歩距離が成人に比して短いため，歩行速度は遅くなる．

3）歩行周期の区分

- 歩行周期は，足部が床面と接地している**立脚相**と，接していない**遊脚相**に大別される．前述のように，歩行の時間因子は人によってさまざまであるため，1歩行周期（重複歩）を100％として表現することが一般的である．自然な歩行では立脚相が約60％，遊脚相が約40％を占める（図8-3）．
- 1歩行周期に着目すると，両足部が床面と接地している時相が，立脚相と遊脚相との移行期に2回みられる．これを**両脚支持期**，あるいは**同時定着時期**といい，1歩行周期では10％ずつが2回あり，計20％を占める（図8-3）．歩行速度が増大すると，両脚支持期および立脚相の比率が減少する．なお，両脚支持期が存在しない場合には走行と称する．
- 立脚相は5つの期に，遊脚相は3つの期に細分される（図8-3）．ただし，初期接地はごく短時間であるため，図8-3で示す際には荷重応答期に含まれている．初期接地と荷重応答期が最初の両脚支持期であり，前遊脚期が2回目の両脚支持期に相当する．したがって，立脚中期と立脚終期は**単脚支持期**となる．
- 一側の下肢が単脚支持期であるとき，対側の下肢は遊脚相となる．下肢を振り出す運動が生じる遊脚相のうち，遊脚初期は加速期，遊脚終期は減速期を意味する．
- 3つの基本的課題（荷重の受け継ぎ，単下肢支持，遊脚下肢の前進）の観点から，歩行周期の概説を行う．荷重の受け継ぎは，**初期接地**と**荷重応答期**によってなされる（1歩行周期の約10％）．足部における**トラス機構**（⇨図6-40）を作用させ，下肢関節でも衝撃吸収を行いつつ，体重支持の準備がなされる．このときの対側下肢は，前遊脚期にある．
- 単下肢支持は，**立脚中期**と**立脚終期**によってなされる（1歩行周期の約40％）．一側の下肢

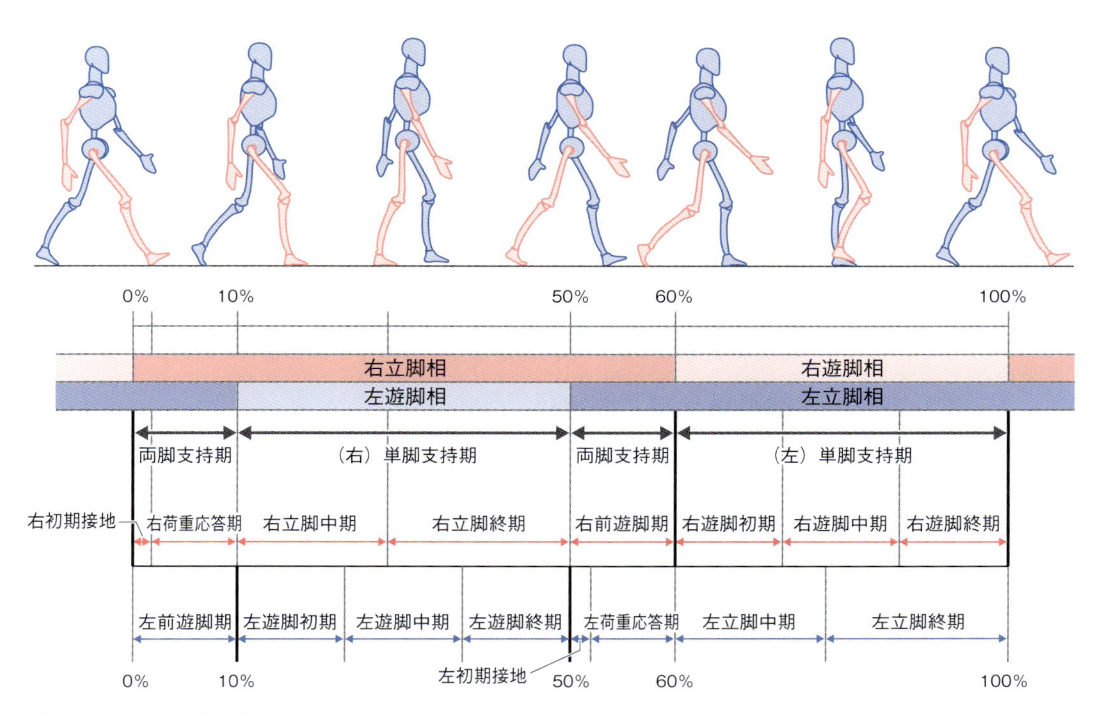

図8-3 歩行周期の概略

観察肢を右側とした図を示す．自然な歩行では立脚相が約60％，遊脚相が約40％を占める．両脚支持期（同時定着時期）は，1歩行周期に2回みられる．立脚相と遊脚相との移行期において，それぞれで約10％を占める．

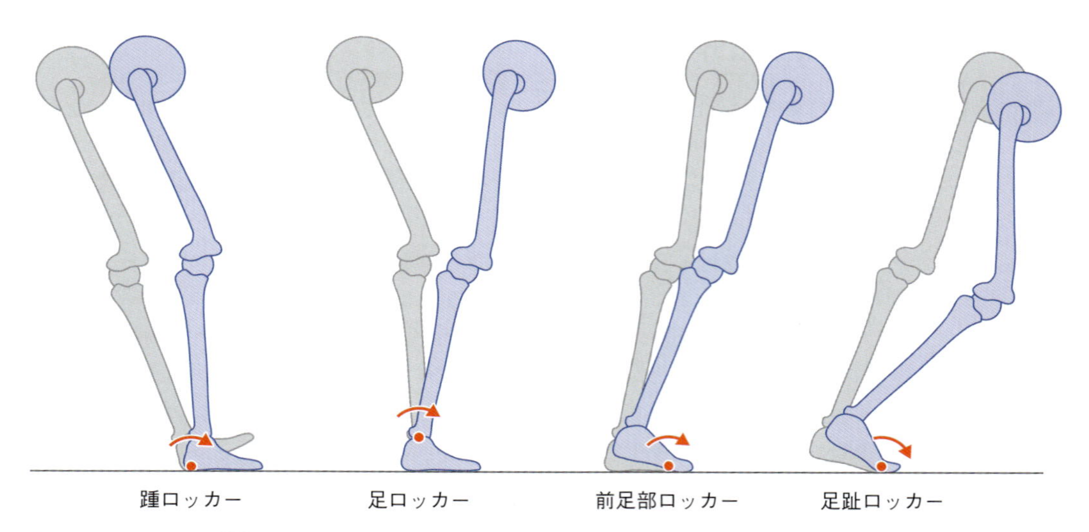

図 8-4　ロッカー機能

立脚相において，踵部，足関節，前足部，足趾が連続的に支点となり，回転運動が生じる．このロッカー機能により，身体を安定させつつも滑らかに前進させることが可能となる．

で体重を支持しつつ，パッセンジャーユニットを前進させることがその目的となる．このときの対側下肢は，遊脚相にある．

- 遊脚下肢の前進は，**前遊脚期**（1 歩行周期の約 10 %）とそれに続く遊脚相（1 歩行周期の約 40 %）である**遊脚初期**，**遊脚中期**，**遊脚終期**によってなされる．立脚相の終わりから下肢を前進させて床面との空間（クリアランス）を獲得しつつ，下肢を前方に振り出すことが目的である．なお，前遊脚期では**ウィンドラス機構**（⇨図 6-40）が作用し，足のアーチの剛性を高めている．
- 立脚相では，パッセンジャーユニットを前方へと移動させるために，足関節および足部を支点とした回転運動がみられる．これを**ロッカー機能**といい，4 つに区分される（図 8-4）．経時的にみると，踵部，足関節，前足部，足趾が連続的に支点を形成する．
- 立脚相の初期には，床面と接する踵骨隆起の表面を支点とした**踵ロッカー**がみられ，足底全体が床面に接する．また，足底が床面と接地した後の単脚支持期には，足関節を支点として下肢全体が前進するが，これを**足ロッカー**という．その後の前遊脚期では，中足骨頭の表面を支点とした**前足部ロッカー**と，前足部内側と母趾を支点とした**足趾ロッカー**がみられる．

4）正常歩行時の身体重心の変位

- 成人の正常歩行時の身体重心（COG）は，基本的立位肢位と同様，骨盤内に存在することがうかがえる．両脚支持期－単脚支持期－両脚支持期をくり返し行う歩行においては，COG を前方に移動させる動作のなかで，上下，左右の変位が伴う．歩行時にみられる COG の変位は正弦曲線に類似しており，その観察には頭部の軌跡が利用されることが多い．
- COG の変位量としては，上下，左右ともに約 4 〜 5 cm である（図 8-5）．COG が最も高いのは単脚支持期（立脚中期，遊脚中期），最も低いのは両脚支持期（初期接地および荷重応答期，前遊脚期）である．一方，COG が最も左右に変位するのは単脚支持期（立脚中期，遊脚中期），左右の中央に位置するのは両脚支持期（初期接地および荷重応答期，前遊脚期）となる．

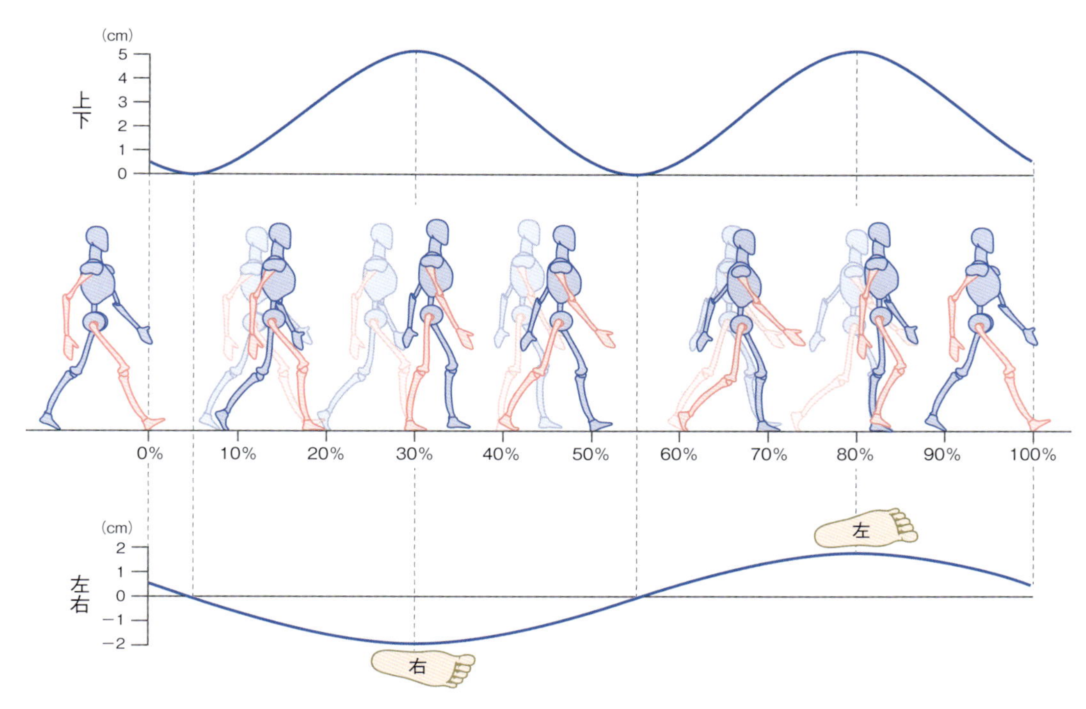

図8-5　正常歩行時の身体重心の移動

観察肢を右肢とした図を示す．単脚支持期にある立脚中期，遊脚中期ではCOGが最も高く，左右に変位している．これに対して両脚支持期にある初期接地および荷重応答期，前遊脚期ではCOGが最も低く，左右の中央に位置する．文献1〜3をもとに作成．

Let'sTry 歩行周期を確認してみよう

2人ペアになって実際に歩きながら，歩行周期の相・期を確認しよう．図8-3，8-4も参考にするとわかりやすい．

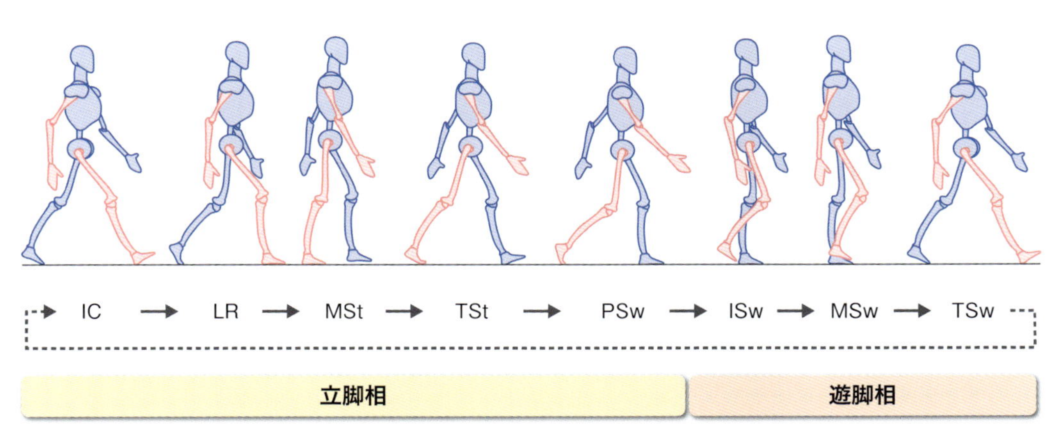

図8-6　歩行周期の機能的区分

下肢はピンクが観察肢，紺が対側肢を示す．次ページの表も参照．

表8-1　歩行周期の機能的区分

		主な目的	期の始まり
立脚相	初期接地（IC）	衝撃吸収の準備	観察肢の踵が接地した瞬間
	荷重応答期（LR）	足底全体の接地，衝撃吸収	観察肢の踵が接地したとき
	立脚中期（MSt）	下肢とパッセンジャーユニットの安定	対側肢の足先が離床した瞬間
	立脚終期（TSt）	パッセンジャーユニットの前進	観察肢の踵が離床した瞬間
	前遊脚期（PSw）	蹴り出し，遊脚相の準備	対側肢の踵が接地した瞬間
遊脚相	遊脚初期（ISw）	床面からの足部挙上	観察肢の足先が離床した瞬間
	遊脚中期（MSw）	下肢の前進	観察肢の足部が対側肢と並んだとき
	遊脚終期（TSw）	立脚相の準備（観察肢の減速）	観察肢の下腿が床面に対して垂直になったとき

2　1歩行周期中の関節運動

1）骨盤の運動

- 骨盤の運動は，厳密には寛骨の運動を意味する．この運動は，静止立位時の肢位（中間位）を基準として，絶対空間座標での変位で表現される．初期接地ではほぼ中間位にある骨盤は，後傾－前傾－後傾－前傾を行うが，その変位量は5°以内とわずかである（図8-7）．

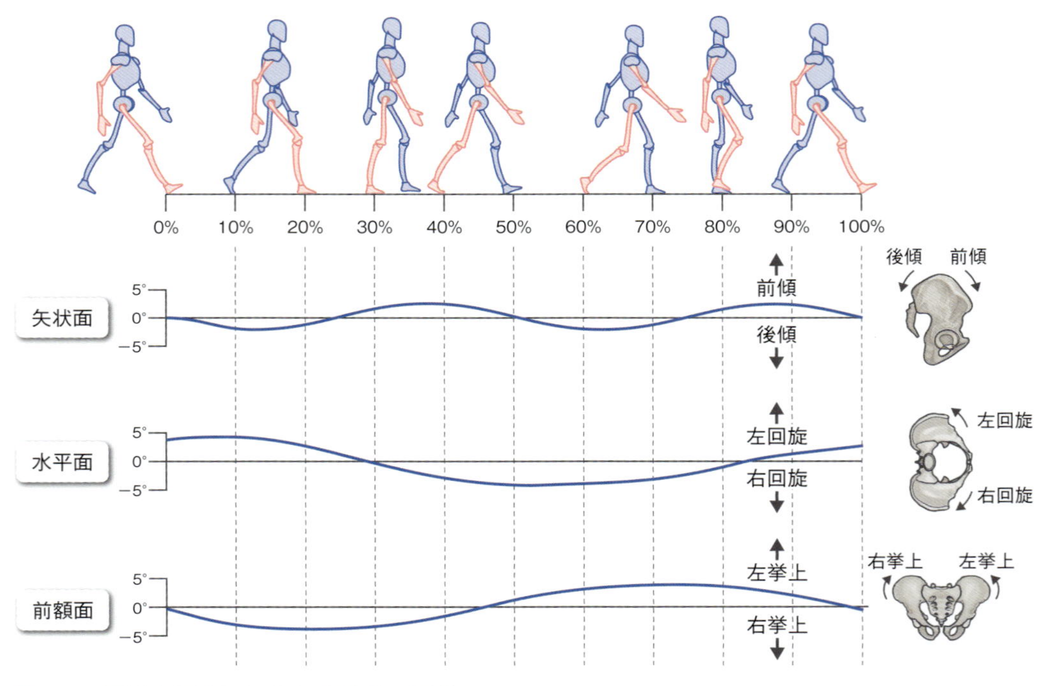

図8-7　正常歩行時にみられる骨盤の運動

一般に関節運動は，基準となる骨に対して他の骨がどのように変位したのかで表現する（相対空間座標での記載）．しかし骨盤の運動は，静止立位時における中間位を基準として，絶対空間座標での変位で表現する．

- 前額面では，初期接地においてほぼ中間位にある骨盤は，単脚支持期（立脚中期および立脚終期）に約5°挙上する（図8-7）．このとき，遊脚相にある対側の骨盤は約5°下制することになる．つまり，ごくわずかのトレンデレンブルグ徴候（⇨p.123）が生じているように考えるとよい．
- また，わずかながらの回旋運動が生じる（図8-7）．初期接地ではやや対側（遊脚側）への回旋位にあるが，その後同側（立脚側）への回旋運動が生じ，単脚支持期にはほぼ中間位となる．その後，さらに対側の初期接地まで同側への回旋運動が継続するが，前遊脚期になると対側への回旋が始まる．遊脚中期には再び中間位となり，初期接地まで対側への回旋を継続して次の歩行周期に移行する．

2）股関節の運動

- 矢状面における股関節の運動は，伸展－屈曲を1回ずつ行う（図8-8）．初期接地の股関節は約30°屈曲位にあるが，荷重応答期以降は伸展運動を行う．最大で約10°伸展位となるが，これをトレイリング姿勢という．前遊脚期に入ると屈曲運動を行い，遊脚相へと続く．遊脚中期でその角度は最大となり，その角度をほぼ維持したままで次の歩行周期に移行する．

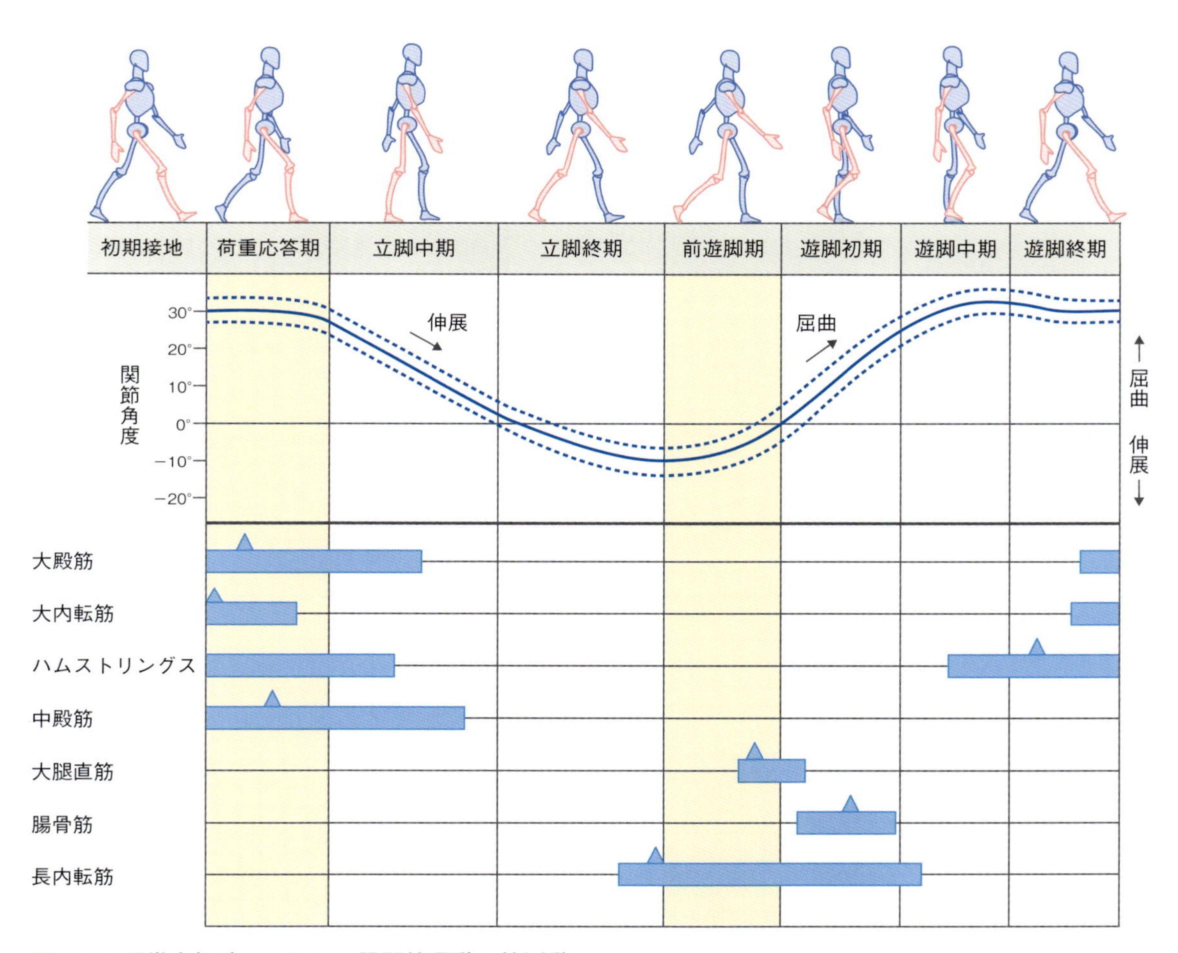

図8-8　正常歩行時にみられる股関節運動と筋活動

破線は個体差などによる範囲を，△は筋活動のピークを示す．文献4，5をもとに作成．

● 前述したように，前額面において骨盤は大腿骨に対して変位するため，骨盤の挙上は股関節の内転を，下制は外転を意味する．また水平面においても，初期接地から立脚終期において大腿骨上で骨盤が同側回旋を行うため，股関節としては内旋したことになる．前遊脚期以降では骨盤は対側回旋を行うため，股関節は外旋する．

3）膝関節の運動

● 矢状面における膝関節は，初期接地の直前（遊脚終期の終盤）より屈曲運動を開始し，立脚相初期の衝撃吸収を担う．その後の単脚支持期（立脚中期および立脚終期）ではパッセンジャーユニットを前上方へと変位させるために，伸展運動を行う．しかし立脚終期の後半では屈曲運動を開始し，股関節屈曲とも連動して遊脚相を形成する．そして遊脚中期以降では，次の歩行周期に備えて伸展運動を行う（図8-9）．この一連の運動を**二重膝作用**という．

● 前額面においては，膝関節が生理的に外反していること，さらには立脚相では床反力ベクトルが膝関節中心の内側を通るものの，その可動性はごくわずかに過ぎない．一方の水平面では，終末強制回旋運動（⇨図6-21）により屈曲運動には内旋が，伸展運動には外旋が生じるものの，その角度は小さい．

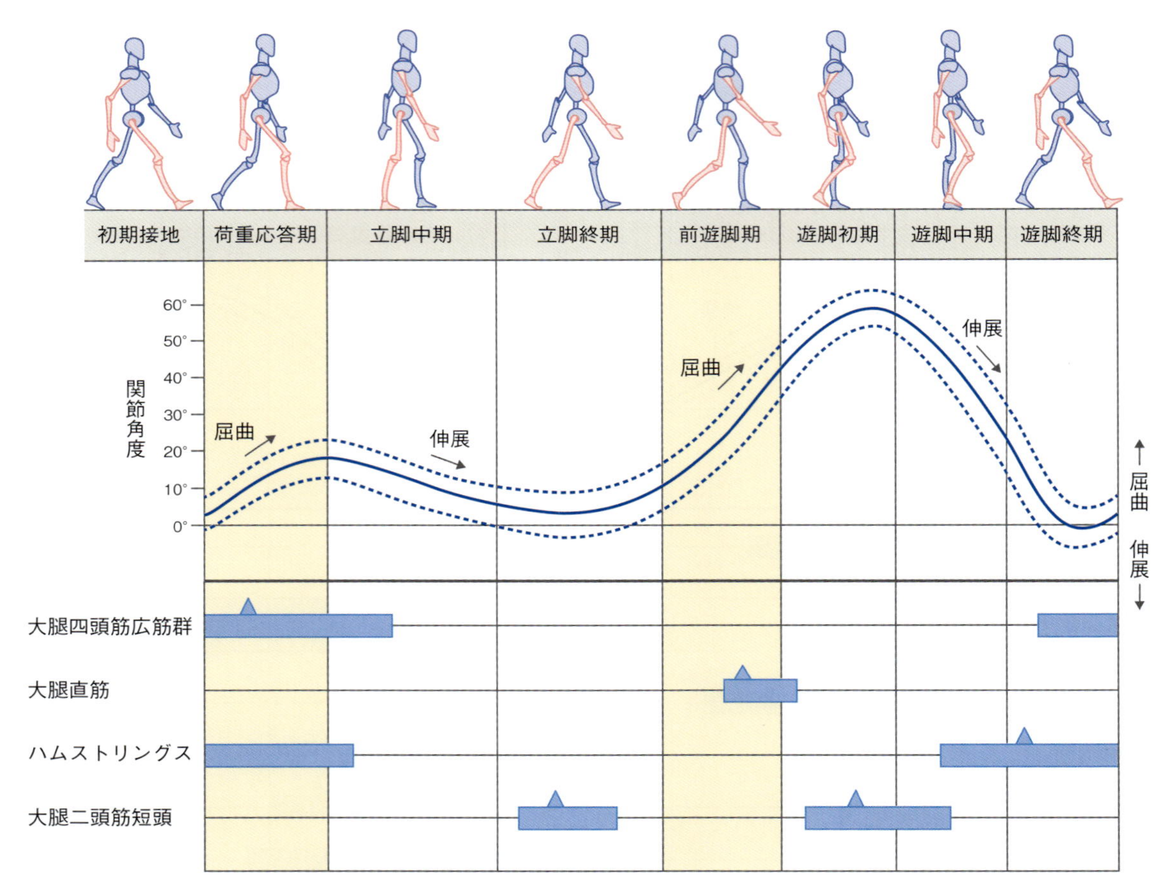

図8-9　正常歩行時にみられる膝関節運動と筋活動

破線は個体差などによる範囲を，▲は筋活動のピークを示す．文献4，5をもとに作成．

4）足関節の運動

- 足関節の運動は，足部と連動してみられる．矢状面における足関節の運動は，底屈－背屈を2回ずつ行う（図8-10）．初期接地の足関節はごくわずかに底屈位であるが，荷重応答期では踵ロッカーにより，底屈運動を行う．その後，単脚支持期（立脚中期および立脚終期）では足ロッカーにより背屈運動を行い，前遊脚期に入ると前足部ロッカーおよび足趾ロッカーと連動して底屈運動を行う．
- 遊脚相では再び背屈運動を行い，遊脚中期以降は足関節中間位を維持して，次の歩行周期に移行する．なお，立脚相の後半から生じる股・膝関節の屈曲運動，そして足関節の背屈運動により，床からの足部挙上がなされる．この一連の運動を**フットクリアランス**という．
- 立脚相における足部では，距骨下関節と横足根関節を中心とした運動がみられる．初期接地から立脚中期においては足部が回内運動を行う．このとき，距腿関節と距骨下関節は安定性を高めているが，横足根関節では自由度が増大し可動性の高い状態にある（⇨図6-38）．このとき，距骨頭は荷重に伴い下内側へと変位して，底側踵舟靱帯と接する．このことで足のアーチは低くなり，**トラス機構**を用いて衝撃吸収を行う（⇨図6-40）．

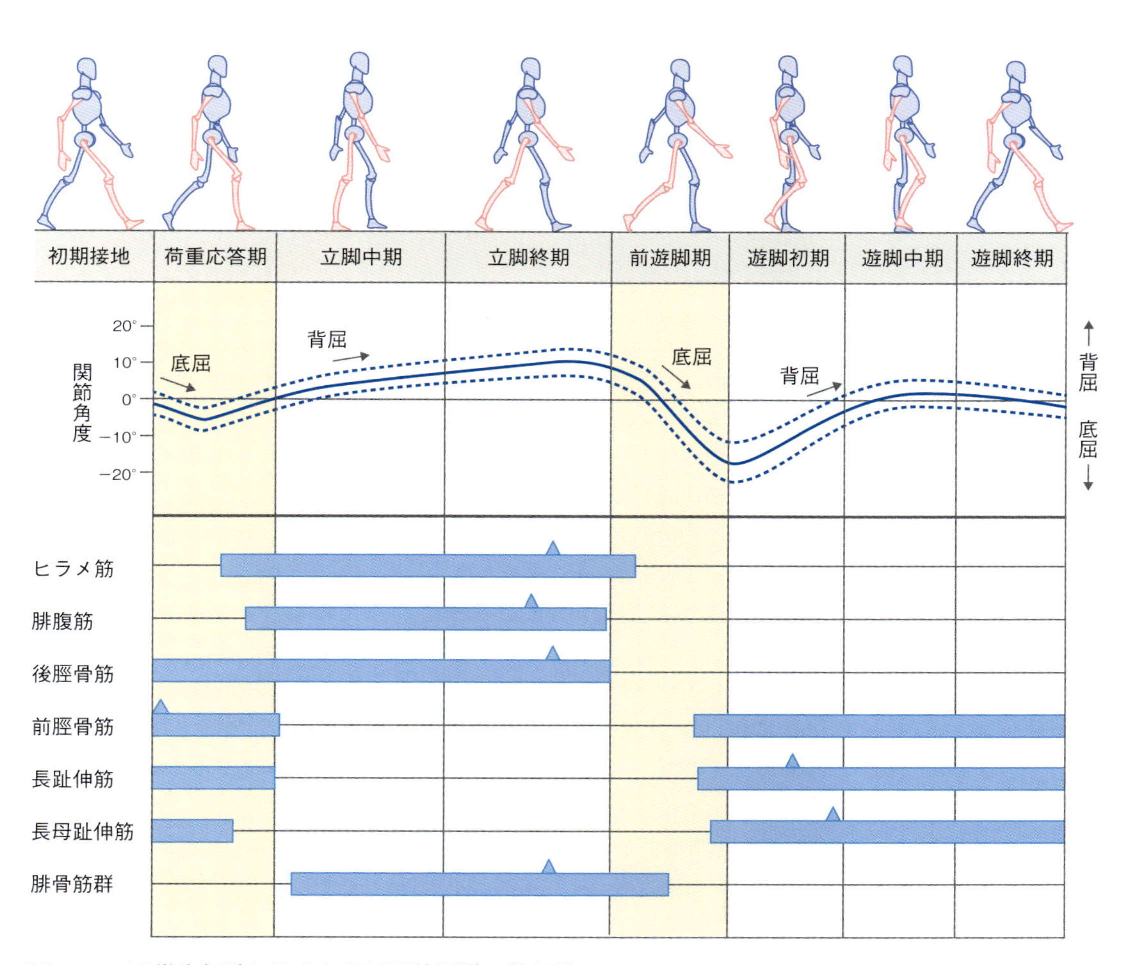

図8-10　正常歩行時にみられる足関節運動と筋活動

破線は個体差などによる範囲を，▲は筋活動のピークを示す．文献4，5をもとに作成．

- 立脚終期に入ると足部が回外運動を行う．このとき，横足根関節では剛性が高まり，足のアーチは高くなる（⇨図6-38）．さらに前遊脚期において前足部ロッカーが生じると，**ウィンドラス機構**によりさらにその剛性が高まる（⇨図6-40）．この足部の高い安定性が確保されていなければ，足関節の底屈運動によるパッセンジャーユニットの前上方への変位が効率よくできない．

5）胸郭・上肢の運動

- パッセンジャーユニットの運動は，ロコモーターユニットの運動に連動して生じる．胸郭を中心とした上部体幹の回旋運動は，骨盤の回旋運動とは逆方向に生じる．例えば，右下肢の初期接地から始まる歩行周期では，まず骨盤が左に回旋するため，上部体幹は右に回旋する．
- 肩関節および肘関節の運動は体幹に連動するため，骨盤の運動とは逆相運動になる．例えば，上部体幹が右回旋した場合には右肩・肘関節は伸展運動を，左肩・肘関節は屈曲運動を行う．なお，両脚支持期に肩・肘関節とも最大屈曲位となる．

3 1歩行周期中の筋活動

- 一般的な正常歩行の筋活動を図8-8～8-10に示す．歩行時の筋活動は，関節運動の主動筋として生じる求心性収縮と，外部関節モーメントに拮抗するための等尺性収縮や遠心性収縮がある．また，遠心性収縮を求心性収縮に先立って行うことで，筋線維自体あるいは筋に連なる腱組織の粘性要素に弾性エネルギーを蓄積することがある．これを**伸張－短縮サイクル**という（⇨図2-45）．

1）初期接地，荷重応答期の筋活動

- 前述したように，荷重の受け継ぎは初期接地と荷重応答期によってなされる．しかし，初期接地では荷重がなされていないため，荷重応答期の筋活動が中心となる．矢状面では，床反力ベクトルが股関節の前方を通るため，外部股関節屈曲モーメントが作用する（図8-11）．したがって，股関節伸展筋である大殿筋やハムストリングスが活動する．
- 前額面では外部股関節内転モーメントが生じるため，股関節外転筋である中殿筋や大殿筋上部線維が活動する．このとき，大内転筋を中心とした股関節内転筋も，安定性要素として作用する．また水平面では，骨盤の回旋運動を制御するために，内・外旋筋群の同時収縮が生じる．
- 荷重応答期では床反力ベクトルが膝関節のやや後方を通るため，矢状面では外部膝関節屈曲モーメントが作用する（図8-11）．これに抗するため，膝関節伸展筋である大腿四頭筋（広筋群）が活動する．ただし，膝関節運動は屈曲であり，その収縮様式は遠心性となる．
- また，足関節の後方を床反力ベクトルが通るため，外部足関節底屈モーメントが生じる（図8-11）．この動きを制動するために足関節背屈筋である前脛骨筋や足趾伸筋群が遠心性に収縮する．しかし，荷重応答期の終盤には，足関節底屈筋である下腿三頭筋が作用して，下腿の前方移動を制御する．

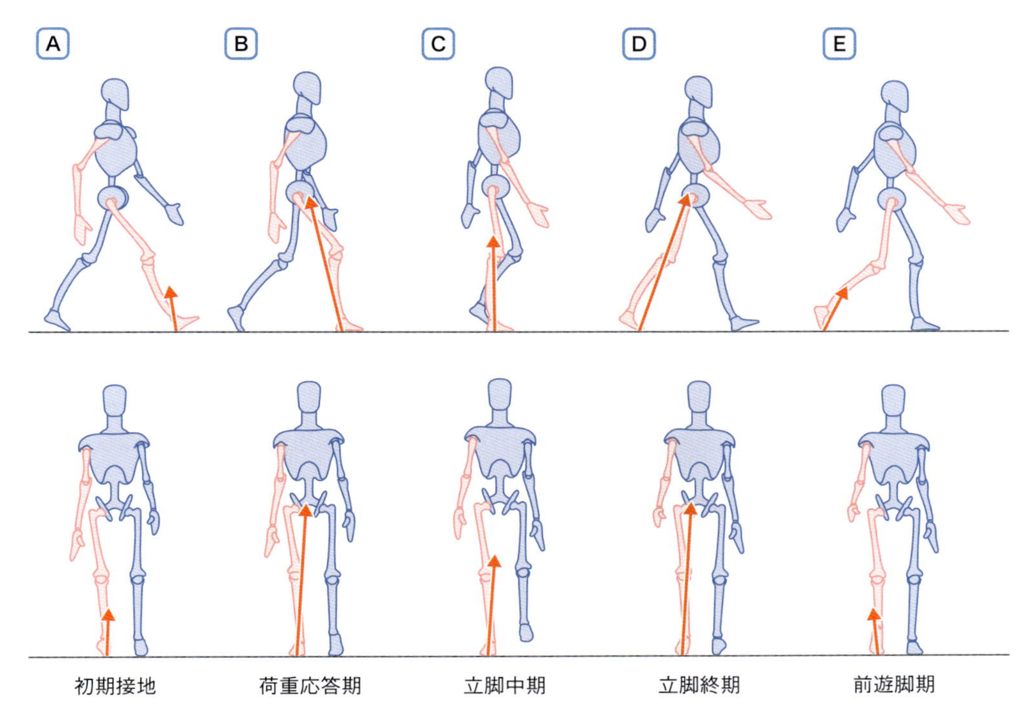

図8-11　正常歩行時（立脚相）の床反力ベクトル

床反力ベクトルが，関節に対してどの位置を通過するかで，外部モーメントが決定する．これに抗する内部モーメントの産生には，筋の収縮力が大きく関与する．

2）立脚中期，立脚終期の筋活動

- 立脚中期では股関節が伸展運動を行うため，股関節伸展筋が求心性に収縮する．立脚終期に入っても股関節は伸展運動を行うが，このときに股関節屈筋である腸腰筋が遠心性に収縮し，股関節屈曲の伸張－短縮サイクルとして作用する．立脚終期から前遊脚期にかけてみられる遠心性収縮による弾性エネルギーが，遊脚初期における股関節屈曲運動に利用される．また，前額面では骨盤の側方傾斜を制御するため，股関節外転筋が作用する（⇨図8-8）．ただし，わずかに股関節は内転するため，その収縮様式は遠心性である．
- 矢状面では，床反力ベクトルが膝関節のほぼ中央を通過するため，外部モーメントはほとんど作用しない（図8-11）．しかし前額面では，床反力ベクトルが膝関節中心の内側を通るために，外部膝関節内転モーメントが作用する．これに抗する内力としては，腸脛靱帯を介した大腿筋膜張筋や大殿筋，中殿筋の筋力，さらには外側側副靱帯の受動的張力が関与する．
- 単下肢支持では，足関節が背屈してパッセンジャーユニットが徐々に前方へと変位するため，床反力ベクトルは足関節の前方を通るようになる（図8-11）．したがって，外部足関節背屈モーメントが作用し，これに抗するために足関節底屈筋が遠心性に収縮する．この足関節底屈筋による遠心性収縮には伸張－短縮サイクルが作用し，この後に続く前遊脚期の内力として利用される．前述した股関節屈曲の伸張－短縮サイクルと合わせて，下肢の振り出しを生み出す．

3）前遊脚期の筋活動

- 前遊脚期では，床反力ベクトルが股関節の後方を通るため，外部股関節伸展モーメントが作用する（図8-11）．したがって，股関節屈筋の求心性収縮，さらには立脚終期で産生した伸張－短縮サイクルによる弾性エネルギーを利用する．このとき，股関節内転筋も活動し，屈曲運動を補助する．
- 膝関節の屈曲角度が増大するにつれて，床反力ベクトルは膝関節のより後方を通過するため，外部膝関節屈曲モーメントが作用する（図8-11）．このため，大腿直筋が膝関節屈曲を制動する．
- この期では，床反力ベクトルが足関節の前方を通過するため，外部足関節背屈モーメントが作用する（図8-11）．これに抗しつつ，足関節を底屈させてパッセンジャーユニットを前上方に推進させなくてはならない．そのため，足関節底屈筋の求心性収縮が求められる．

4）遊脚相の筋活動

- 床反力が関節に作用しない遊脚相では，股関節と膝関節では振り子様の運動が生じる．その原動力となるのは，前遊脚期から活動する股関節屈曲筋の収縮である．膝関節においては，遊脚初期の膝関節は慣性力によって，徐々に屈曲運動がみられる．したがってこの時期には，慣性力を制御する程度の膝関節伸筋の遠心性収縮がわずかにみられる．
- 遊脚相の後半には，慣性力によって膝関節の受動的伸展が起こる．そのため，膝関節屈筋の遠心性収縮によって制御がなされる．また，次の初期接地に備えて足関節背屈筋の求心性収縮が生じる．

加齢による歩行の変化

加齢に伴い，歩行の運動学的変化が生じる．距離因子としては，歩幅・重複歩距離の減少，歩隔の拡大がみられる．また時間因子としては，歩行速度の低下，立脚相（両脚支持期）の延長，遊脚相の短縮がみられる．なおケイデンスについては，バランス能力の差異で減少する場合と増大する場合があるので一概にはいえない．それ以外には，身体重心の上下移動の減少，腕振りの減少，前遊脚期における蹴り出し力の減少，初期接地・荷重応答期における衝撃吸収力の低下がみられる．

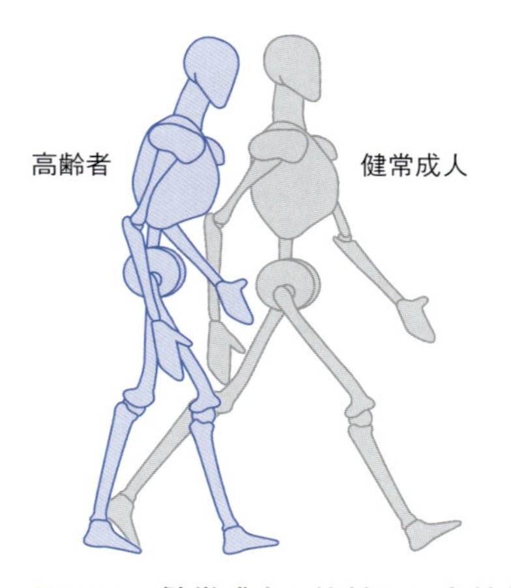

図8-12　健常成人と比較した高齢者の歩行特性

文献

1）山﨑 敦：正常歩行の運動学とバイオメカニクス．理学療法ジャーナル，47（5）：429-437，2013
2）「ペリー歩行分析－正常歩行と異常歩行 原著第2版」（武田 功，弓岡光徳，他/監訳），医歯薬出版，2012
3）「筋骨格系のキネシオロジー 原著第3版」（Andrew PD, 他/監訳），医歯薬出版，2018
4）「Observational Gait Analysis」（Los Amigos Research & Education Center），Los Amigos Research & Education Institute, 2001
5）「PT・OTビジュアルテキスト 姿勢・動作・歩行分析」（臨床歩行分析研究会/監，畠中泰彦/編），羊土社，2015

◆巻末付録

1 各部の筋

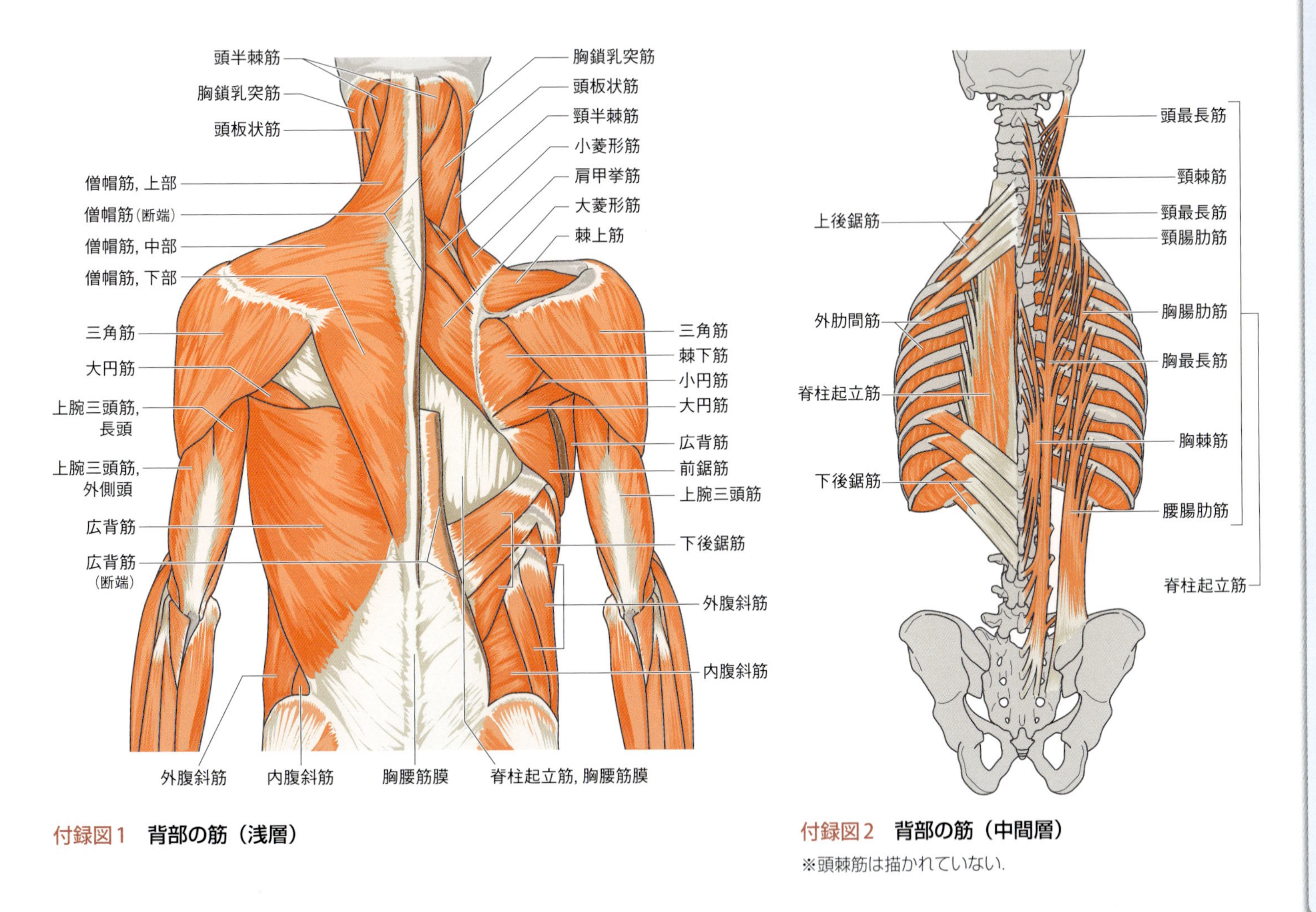

付録図1　背部の筋（浅層）

付録図2　背部の筋（中間層）
※頭棘筋は描かれていない．

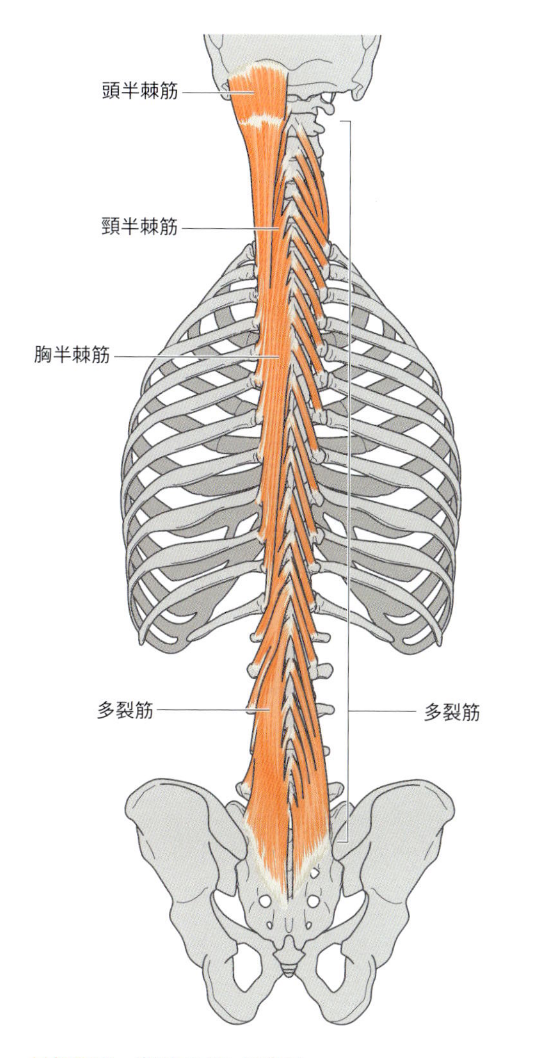

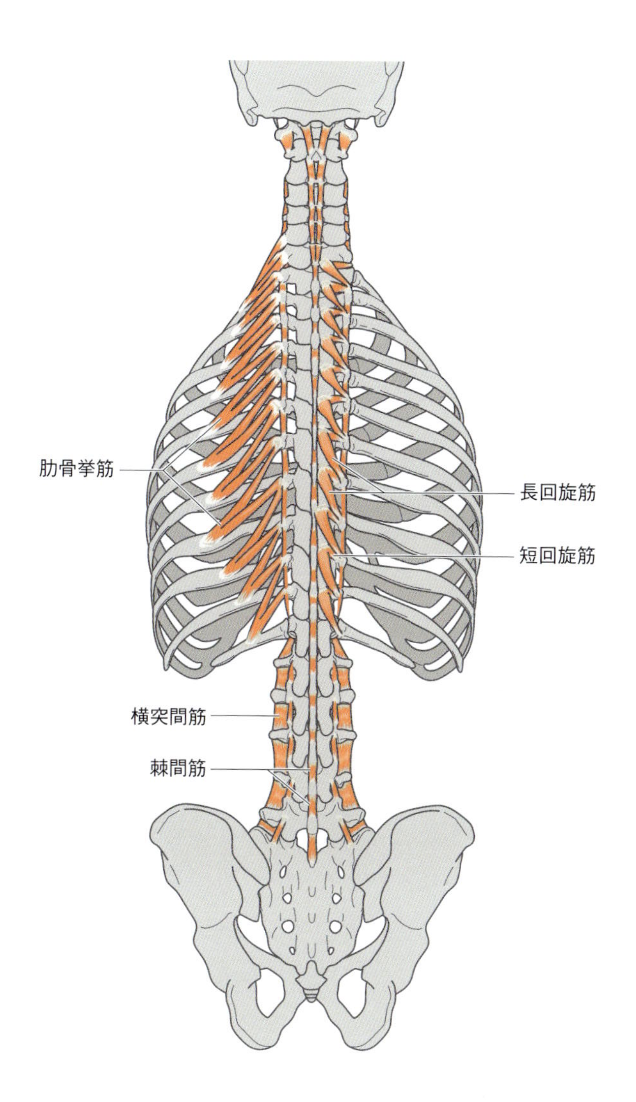

付録図3　**背部の筋（深層）**

※左図の右側は半棘筋を取り除いた図．

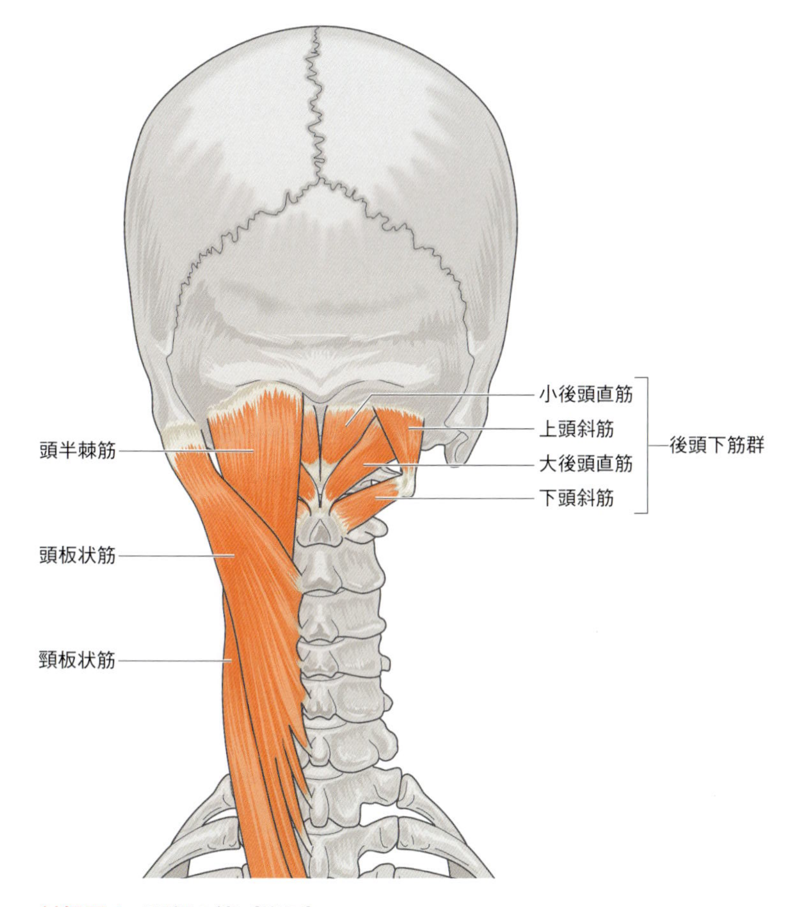

付録図4　頸部の筋（後面）

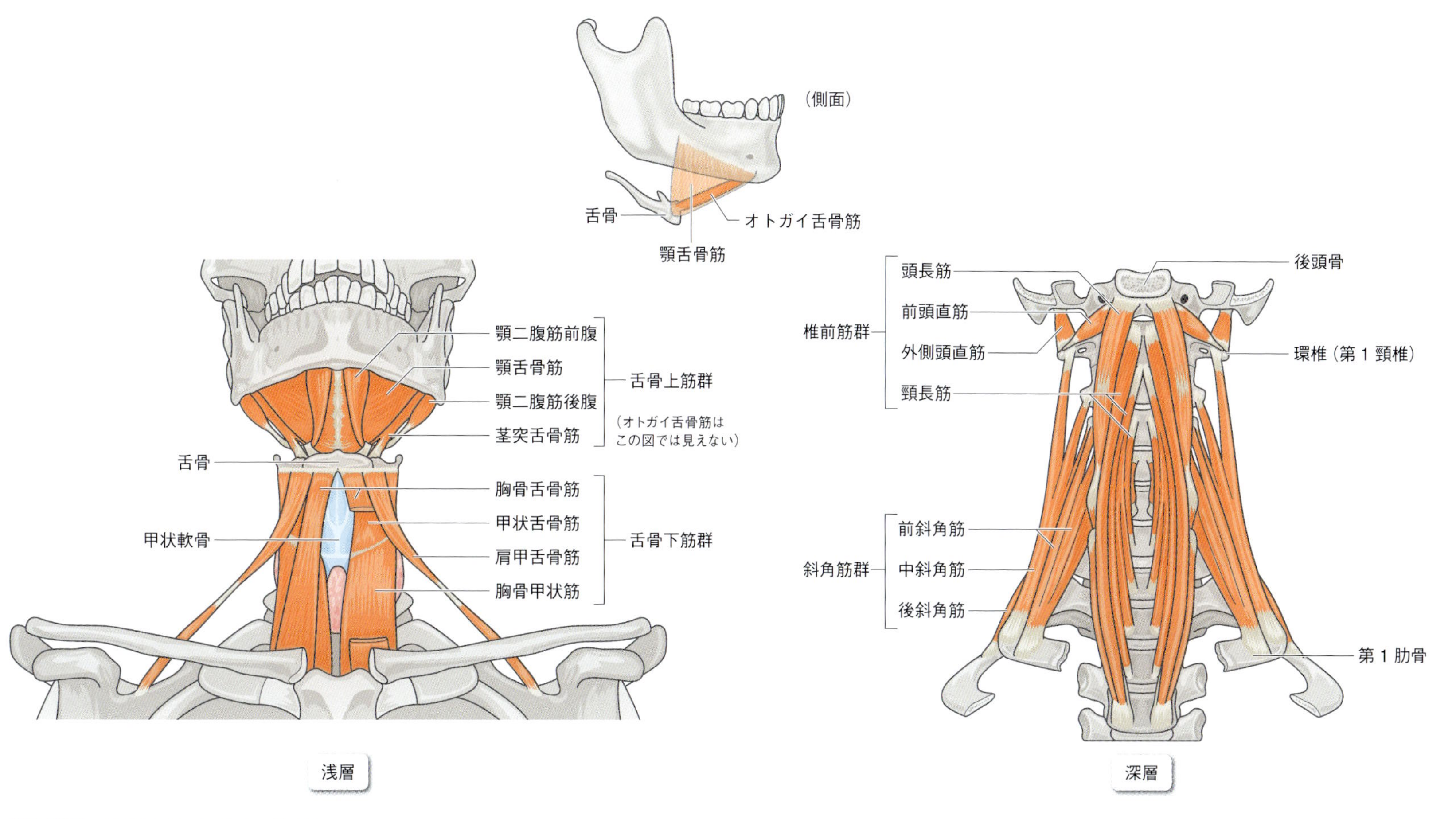

付録図5　頸部の筋（前面，側面）

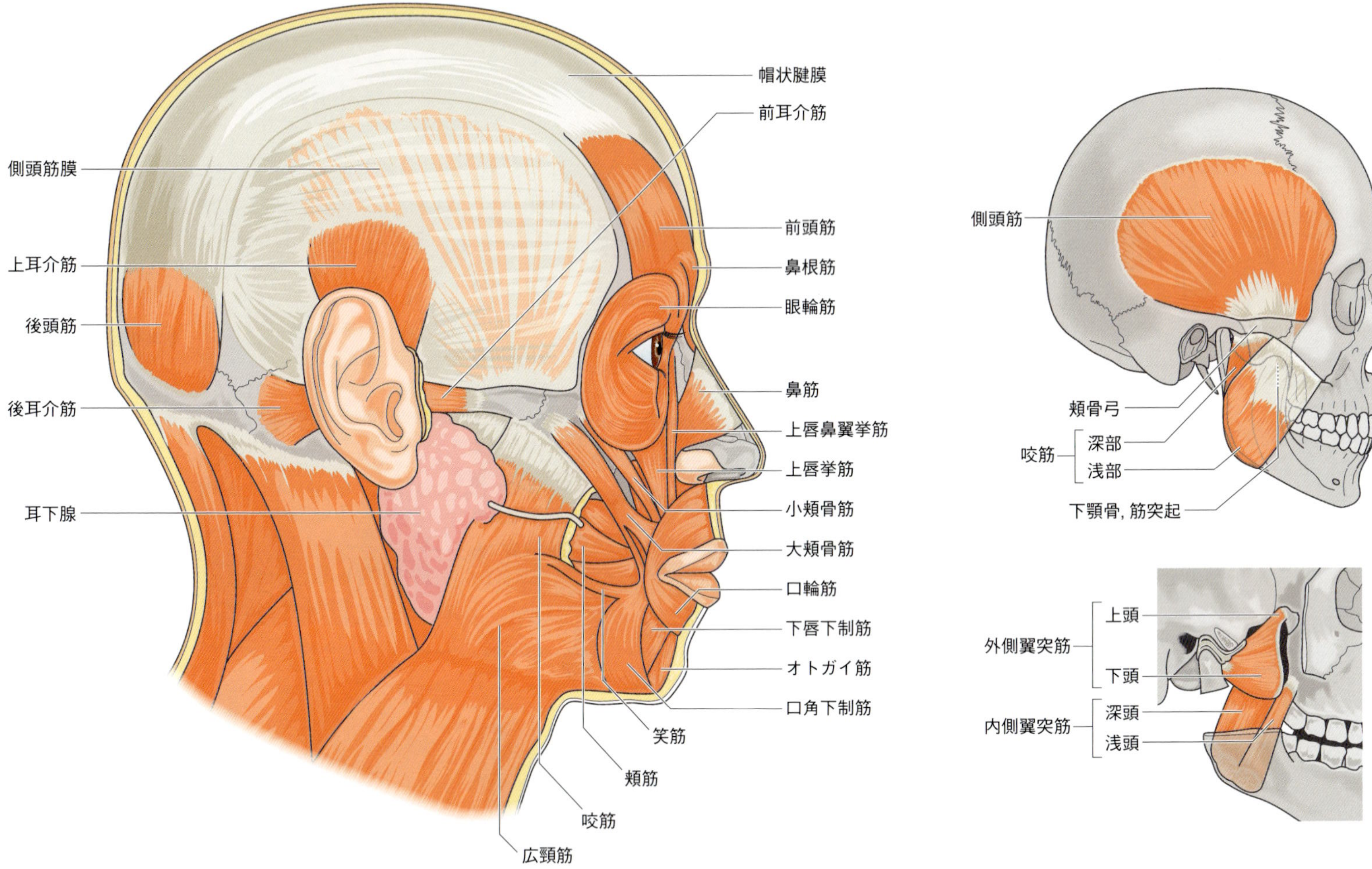

帽状腱膜
前耳介筋
側頭筋膜
前頭筋
上耳介筋
鼻根筋
後頭筋
眼輪筋
後耳介筋
鼻筋
上唇鼻翼挙筋
上唇挙筋
耳下腺
小頬骨筋
大頬骨筋
口輪筋
下唇下制筋
オトガイ筋
口角下制筋
笑筋
頬筋
咬筋
広頸筋
側頭筋
頬骨弓
咬筋
深部
浅部
下顎骨，筋突起
外側翼突筋
上頭
下頭
内側翼突筋
深頭
浅頭

付録図6 頭部・顔面の筋

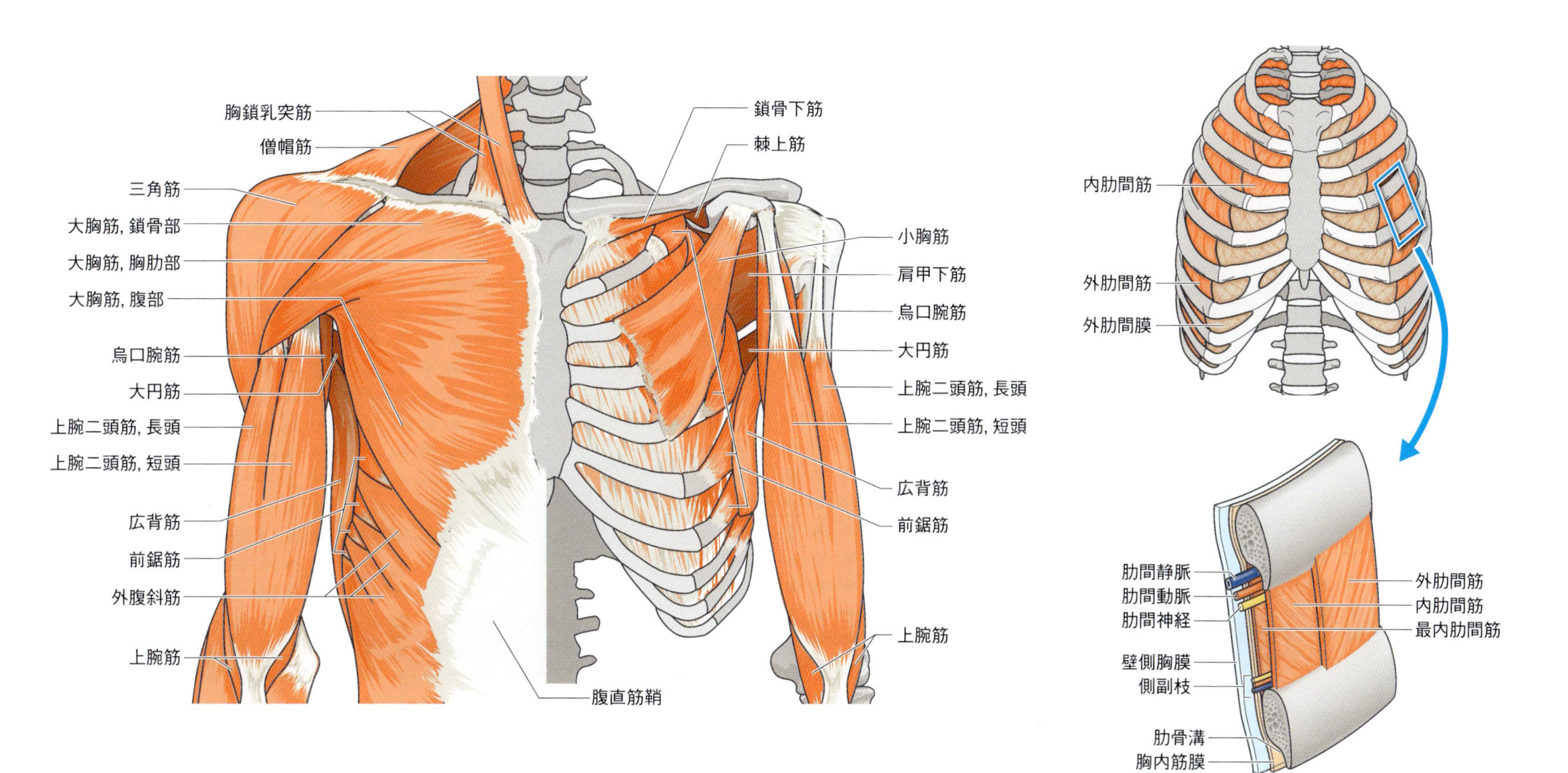
胸鎖乳突筋
僧帽筋
三角筋
大胸筋，鎖骨部
大胸筋，胸肋部
大胸筋，腹部
烏口腕筋
大円筋
上腕二頭筋，長頭
上腕二頭筋，短頭
広背筋
前鋸筋
外腹斜筋
上腕筋
鎖骨下筋
棘上筋
小胸筋
肩甲下筋
烏口腕筋
大円筋
上腕二頭筋，長頭
上腕二頭筋，短頭
広背筋
前鋸筋
上腕筋
腹直筋鞘
内肋間筋
外肋間筋
外肋間膜
肋間静脈
肋間動脈
肋間神経
壁側胸膜
側副枝
肋骨溝
胸内筋膜
外肋間筋
内肋間筋
最内肋間筋

付録図7　胸部の筋（前面）

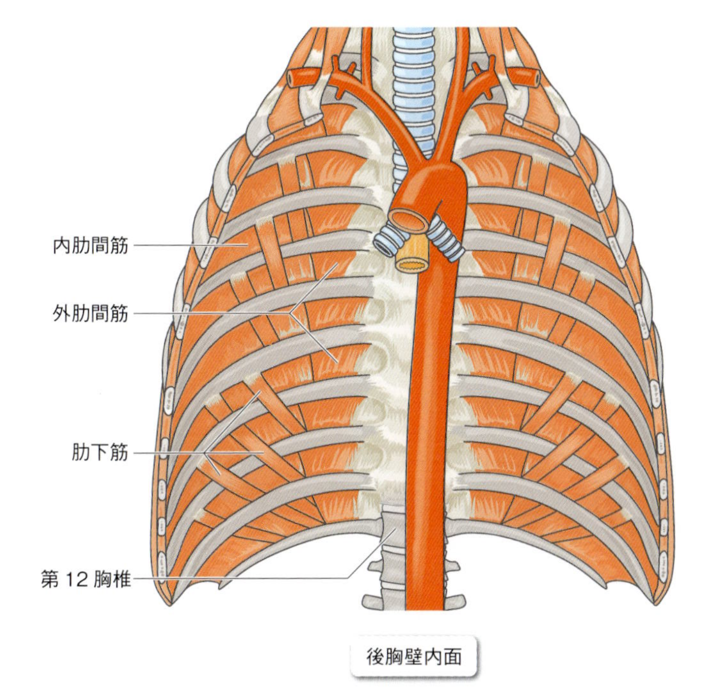
内肋間筋
外肋間筋
肋下筋
第 12 胸椎
後胸壁内面

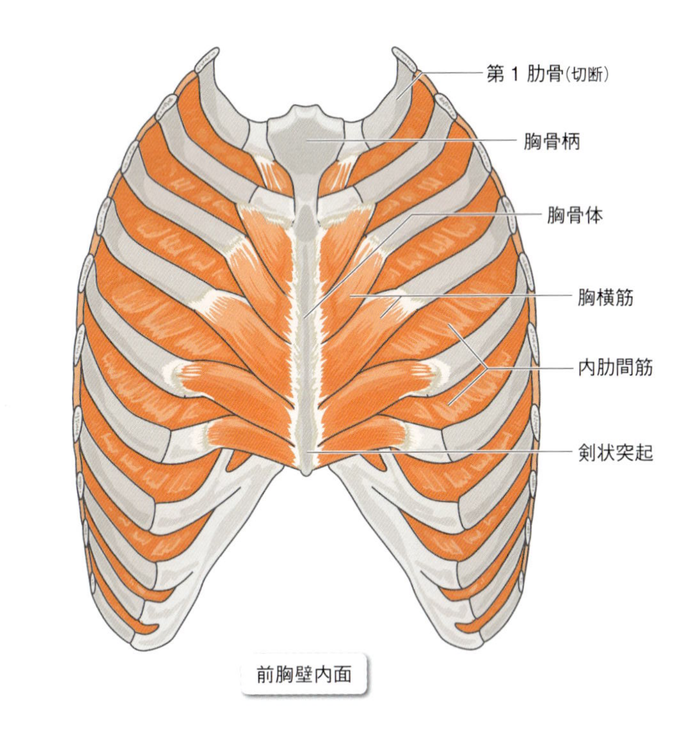
第 1 肋骨(切断)
胸骨柄
胸骨体
胸横筋
内肋間筋
剣状突起
前胸壁内面

付録図8　**胸壁の筋**

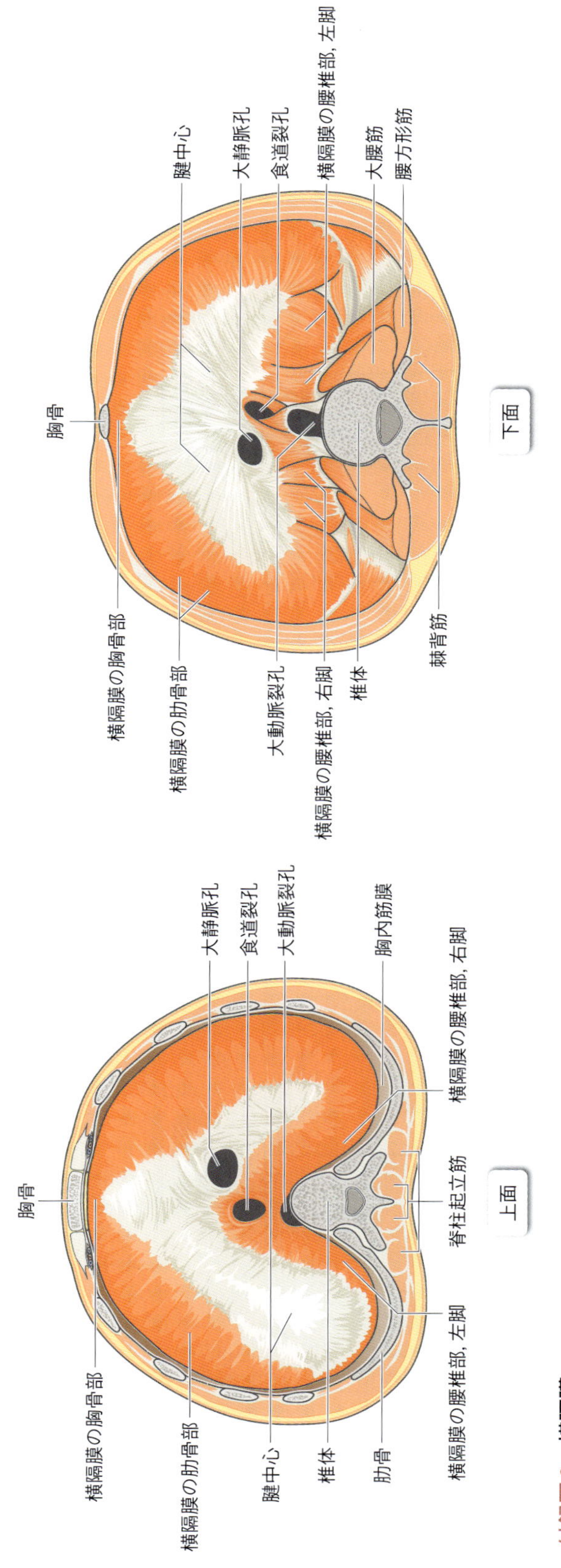
胸骨
横隔膜の胸骨部
横隔膜の肋骨部
腱中心
椎体
肋骨
横隔膜の腰椎部，左脚
大静脈孔
食道裂孔
大動脈裂孔
胸内筋膜
横隔膜の腰椎部，右脚
脊柱起立筋
上面
胸骨
横隔膜の胸骨部
横隔膜の肋骨部
大動脈裂孔
横隔膜の腰椎部，右脚
椎体
棘背筋
腱中心
大静脈孔
食道裂孔
横隔膜の腰椎部，左脚
大腰筋
腰方形筋
下面

付録図9　**横隔膜**

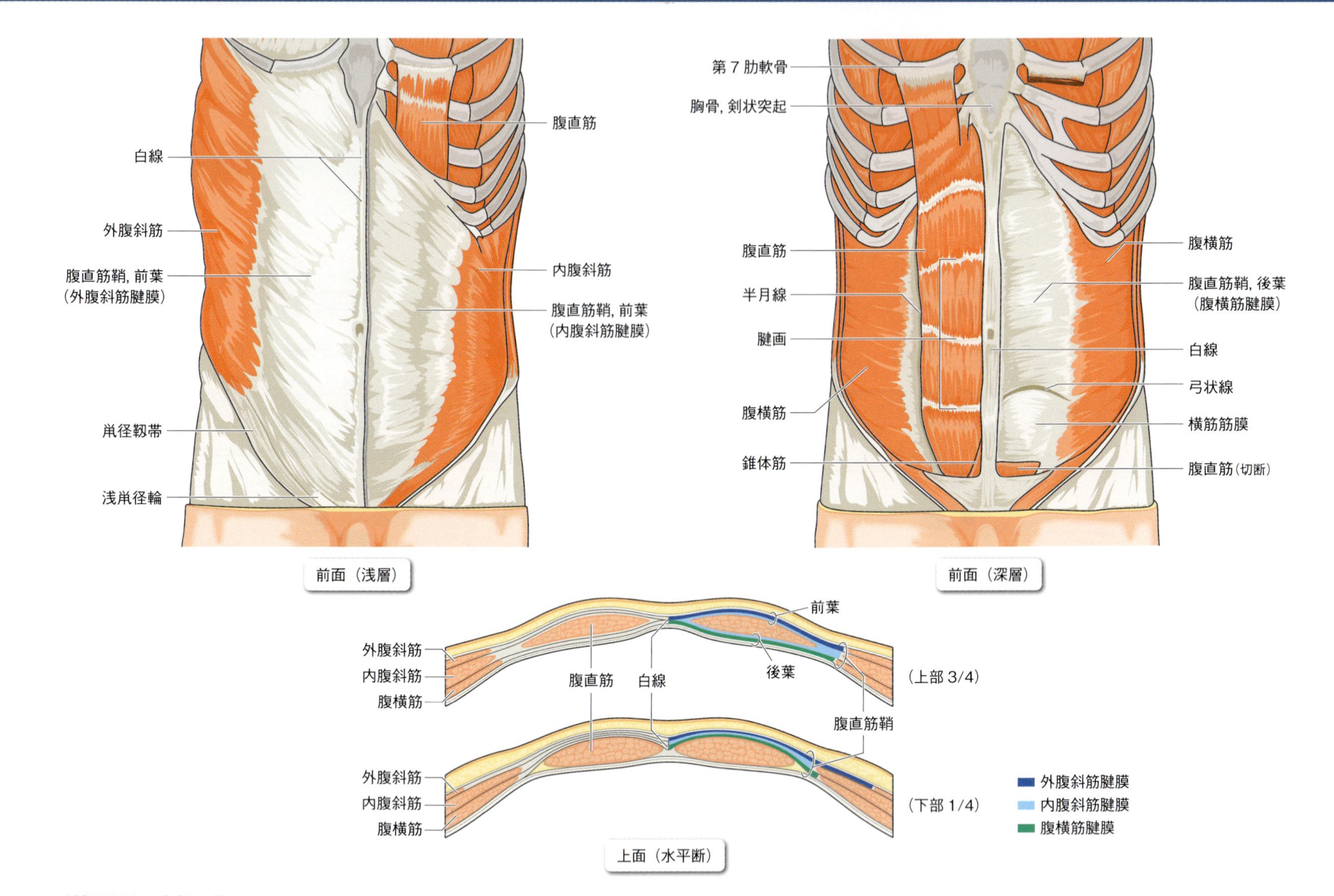
白線
外腹斜筋
腹直筋鞘, 前葉
(外腹斜筋腱膜)
鼡径靱帯
浅鼡径輪
腹直筋
内腹斜筋
腹直筋鞘, 前葉
(内腹斜筋腱膜)
前面（浅層）
第7肋軟骨
胸骨, 剣状突起
腹直筋
半月線
腱画
腹横筋
錐体筋
腹横筋
腹直筋鞘, 後葉
(腹横筋腱膜)
白線
弓状線
横筋筋膜
腹直筋(切断)
前面（深層）
前葉
外腹斜筋
内腹斜筋
腹横筋
腹直筋
白線
後葉
(上部 3/4)
腹直筋鞘
外腹斜筋
内腹斜筋
腹横筋
(下部 1/4)
外腹斜筋腱膜
内腹斜筋腱膜
腹横筋腱膜
上面（水平断）

付録図10 **腹部の筋**

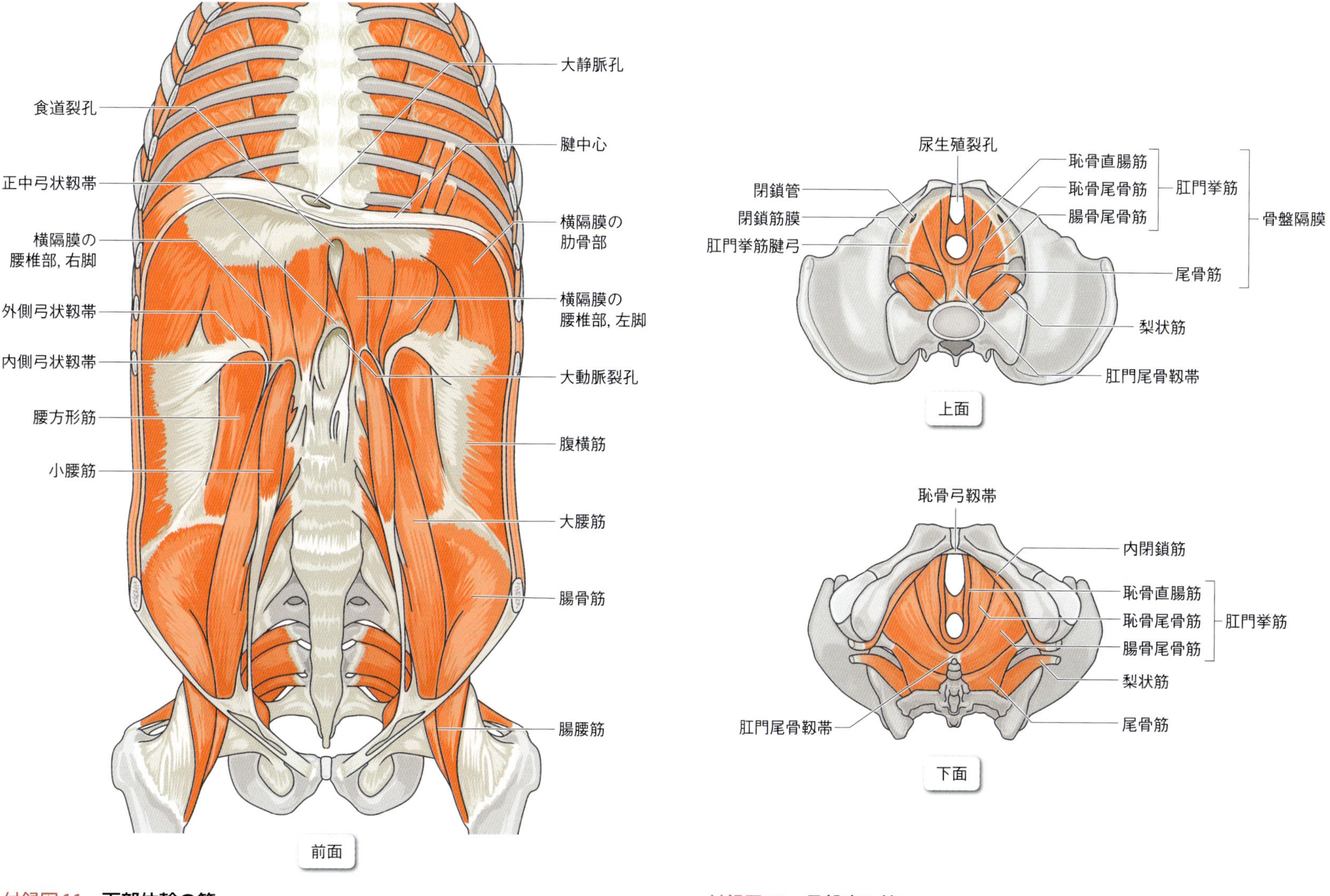

付録図11　**下部体幹の筋**

※腹部内臓を取り除いた図.

付録図12　**骨盤底の筋**

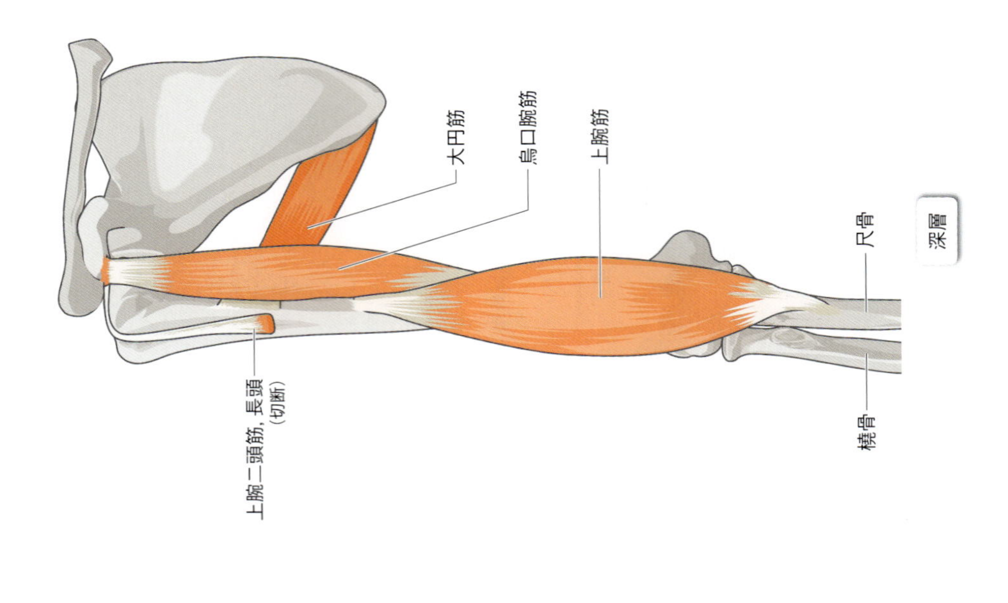

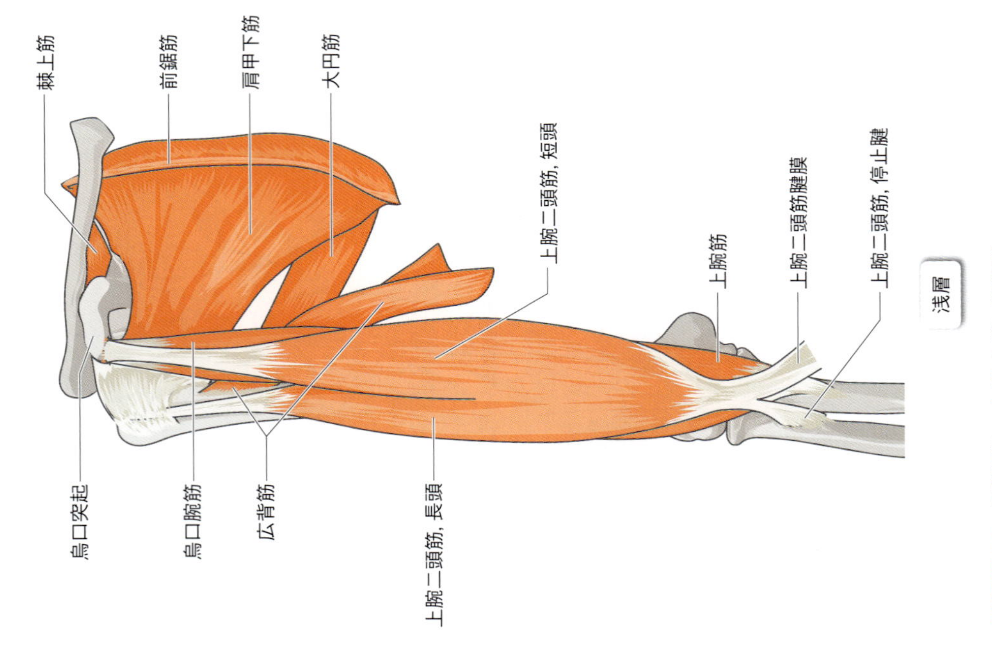

付録図13　肩関節・上腕の筋（前面）

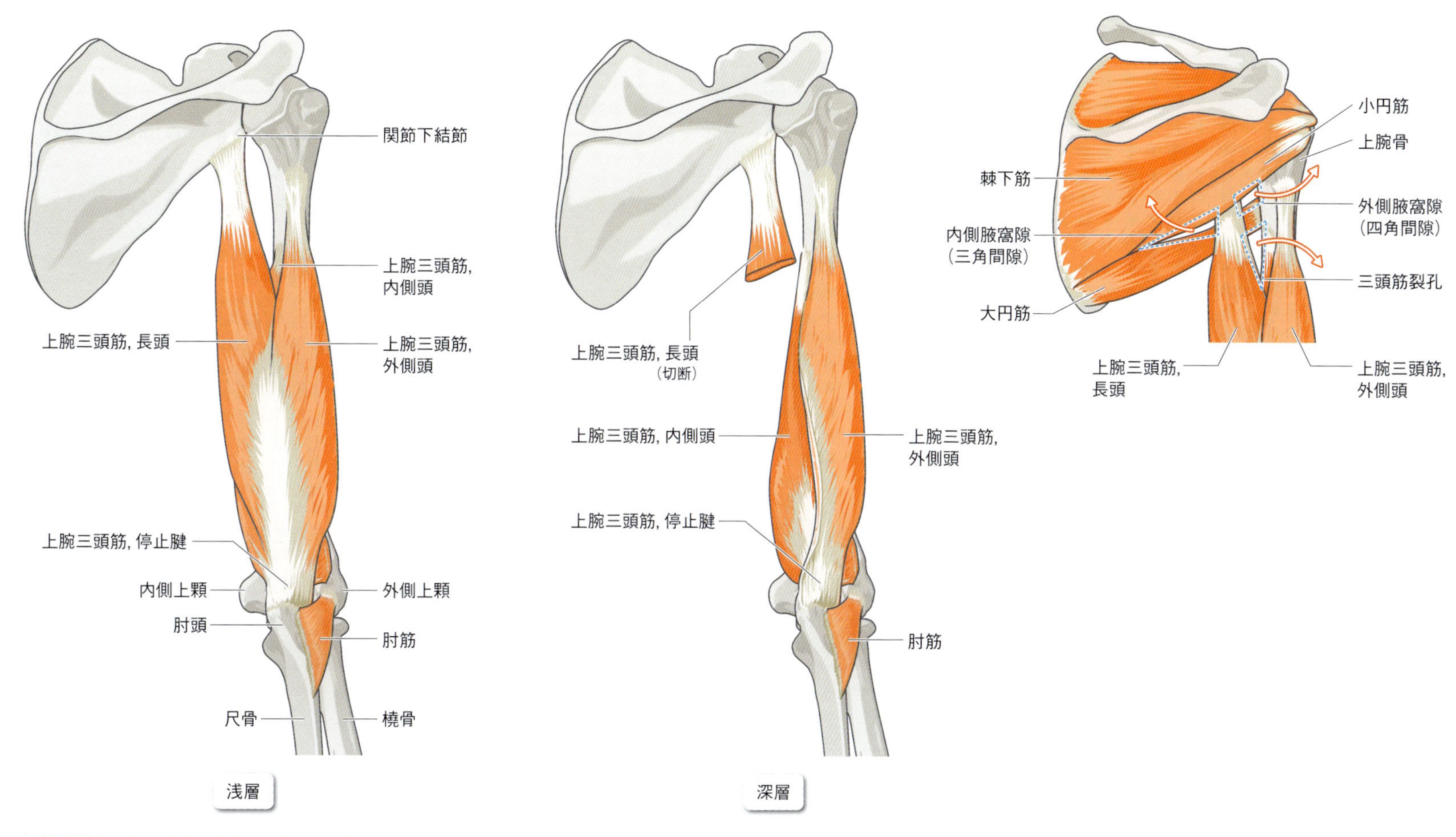

付録図14　肩関節・上腕の筋（後面）

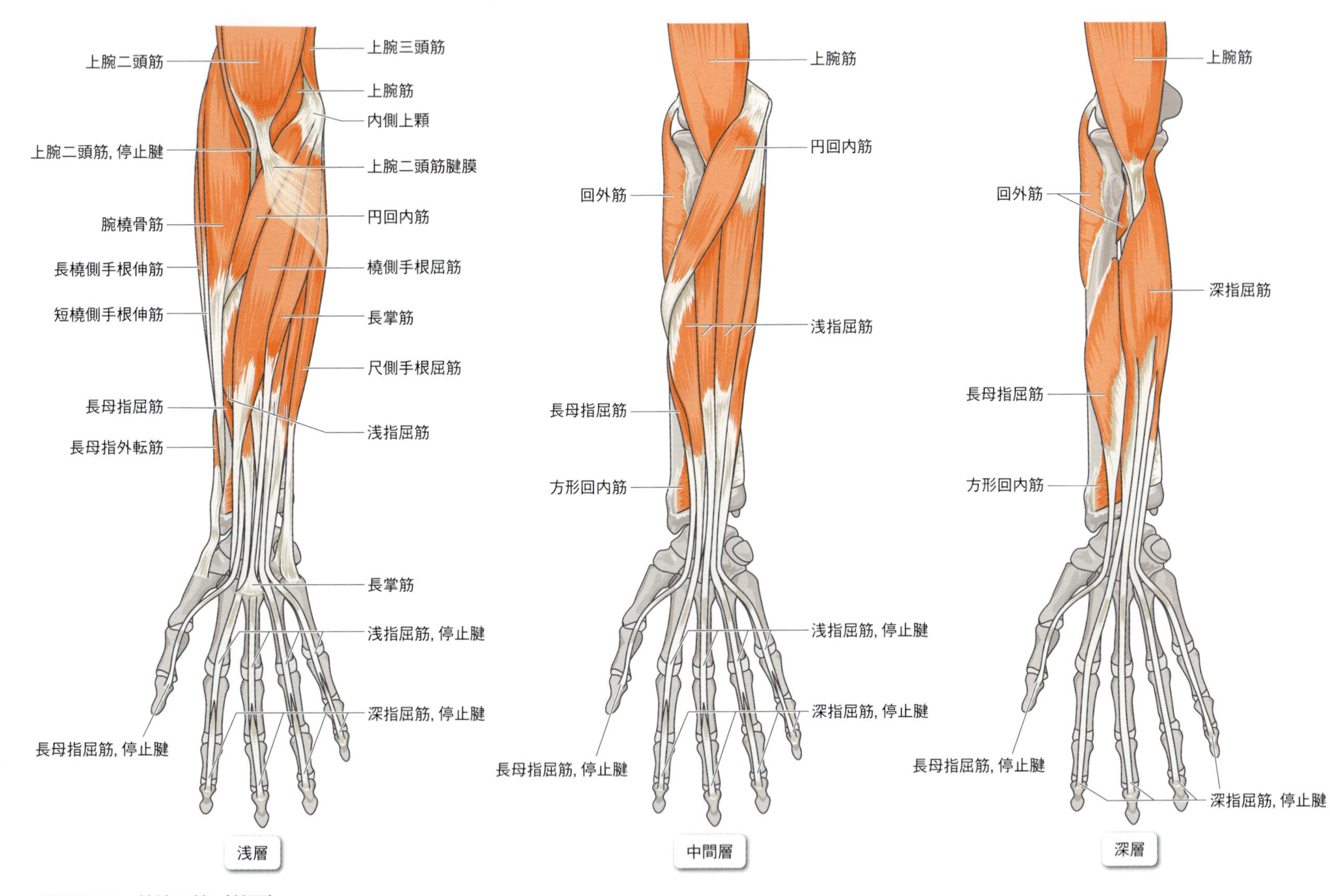

付録図15　**前腕の筋（前面）**

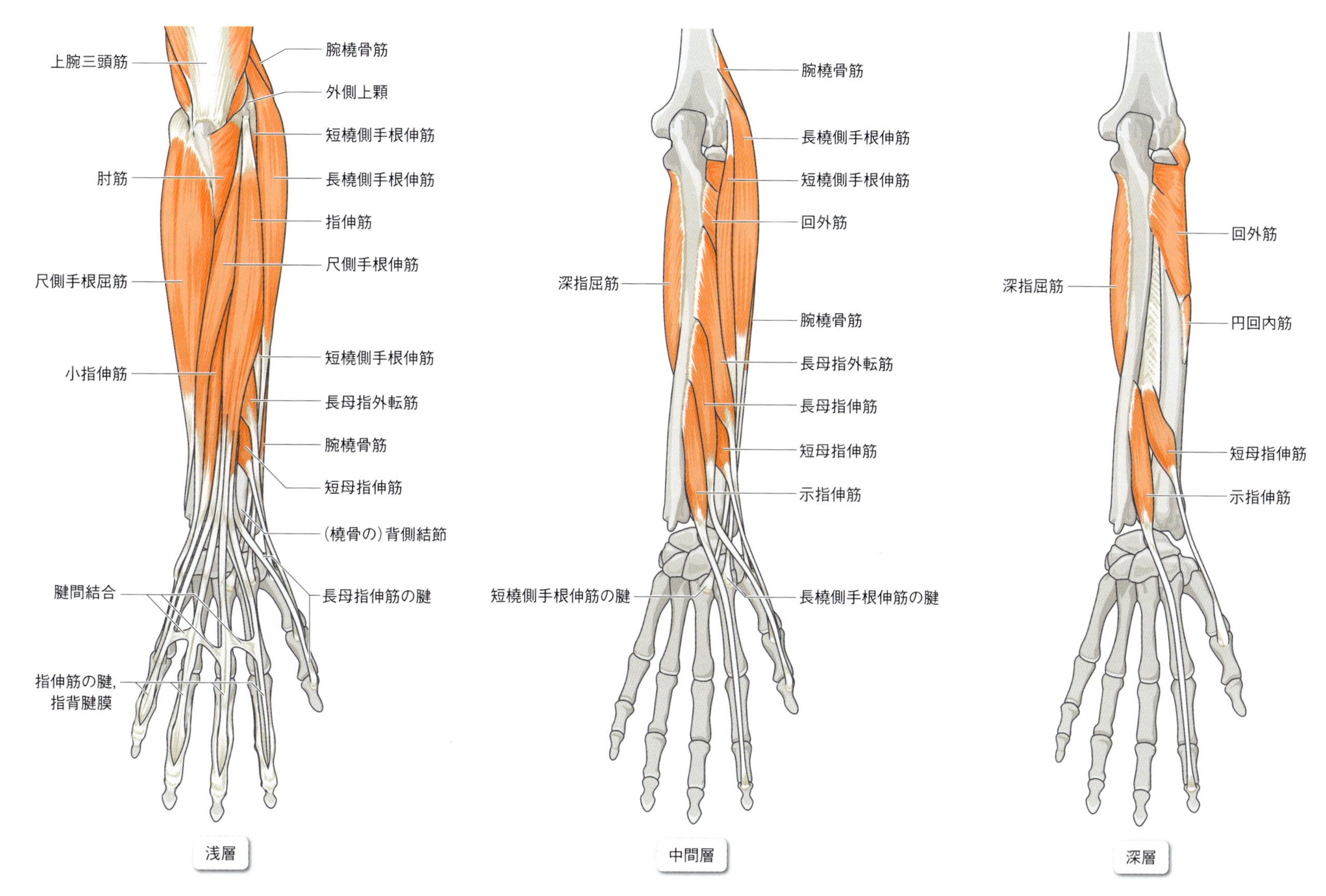

付録図16　**前腕の筋（後面）**

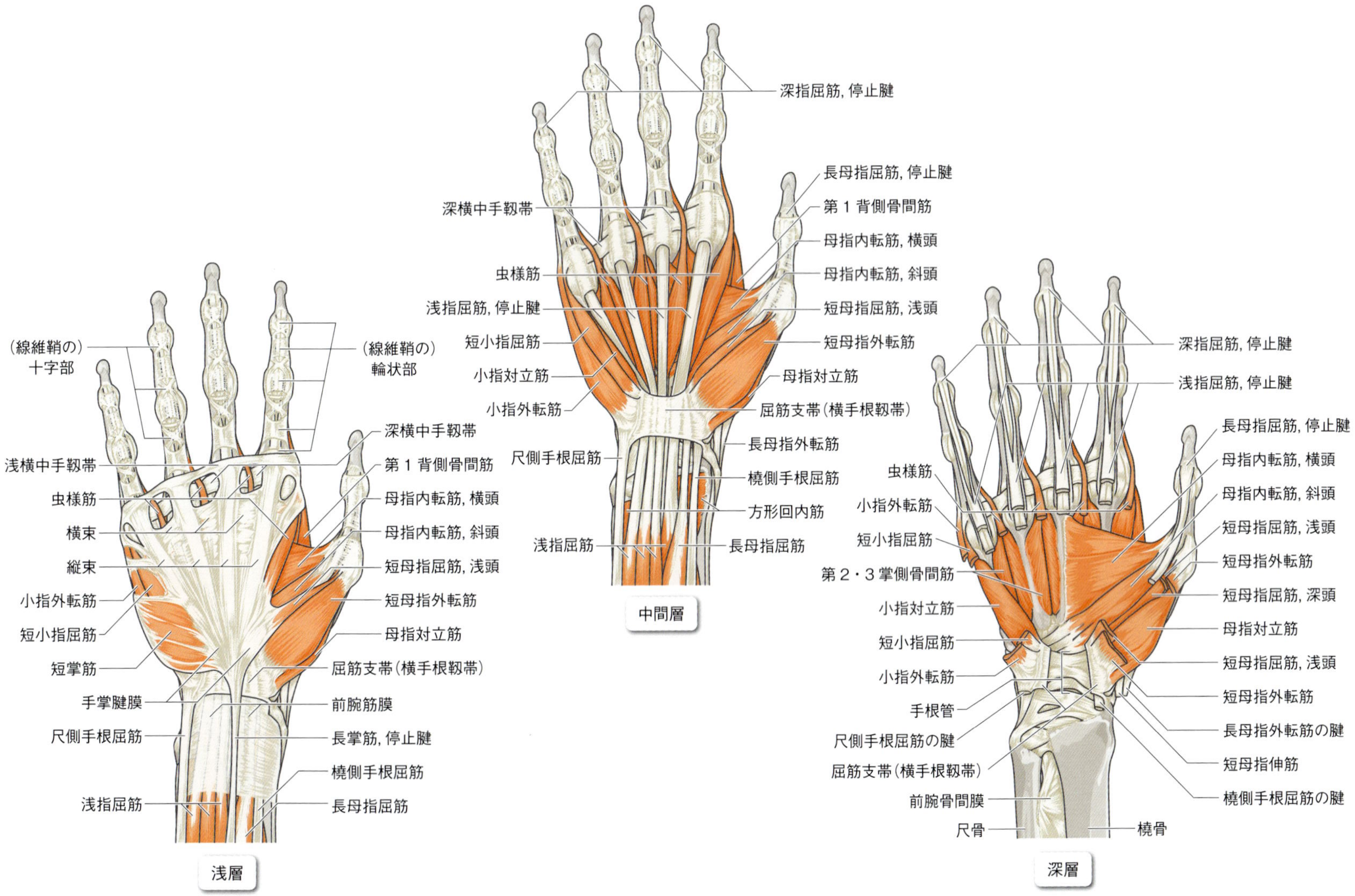
浅層
(線維鞘の)
十字部
浅横中手靱帯
虫様筋
横束
縦束
小指外転筋
短小指屈筋
短掌筋
手掌腱膜
尺側手根屈筋
浅指屈筋
(線維鞘の)
輪状部
深横中手靱帯
第１背側骨間筋
母指内転筋, 横頭
母指内転筋, 斜頭
短母指屈筋, 浅頭
短母指外転筋
母指対立筋
屈筋支帯（横手根靱帯）
前腕筋膜
長掌筋, 停止腱
橈側手根屈筋
長母指屈筋
中間層
深指屈筋, 停止腱
深横中手靱帯
虫様筋
浅指屈筋, 停止腱
短小指屈筋
小指対立筋
小指外転筋
尺側手根屈筋
浅指屈筋
長母指屈筋, 停止腱
第１背側骨間筋
母指内転筋, 横頭
母指内転筋, 斜頭
短母指屈筋, 浅頭
短母指外転筋
母指対立筋
屈筋支帯（横手根靱帯）
長母指外転筋
橈側手根屈筋
方形回内筋
長母指屈筋
深層
深指屈筋, 停止腱
浅指屈筋, 停止腱
虫様筋
小指外転筋
短小指屈筋
第２・３掌側骨間筋
小指対立筋
短小指屈筋
小指外転筋
手根管
尺側手根屈筋の腱
屈筋支帯（横手根靱帯）
前腕骨間膜
尺骨
橈骨
長母指屈筋, 停止腱
母指内転筋, 横頭
母指内転筋, 斜頭
短母指屈筋, 浅頭
短母指外転筋
短母指屈筋, 深頭
母指対立筋
短母指屈筋, 浅頭
短母指外転筋
長母指外転筋の腱
短母指伸筋
橈側手根屈筋の腱

付録図17　**手掌の筋**

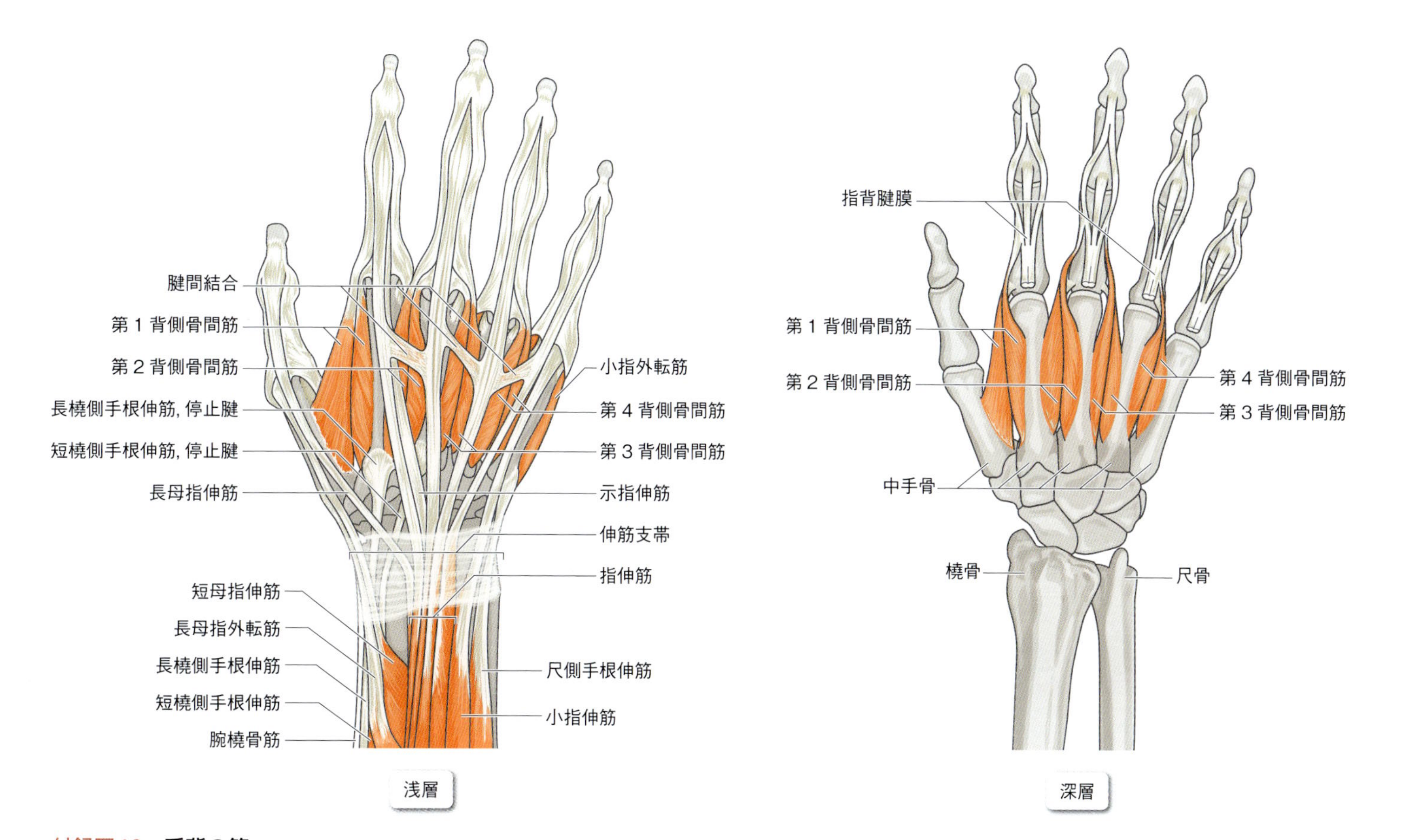
腱間結合
第 1 背側骨間筋
第 2 背側骨間筋
長橈側手根伸筋, 停止腱
短橈側手根伸筋, 停止腱
長母指伸筋
短母指伸筋
長母指外転筋
長橈側手根伸筋
短橈側手根伸筋
腕橈骨筋
小指外転筋
第 4 背側骨間筋
第 3 背側骨間筋
示指伸筋
伸筋支帯
指伸筋
尺側手根伸筋
小指伸筋
浅層
指背腱膜
第 1 背側骨間筋
第 2 背側骨間筋
中手骨
橈骨
第 4 背側骨間筋
第 3 背側骨間筋
尺骨
深層

付録図18　手背の筋

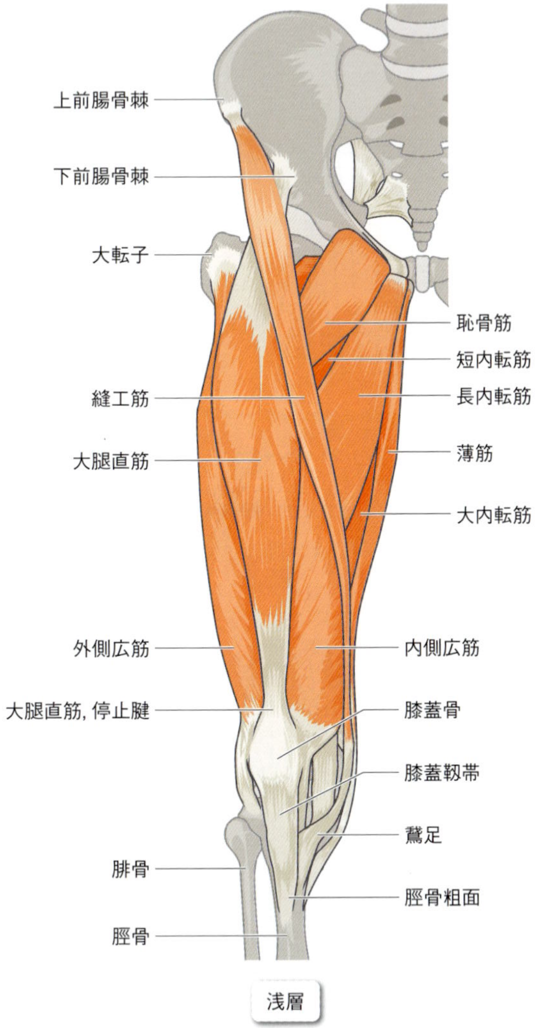

上前腸骨棘
下前腸骨棘
大転子
縫工筋
大腿直筋
外側広筋
大腿直筋, 停止腱
腓骨
脛骨
恥骨筋
短内転筋
長内転筋
薄筋
大内転筋
内側広筋
膝蓋骨
膝蓋靱帯
鵞足
脛骨粗面

浅層

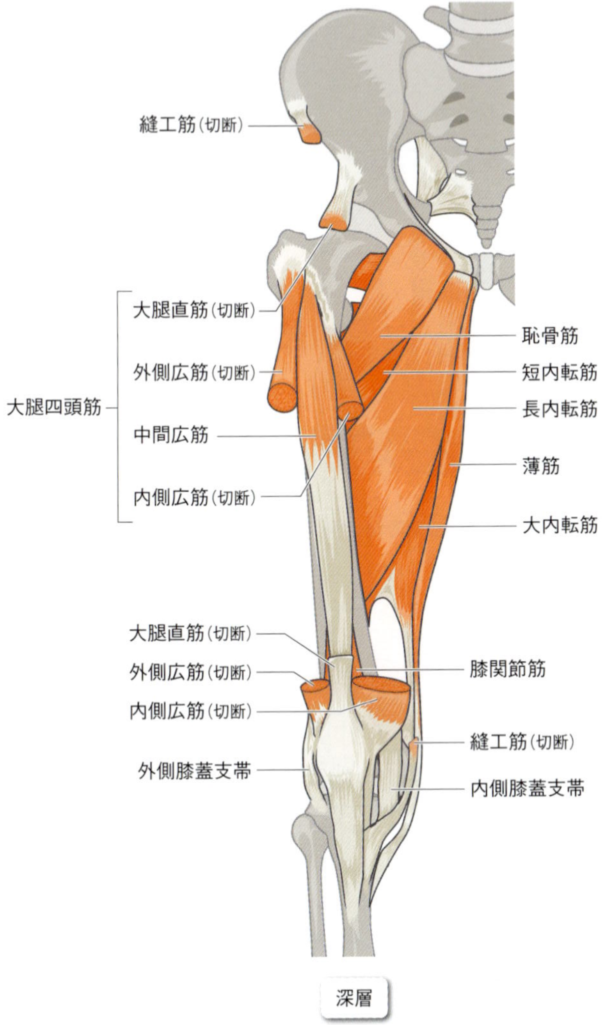

縫工筋（切断）
大腿四頭筋
大腿直筋（切断）
外側広筋（切断）
中間広筋
内側広筋（切断）
大腿直筋（切断）
外側広筋（切断）
内側広筋（切断）
外側膝蓋支帯
恥骨筋
短内転筋
長内転筋
薄筋
大内転筋
膝関節筋
縫工筋（切断）
内側膝蓋支帯

深層

付録図19　**大腿の筋（前面）**

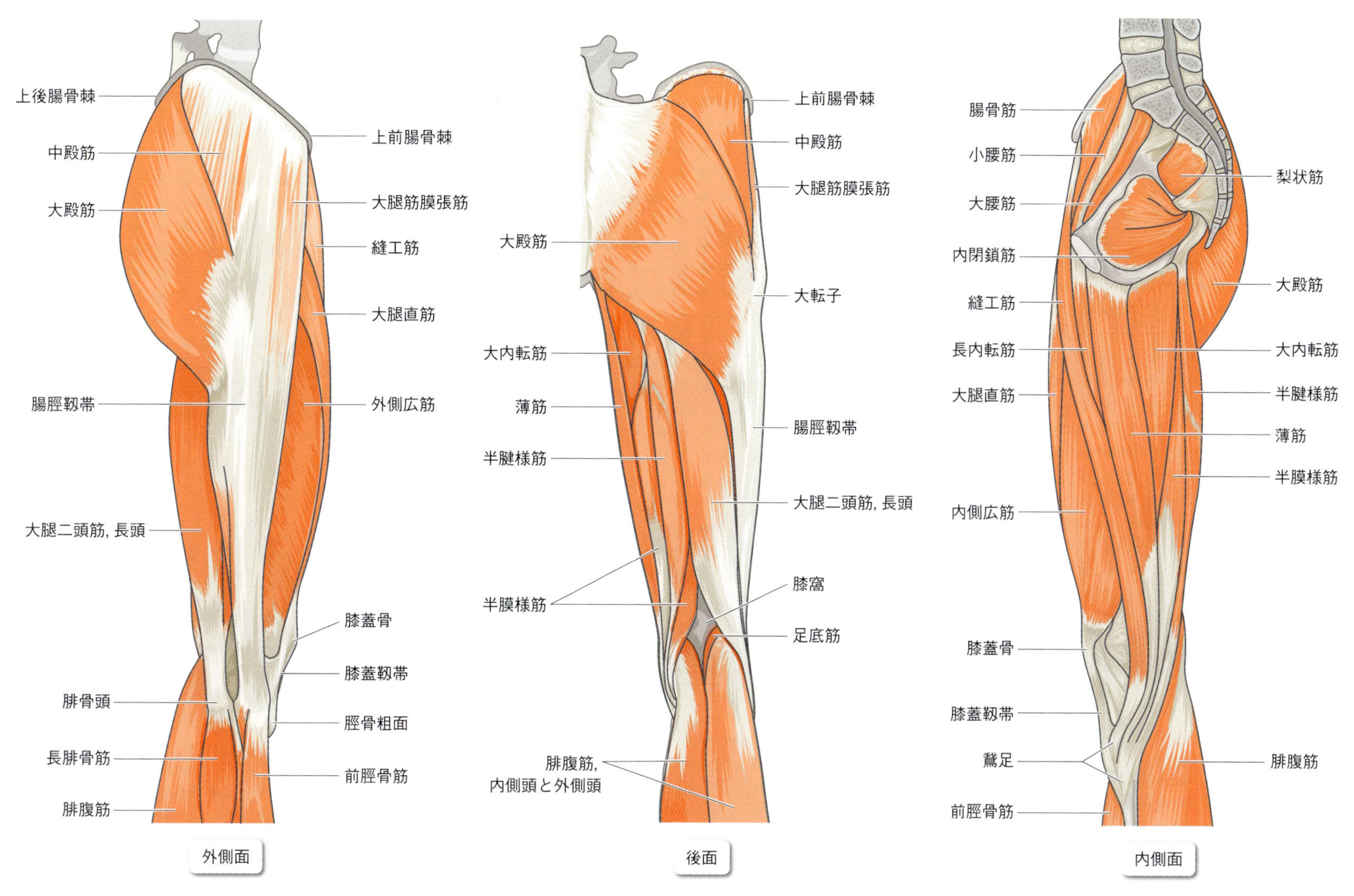

付録図20　**大腿の筋（外側面，後面，内側面）**

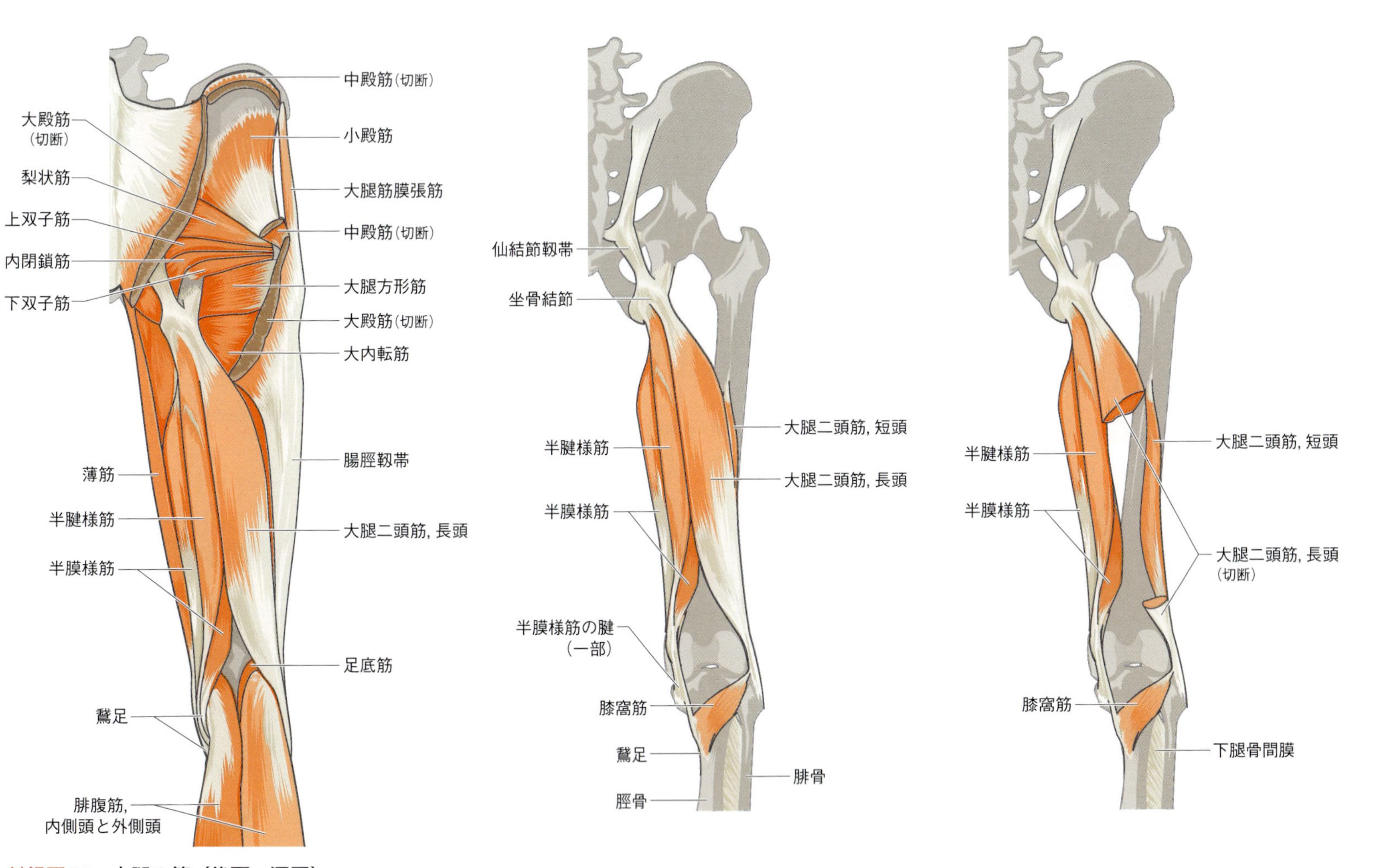

付録図21　**大腿の筋（後面，深層）**

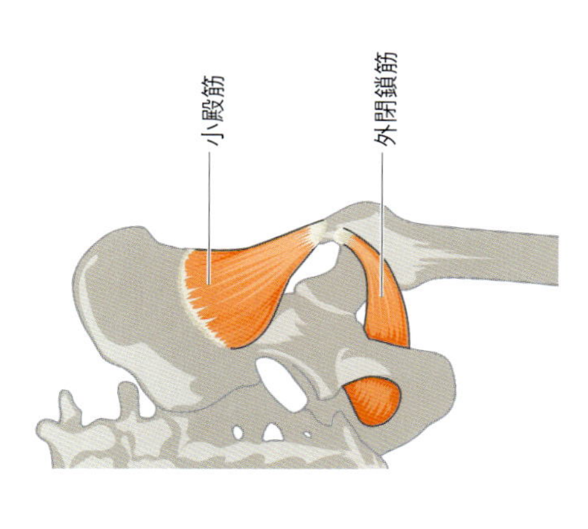

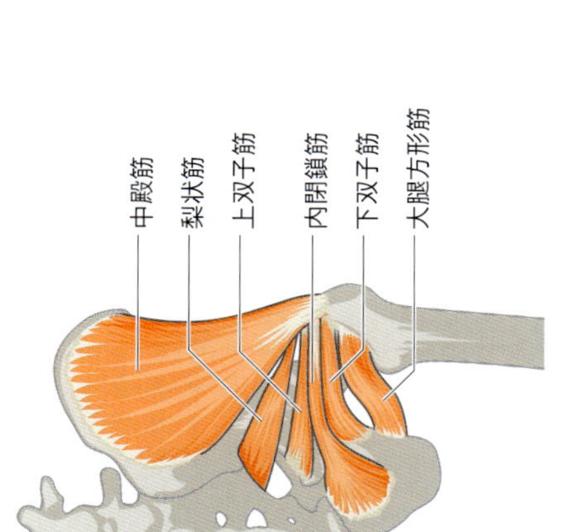

付録図22　**殿部の筋（後面，深層）**

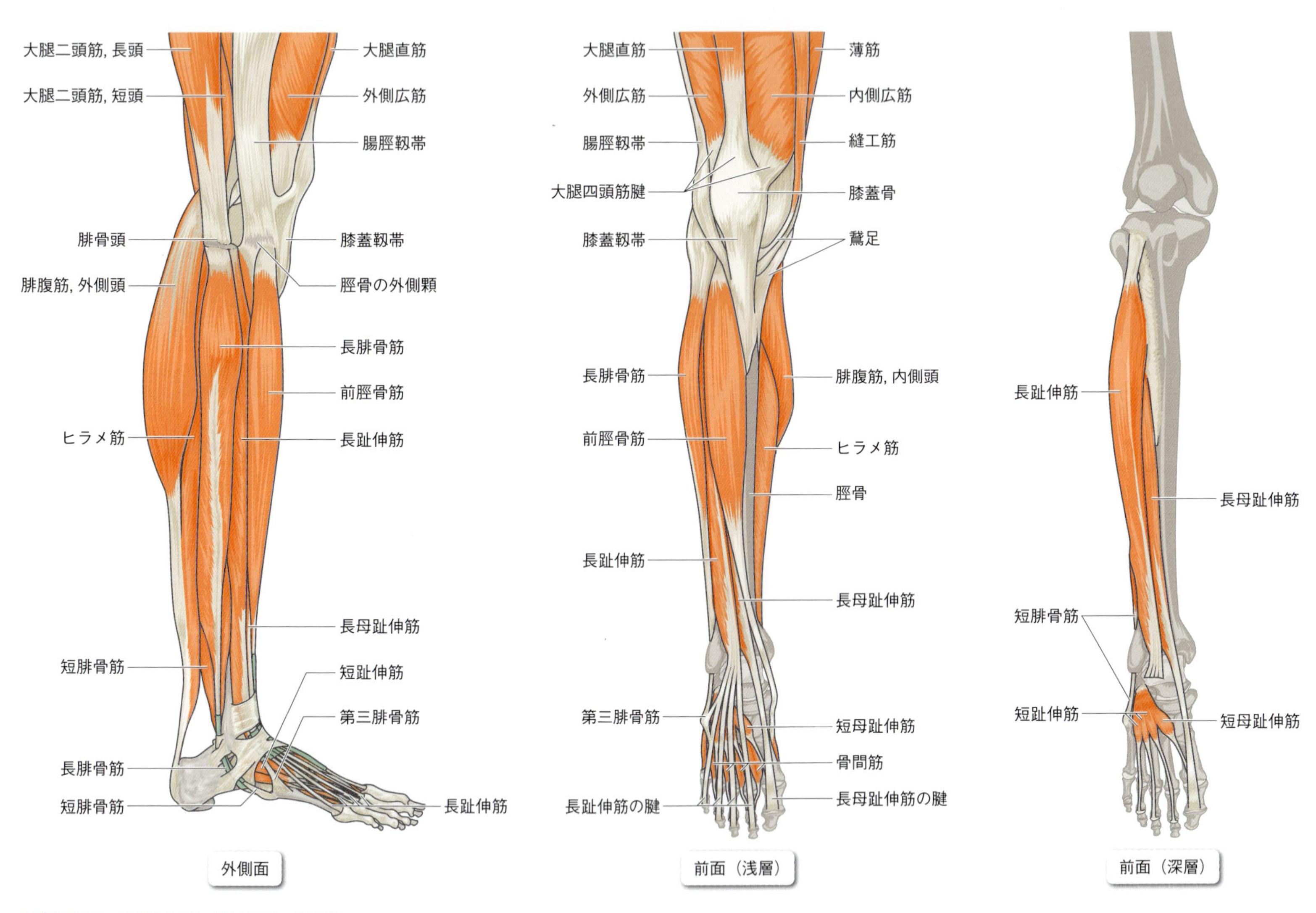

付録図23　下腿の筋（外側面，前面）

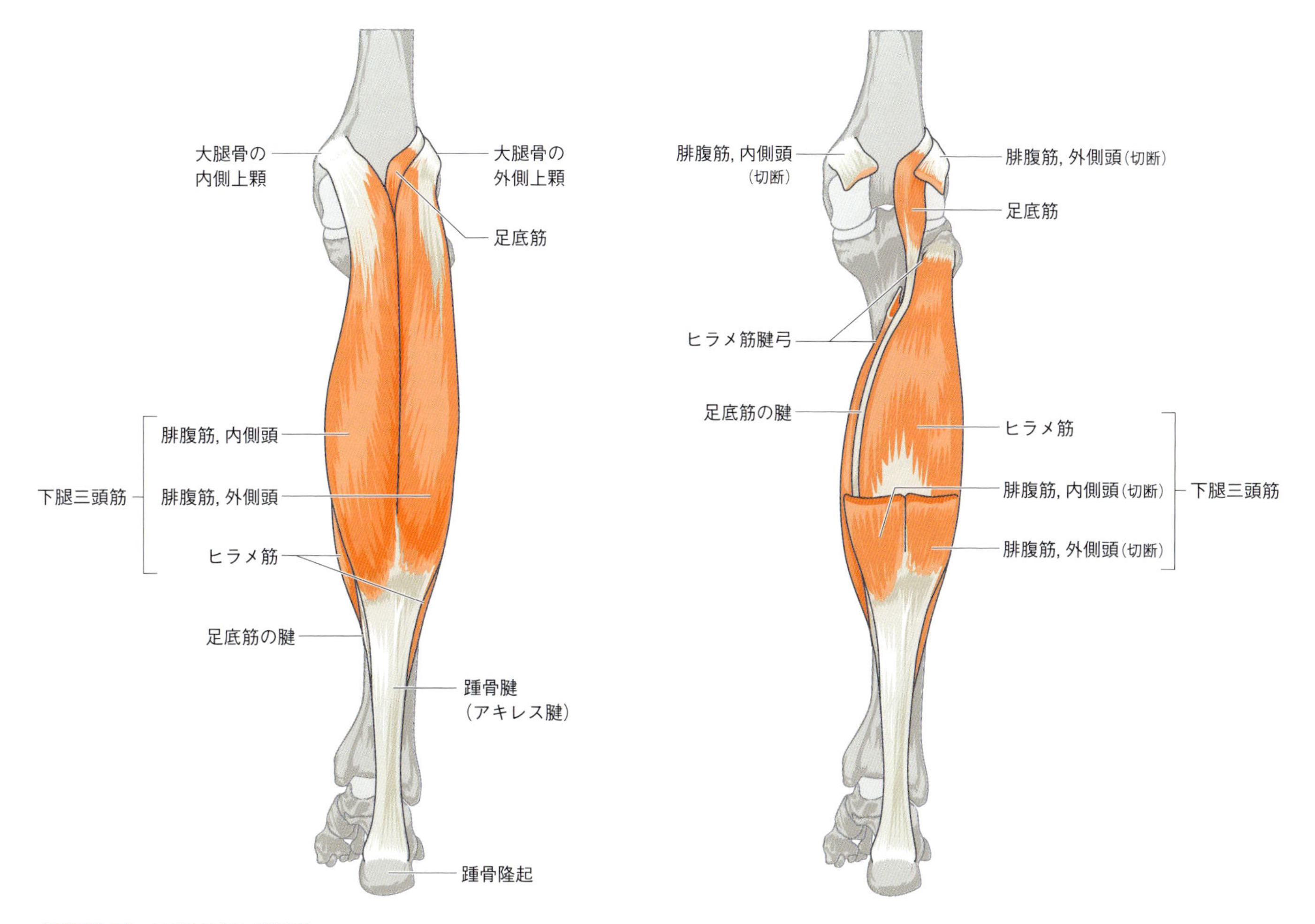

付録図24　**下腿の筋（後面）**

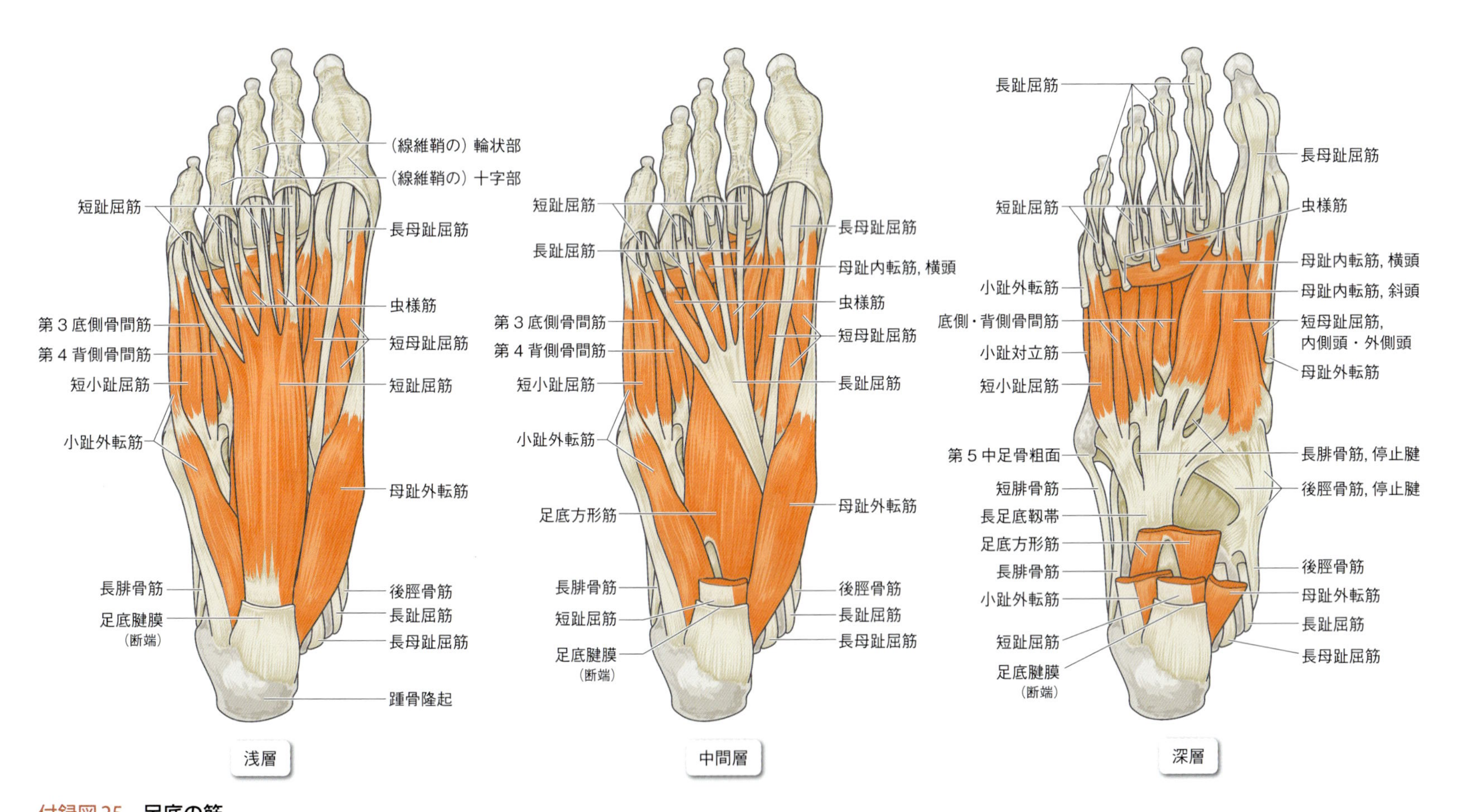

付録図 25　**足底の筋**

※足底腱膜を取り除いた図．

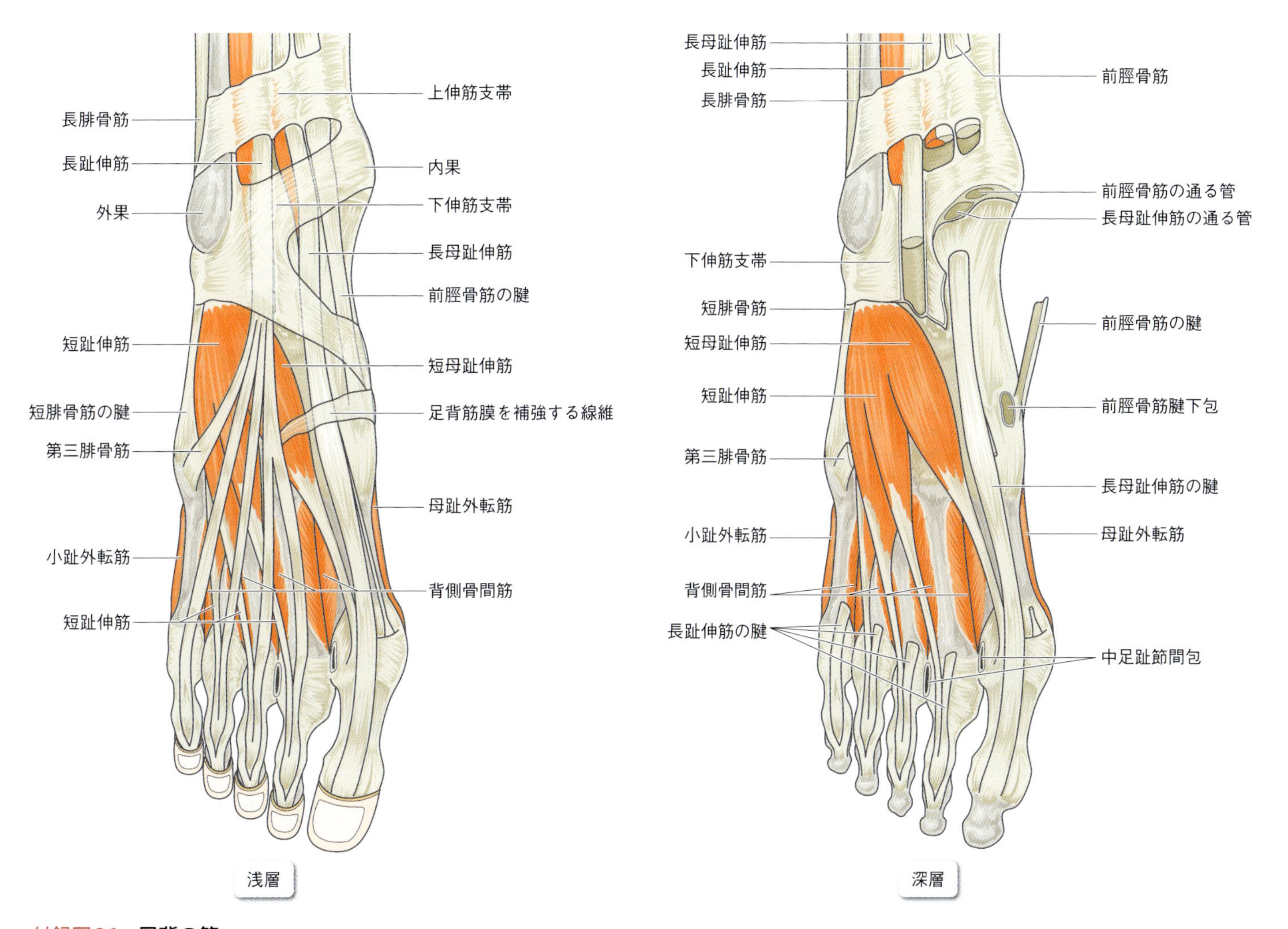
長腓骨筋
長趾伸筋
外果
短趾伸筋
短腓骨筋の腱
第三腓骨筋
小趾外転筋
短趾伸筋
上伸筋支帯
内果
下伸筋支帯
長母趾伸筋
前脛骨筋の腱
短母趾伸筋
足背筋膜を補強する線維
母趾外転筋
背側骨間筋
浅層
長母趾伸筋
長趾伸筋
長腓骨筋
下伸筋支帯
短腓骨筋
短母趾伸筋
短趾伸筋
第三腓骨筋
小趾外転筋
背側骨間筋
長趾伸筋の腱
前脛骨筋
前脛骨筋の通る管
長母趾伸筋の通る管
前脛骨筋の腱
前脛骨筋腱下包
長母趾伸筋の腱
母趾外転筋
中足趾節間包
深層

付録図26 足背の筋

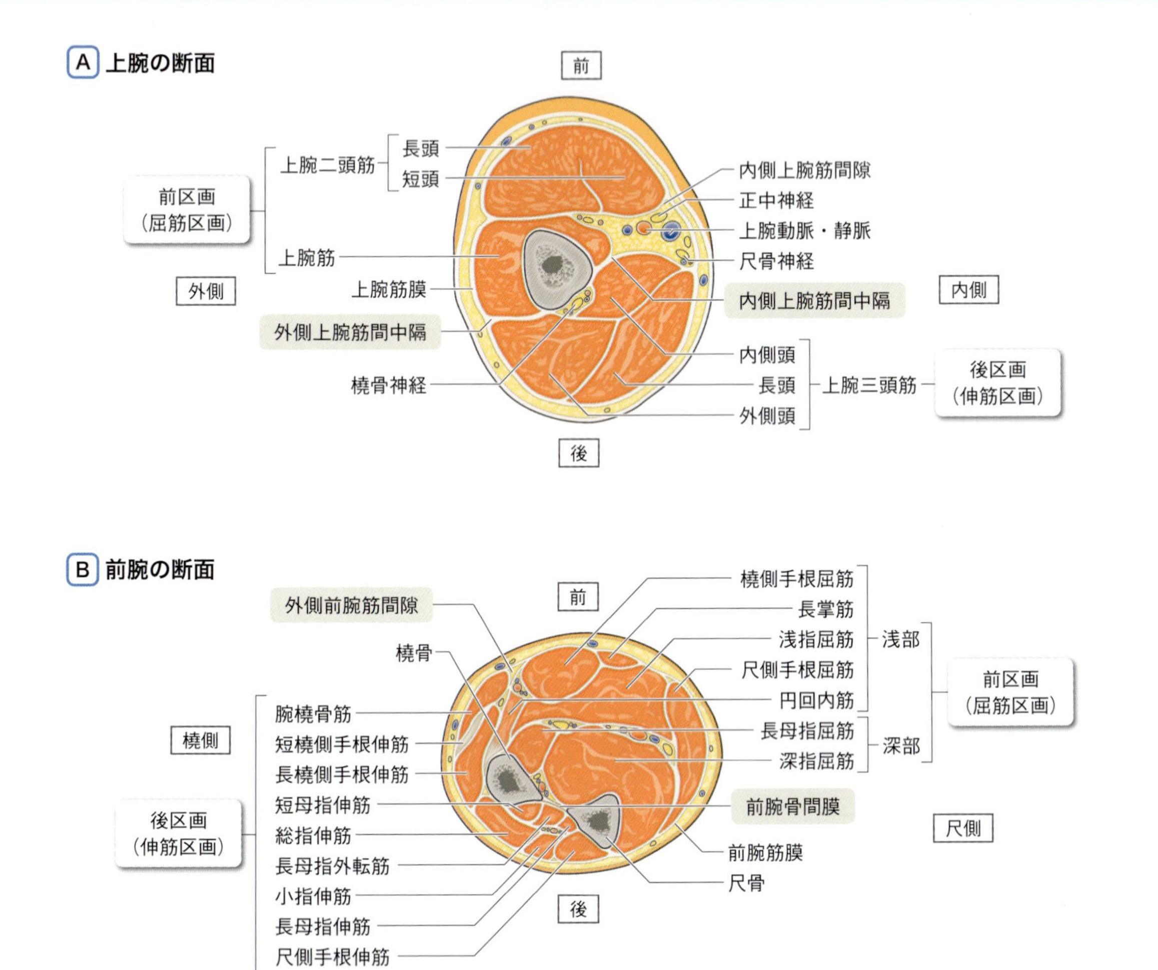

付録図27　上腕・前腕の断面（下面）と筋区画

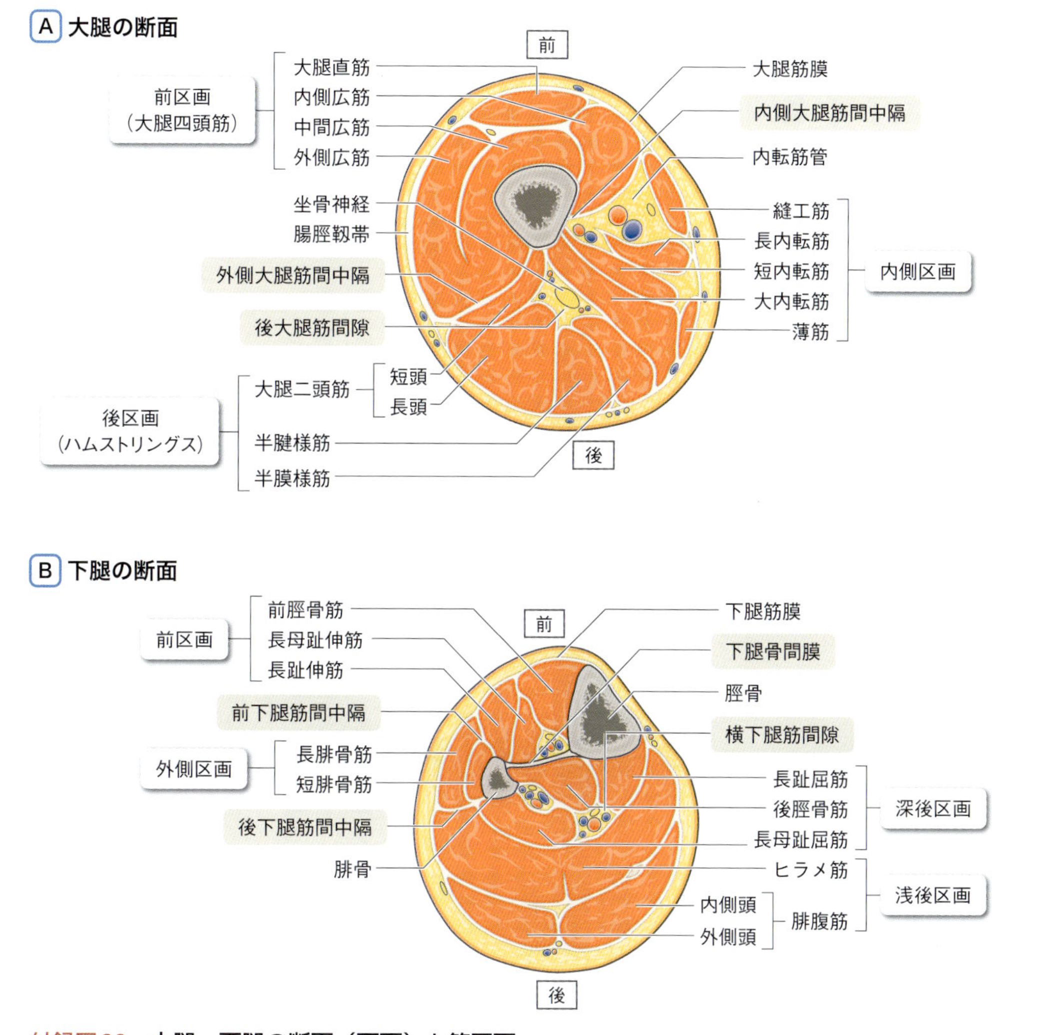

付録図28　大腿・下腿の断面（下面）と筋区画

2 筋の起始・停止，神経支配，作用

付録表1　上肢帯の筋

筋名	起始	停止	神経支配	作用
三角筋	鎖骨外側1/3， 肩峰および肩甲棘	上腕骨の三角筋粗面	腋窩神経（C5・6）	前部：肩関節の屈曲・外転・水平屈曲・内旋 中部：肩関節の外転 後部：肩関節の伸展・外転・水平伸展・外旋
棘上筋	棘上窩	上腕骨の大結節	肩甲上神経（C4～6）	肩関節の外転
棘下筋	棘下窩	上腕骨の大結節	肩甲上神経（C4～6）	肩関節の外旋
小円筋	肩甲骨の外側縁	上腕骨の大結節	腋窩神経（C5・6）	肩関節の外旋
大円筋	肩甲骨の外側縁および下角	上腕骨の小結節稜	肩甲下神経（C5・6）	肩関節の伸展・内転・内旋
肩甲下筋	肩甲下窩	上腕骨の小結節および小結節稜	肩甲下神経（C5・6）	肩関節の内旋

付録表2　上腕の筋

筋名		起始	停止	神経支配	作用
屈筋群	上腕二頭筋	長頭：肩甲骨の関節上結節 短頭：肩甲骨の烏口突起	橈骨粗面，前腕筋膜	筋皮神経（C5・6）	肘関節の屈曲， 前腕の回外
	上腕筋	上腕骨前面の下部， 内・外側上腕筋間中隔	尺骨粗面， 尺骨の鈎状突起	筋皮神経（C5・6） ※ときに橈骨神経も加わる	肘関節の屈曲
	烏口腕筋	肩甲骨の烏口突起	上腕骨内側面の中央部	筋皮神経（C5～7）	肩関節の屈曲・内転
伸筋群	上腕三頭筋	長　頭：肩甲骨の関節下結節 内側頭：上腕骨後面の橈骨神経溝の下内側方，内側上腕筋間中隔 外側頭：上腕骨後面の橈骨神経溝の上外側方，外側上腕筋間中隔	尺骨の肘頭	橈骨神経（C6～8）	肘関節の伸展 ※長頭のみ肩関節の伸展にも働く
	肘筋	上腕骨の外側上顆	尺骨の肘頭の外側面	橈骨神経（C6～8）	肘関節の伸展

付録表3　前腕の筋

筋名		起始	停止	神経支配	作用
屈筋群	円回内筋	上腕頭：上腕骨の内側上顆，内側上腕筋間中隔 尺骨頭：尺骨の鈎状突起	橈骨中央の外側面	正中神経（C6・7）	前腕の回内，肘関節の屈曲
	橈側手根屈筋	上腕骨の内側上顆	第2・3中手骨底	正中神経（C6～8）	手関節の掌屈・橈屈，前腕の回内
	長掌筋	上腕骨の内側上顆	手掌腱膜	正中神経（C8・T1）	手関節の掌屈，手掌腱膜の緊張，肘関節の屈曲
	尺側手根屈筋	上腕頭：上腕骨の内側上顆 尺骨頭：肘頭	豆状骨，有鈎骨，第5中手骨底	尺骨神経（C7～T1）	手関節の掌屈・尺屈
	浅指屈筋	上腕尺骨頭：上腕骨の内側上顆，尺骨の鈎状突起 橈骨頭：橈骨前面の上部	第2～5指の中節骨底	正中神経（C7～T1）	第2～5指の屈曲（MP・PIP関節），手関節の掌屈，肘関節の屈曲
	深指屈筋	尺骨前面の近位2/3，前腕骨間膜	第2～5指の末節骨底	橈側部（第2・3指）：正中神経（C8・T1） 尺側部（第4・5指）：尺骨神経（C8・T1）	第2～5指の屈曲（DIP・PIP・MP関節），手関節の掌屈
	長母指屈筋	橈骨前面（回外筋付着部の下方），前腕骨間膜	母指の末節骨底	正中神経（C8・T1）	母指の屈曲（IP・MP関節），手関節の掌屈・橈屈，母指CM関節の対立
	方形回内筋	尺骨前面の遠位1/4	橈骨前面の遠位1/4	正中神経（C8・T1）	前腕の回内
伸筋群	腕橈骨筋	上腕骨外側縁の下部，外側上腕筋間中隔	橈骨の茎状突起	橈骨神経（C5～7）	肘関節の屈曲，前腕の回内・回外（中間位に戻す）
	長橈側手根伸筋	上腕骨外側縁の下部（腕橈骨筋の下方），外側上顆，外側上腕筋間中隔	第2中手骨底	橈骨神経（C5～7）	手関節の背屈・橈屈
	短橈側手根伸筋	上腕骨の外側上顆	第3中手骨底	橈骨神経（C5～7）	手関節の背屈・橈屈，肘関節の屈曲
	(総)指伸筋	上腕骨の外側上顆	第2～5指の指背腱膜	橈骨神経（C6～8）	第2～5指の伸展（DIP・PIP・MP関節），手関節の背屈
	小指伸筋	上腕骨の外側上顆	第5指の指背腱膜	橈骨神経（C6～8）	第5指の伸展（DIP・PIP・MP関節），手関節の背屈
	尺側手根伸筋	上腕頭：上腕骨の外側上顆 尺骨頭：尺骨後面の中1/3	第5中手骨底	橈骨神経（C6～8）	手関節の背屈・尺屈
	回外筋	上腕骨の外側上顆，外側側副靱帯，尺骨の回外筋稜	橈骨近位1/3の外側面	橈骨神経（C5・6）	前腕の回外
	長母指外転筋	橈骨および尺骨の後面の近位1/2，前腕骨間膜	第1中手骨底	橈骨神経（C6～8）	母指の外転（CM関節），手関節の橈屈
	短母指伸筋	橈骨後面の中1/3，前腕骨間膜	母指の基節骨底	橈骨神経（C6～8）	母指の伸展（MP関節）・外転（CM関節）
	長母指伸筋	尺骨後面の中1/3，前腕骨間膜	母指の末節骨底	橈骨神経（C6～8）	母指の伸展（IP・MP関節），手関節の背屈・橈屈
	示指伸筋	尺骨後面の遠位1/3，前腕骨間膜	第2指の指背腱膜	橈骨神経（C6～8）	第2指の伸展（MP・PIP・DIP関節），手関節の背屈

付録表4　手の筋

筋名		起始	停止	神経支配	作用
母指球筋	短母指外転筋	舟状骨粗面，大菱形骨，屈筋支帯	母指の基節骨底の外側	正中神経（C6・7）	母指の外転（CM関節），母指の屈曲（MP関節）
	短母指屈筋	浅頭：屈筋支帯 深頭：大・小菱形骨，有頭骨	母指の基節骨底の外側	浅頭：正中神経（C6・7） 深頭：尺骨神経（C8・T1）	母指の対立（CM関節），母指の屈曲（MP関節）
	母指対立筋	大菱形骨結節，屈筋支帯	第1中手骨体の外側	正中神経（C6・7）	母指の対立（CM関節）
	母指内転筋	斜頭：第2・3中手骨底，有頭骨 横頭：第3中手骨底の前面	母指の基節骨底の内側面，第1中手骨頭内側の種子骨	尺骨神経（C8・T1）	母指の内転（CM関節），母指の屈曲（MP関節）
小指球筋	短掌筋	手掌腱膜の内側	小指球の皮膚	尺骨神経（C8・T1）	小指球の皮膚を緊張させる
	小指外転筋	豆状骨，屈筋支帯	第5指の基節骨底の内側面	尺骨神経（C8・T1）	第5指の屈曲・外転（MP関節），伸展（PIP・DIP関節）
	短小指屈筋	有鈎骨鈎，屈筋支帯	第5指の基節骨底の内側面	尺骨神経（C8・T1）	第5指の屈曲（MP関節）
	小指対立筋	有鈎骨鈎，屈筋支帯	第5中手骨体の内側面	尺骨神経（C8・T1）	第5指の掌屈（CM関節）
中手筋	（手の）虫様筋	第1・2虫様筋：第2・3指の深指屈筋腱 第3・4虫様筋：第3〜5指の深指屈筋腱	第2〜5指の指背腱膜の外側	第1・2虫様筋：正中神経（C8・T1） 第3・4虫様筋：尺骨神経（C8・T1）	第2〜5指の屈曲（MP関節），伸展（PIP・DIP関節）
	掌側骨間筋	第1掌側骨間筋：第2中手骨の内側面 第2掌側骨間筋：第4中手骨の外側面 第3掌側骨間筋：第5中手骨の外側面	第1掌側骨間筋：第2指の基節骨の内側面，指背腱膜 第2掌側骨間筋：第4指の基節骨の外側面，指背腱膜 第3掌側骨間筋：第5指の基節骨の外側面，指背腱膜	尺骨神経（C8・T1）	第2・4・5指の内転（MP関節），虫様筋の補助
	（手の）背側骨間筋	第1背側骨間筋：第1・2中手骨底の側面 第2背側骨間筋：第2・3中手骨底の側面 第3背側骨間筋：第3・4中手骨底の側面 第4背側骨間筋：第4・5中手骨底の側面	第1背側骨間筋：第2指の基節骨の外側面，指背腱膜 第2背側骨間筋：第3指の基節骨の外側面，指背腱膜 第3背側骨間筋：第3指の基節骨の内側面，指背腱膜 第4背側骨間筋：第4指の基節骨の内側面，指背腱膜	尺骨神経（C8・T1）	第2〜4指の外転（MP関節），虫様筋の補助

付録表5 頭部の筋

筋名		起始	停止	神経支配	作用
表情筋	顔面・頭部の皮下に存在する筋（割愛）				
咀嚼筋	咬筋	頬骨弓	下顎枝・下顎角の外面	下顎神経（三叉神経の第3枝）	下顎を挙上する
	側頭筋	側頭骨の側頭窩，側頭筋膜	下顎骨の筋突起，下顎枝		下顎を挙上し，かつ後方へ引く
	外側翼突筋	上頭：蝶形骨の側頭下稜，蝶形骨の大翼 下頭：蝶形骨の翼状突起	下顎骨の翼突筋窩，関節円板，顎関節包		両側：下顎骨を前方に突き出し，口を開く 片側：下顎骨を作用する筋の反対側に動かす
	内側翼突筋	浅頭：蝶形骨の翼状突起の外側板内面，口蓋骨の錐体突起 深頭：上顎結節	下顎骨内面の翼突筋粗面		両側：下顎骨を挙上し，口を閉じる 片側：下顎骨を作用する筋の反対側に動かす

付録表6　頸部の筋

筋名			起始	停止	神経支配	作用
浅頸筋	広頸筋		胸筋筋膜	下顎骨下縁の皮膚	顔面神経の頸枝	顔面下部と頸部の皮膚を緊張させる
	胸鎖乳突筋		胸骨部：胸骨柄の上縁 鎖骨部：鎖骨上面の内側1/3	側頭骨の乳様突起，後頭骨の上項線	副神経（第XI脳神経），頸神経（C2・3）	両側：上位頸椎の伸展，下位頸椎の屈曲 片側：頭頸部の反対側への回旋，同側への側屈
	舌骨上筋群	顎二腹筋	前腹：下顎骨の二腹筋窩 後腹：側頭骨の乳突切痕	顎二腹筋の中間腱	前腹：三叉神経の第3枝（顎舌骨筋神経） 後腹：顔面神経（二腹筋枝）	下顎骨固定時：舌骨を引き上げる 舌骨固定時：下顎骨を引き下げる
		茎突舌骨筋	側頭骨の茎状突起	舌骨体，大角	顔面神経（茎突舌骨筋枝）	
		顎舌骨筋	下顎骨の顎舌骨筋線	舌骨体	三叉神経の第3枝（顎舌骨筋神経）	
		オトガイ舌骨筋	下顎骨のオトガイ棘	舌骨体	舌下神経	
	舌骨下筋群	胸骨舌骨筋	胸骨柄後面，胸鎖関節および第1肋軟骨の後面	舌骨体	頸神経ワナ（C1～3）	舌骨を下方に引く
		肩甲舌骨筋	肩甲骨上縁（肩甲切痕の内側），上肩甲横靱帯	舌骨体	頸神経ワナ（C1～3）	舌骨を下方に引く
		胸骨甲状筋	胸骨柄および第1・2肋軟骨の後面	甲状軟骨の斜線	頸神経ワナ（C1・2）	甲状軟骨を下方に引く
		甲状舌骨筋	甲状軟骨の斜線	舌骨体，大角	頸神経ワナ（C1）	甲状軟骨固定時：舌骨を引き下げる 舌骨固定時：甲状軟骨を引き上げる
深頸筋	斜角筋群	前斜角筋	第3～6頸椎の横突起の前結節	第1肋骨の前斜角筋結節	頸神経（C4～6）の枝	第1肋骨の挙上，頭頸部の同側への側屈，強制吸気
		中斜角筋	第2～7頸椎の横突起の前結節	第1肋骨の鎖骨下動脈溝の後面	頸神経（C3～8）の枝	
		後斜角筋	第5～7頸椎の横突起の後結節	第2肋骨の外側面	頸神経（C6～8）の枝	
	椎前筋群	頸長筋	垂直部：上位3胸椎，下位3頸椎の椎体 上斜部：第3～5頸椎の横突起 下斜部：第1～3胸椎の椎体	垂直部：第2～4頸椎の椎体 上斜部：環椎の前結節 下斜部：第6・7頸椎の横突起	頸神経叢（C2～4）の枝	片側：頭頸部の同側への側屈 両側：頭頸部の屈曲
		頭長筋	第3～6頸椎の横突起の前結節	後頭骨の底部	頸神経叢（C1～4）の枝	
		前頭直筋	環椎の外側塊および横突起	後頭骨の底部（大後頭孔の前部）	C1の前枝	片側：環椎後頭関節の同側への側屈 両側：環椎後頭関節の屈曲
		外側頭直筋	環椎の横突起の前部	後頭骨の頸動脈突起		

付録表7　背部の筋

筋名			起始	停止	神経支配	作用
浅背筋	僧帽筋		後頭骨の上項線，外後頭隆起，項靭帯，第７頸椎以下全胸椎の棘突起および棘上靭帯	鎖骨外側1/3，肩峰，肩甲棘	副神経，頸神経（C2～4）	上部（下行部）：肩甲骨の内転・挙上・上方回旋 中部（水平部）：肩甲骨の内転 下部（上行部）：肩甲骨の内転・下制・上方回旋
浅背筋	広背筋		胸腰筋膜の浅葉，下位４～８胸椎・腰椎の棘突起，仙骨の正中仙骨稜，腸骨稜，第10～12肋骨，肩甲骨の下角	上腕骨の小結節稜	胸背神経（C6～8）	肩関節の内転・内旋・伸展
浅背筋	菱形筋		小菱形筋：第６・７頸椎の棘突起，項靭帯 大菱形筋：第１～４胸椎の棘突起および棘間靭帯	肩甲骨内側縁の下部2/3	肩甲背神経（C4・5）	肩甲骨の内転・挙上・下方回旋
浅背筋	肩甲挙筋		第１～４頸椎の横突起の後結節	肩甲骨内側縁の上部1/3	肩甲背神経（C5）と頸神経（C3・4）	肩甲骨の挙上・下方回旋
深背筋	棘肋筋	上後鋸筋	第７頸椎～第２胸椎の棘突起および項靭帯	第２～５肋骨の肋骨角外側	肋間神経（T1～3）	上位肋骨の挙上
深背筋	棘肋筋	下後鋸筋	第11胸椎～第２腰椎の棘突起	第９～12肋骨の外側部下縁	肋間神経（T9～11）	下位肋骨の下制
深背筋	棘背筋※	頭板状筋	第３～７頸椎高位の項靭帯，第１～３胸椎の棘突起	側頭骨の乳様突起，後頭骨上項線の外側部	中位頸神経の後枝	両側：頭頸部の伸展 片側：頭部を同側へ回旋・側屈
深背筋	棘背筋※	頸板状筋	第３～６胸椎の棘突起	第１～３頸椎の横突起の後結節	下位頸神経の後枝	両側：頸部の伸展 片側：頭部を同側へ回旋・側屈
深背筋	棘背筋※	腸肋筋	腸骨稜，仙骨後面，第３～12肋骨の肋骨角上縁	第１～12肋骨の肋骨角，第４～７頸椎の横突起	C8～L1の後枝の外側枝	両側：頸部と体幹の伸展 片側：頸部と体幹を同側へ側屈
深背筋	棘背筋※	最長筋	腸骨稜，胸腰筋膜，仙骨・腰椎の棘突起，第３頸椎～第６胸椎の横突起（頸椎では関節突起も含む）	全腰椎の副突起・肋骨突起，第２頸椎～第12胸椎の横突起の後結節，側頭骨の乳様突起，第３～12肋骨の肋骨角	C1～L5の後枝の外側枝	両側：頭頸部と体幹の伸展 片側：頭頸部と体幹を同側へ回旋・側屈
深背筋	棘背筋※	棘筋	第11胸椎～第２腰椎の棘突起，第6頸椎～第２胸椎の棘突起	第２～９胸椎の棘突起，第２～４頸椎の棘突起	脊髄神経の後枝の内側枝	両側：頭頸部と体幹の伸展 片側：頭頸部と体幹を同側へ回旋・側屈
深背筋	棘背筋※	半棘筋	第３頸椎～第12胸椎の横突起	第２頸椎～第４胸椎の棘突起，後頭骨の上項線と下項線の間	脊髄神経の後枝の内側枝・外側枝	両側：頭頸部と体幹の伸展 片側：頭頸部と体幹を反対側へ回旋

（次ページへ続く）

付録表7　背部の筋（つづき）

筋名			起始	停止	神経支配	作用
深背筋	棘背筋※	多裂筋	仙骨後面，全腰椎の乳頭突起および副突起，全胸椎の横突起，第4頸椎～第7胸椎の下関節突起	第2頸椎以下すべての椎骨の棘突起	脊髄神経の後枝の内側枝	両側：頸部と体幹の伸展 片側：頸部と体幹を反対側へ回旋
		回旋筋	第2頸椎以下すべての椎骨の横突起	直上あるいは1つの椎体を隔てた上位椎体の棘突起		両側：頸部と体幹の伸展 片側：頸部と体幹を反対側へ回旋
		棘間筋	椎骨の棘突起	直上の椎骨の棘突起	脊髄神経の後枝の内側枝	体幹の伸展と回旋を補助
		横突間筋	椎骨の横突起	直上の椎骨の横突起	脊髄神経の後枝の内側枝または前枝	両側：脊柱を固定 片側：体幹の側屈を補助
	後頭下筋群	大後頭直筋	軸椎の棘突起	後頭骨下項線の中央1/3	C1の後枝（後頭下神経）	両側：頭部の伸展 片側：頭部を同側へ側屈・回旋
		小後頭直筋	環椎の後結節	後頭骨下項線の内側1/3		両側：頭部の伸展 片側：頭部を同側へ側屈
		上頭斜筋	環椎の横突起	後頭骨の上項線と下項線の間		両側：頭部の伸展 片側：頭部を同側へ側屈
		下頭斜筋	軸椎の棘突起	環椎の横突起	C1・2の後枝	両側：頭部の伸展 片側：頭部を同側へ側屈・回旋

※棘背筋は，系統発生的にみて最も古い背筋であり，固有背筋あるいは深背筋ともよばれる．

付録表8　胸部の筋

筋名		起始	停止	神経支配	作用
浅胸筋	大胸筋	鎖骨部：鎖骨の内側1/2 胸肋部：胸骨および第2～7肋軟骨の前面 腹　部：腹直筋鞘の前葉	上腕骨の大結節稜	内側・外側胸筋神経（C5～T1）	肩関節の内転・屈曲・内旋
	小胸筋	第2～5肋骨の前面	肩甲骨の烏口突起	内側・外側胸筋神経（C6～T1）	肩甲骨の下制・下方回旋
	鎖骨下筋	第1肋骨と肋軟骨の連結する辺りの上前面	鎖骨の下面	鎖骨下筋神経（C5・6）	鎖骨の下制
	前鋸筋	第1～8肋骨，第1・2肋間に走る腱弓	肩甲骨の内側縁，上角，下角	長胸神経（C5～7）	肩甲骨の外転・上方回旋
深胸筋	外肋間筋	肋骨外面の下縁	直下の肋骨上縁	肋間神経（T1～11）	肋骨の挙上（安静吸気）
	内肋間筋	肋骨内面の上縁	直上の肋骨下縁	肋間神経（T1～11）	肋骨の下制（安静呼気）
	肋下筋	肋骨後面の上縁	2～3上位の肋骨下縁	下位の肋間神経	
	胸横筋	胸骨体および肋軟骨の後面，剣状突起	第2～6肋軟骨	肋間神経（T3～5）	
	肋骨挙筋	第7頸椎～第11胸椎の横突起	1～2下位の肋骨角近傍	C8～T11の後枝	肋骨の挙上
	横隔膜	胸骨部：剣状突起の後面，腹直筋鞘の後葉 肋骨部：第7～12肋軟骨の後面 腰椎部：第1～4腰椎の椎体，内・外側弓状靱帯	腱中心	横隔神経（C3～5）	胸腔底の下方移動（安静吸気）

付録表9　腹部の筋

筋名		起始	停止	神経支配	作用
前腹筋	腹直筋	恥骨結合，恥骨結節上縁	第5～7肋軟骨，剣状突起，肋剣靱帯	肋間神経（T6～11），肋下神経	体幹の屈曲，腹圧の上昇
	錐体筋	恥骨上縁	腹直筋鞘，白線下部	腸骨下腹神経	白線を下制し，腹直筋の補助として働く
側腹筋	外腹斜筋	第5～12肋骨外面	腸骨稜の外唇，鼡径靱帯，白線	肋間神経（T5～11），肋下神経	両側：体幹の屈曲，腹圧の上昇 片側：体幹の屈曲，同側への側屈，反対側への回旋
	内腹斜筋	腸骨稜の中間線，鼡径靱帯，胸腰筋膜	第10～12肋骨下縁，腹直筋鞘，白線，恥骨稜	肋間神経（T10・11），肋下神経，腸骨下腹神経	両側：体幹の屈曲，腹圧の上昇 片側：体幹の屈曲，同側への側屈，同側への回旋
	腹横筋	第6～12肋軟骨の前面，胸腰筋膜，腸骨稜の内唇，鼡径靱帯	腹直筋鞘，恥骨稜，白線	肋間神経（T6～11），肋下神経，腸骨下腹神経	腹圧の上昇
後腹筋	腰方形筋	腸骨稜，腸腰靱帯，腰椎の肋骨突起	第12肋骨の下縁，第1～4腰椎の肋骨突起	T12～L3の前枝	両側：体幹の伸展 片側：体幹の同側への側屈

付録表10　骨盤・会陰の筋

筋名		起始	停止	神経支配	作用
肛門挙筋	恥骨直腸筋	恥骨体の後面	会陰腱中心	S4の前枝，下肛門神経（陰部神経の枝）	骨盤隔膜の形成，骨盤内臓の支持，腹腔内圧の増加に対する抵抗
	恥骨尾骨筋	恥骨体の後面，肛門挙筋腱弓の前部	肛門尾骨靱帯，尾骨		
	腸骨尾骨筋	肛門挙筋腱弓の後部，坐骨棘	肛門尾骨靱帯		
尾骨筋	尾骨筋（坐骨尾骨筋）	坐骨棘	仙骨下部，尾骨	S3・4の前枝	骨盤隔膜の形成（著しい作用は認めない）
会陰筋	骨盤下口に囲まれ，骨盤隔膜の下方に位置する会陰に存在する筋（割愛）				

付録表11　下肢帯の筋

筋名		起始	停止	神経支配	作用
寛骨内筋	腸骨筋	腸骨上縁，腸骨窩	大腿骨の小転子	大腿神経（L2・3）	股関節の屈曲
	大腰筋	第12胸椎～第4腰椎の椎体側面，全腰椎の肋骨突起，椎間円板	大腿骨の小転子	腰神経叢の前枝（L1～3）	股関節の屈曲
	小腰筋	第12胸椎および第1腰椎の椎体側面，椎間円板	寛骨の腸恥隆起	腰神経叢の前枝（L1・2）	腰椎の軽度屈曲
寛骨外筋	大殿筋	腸骨翼の外面，後殿筋線の後方，仙骨および尾骨の外側縁，胸腰筋膜，仙結節靱帯	大腿筋膜の外側部（腸脛靱帯に移行），大腿骨の殿筋粗面	下殿神経（L5～S2）	股関節の伸展（特に屈曲位からの伸展）・外旋（上部線維は外転，下部線維は内転）
	大腿筋膜張筋	上前腸骨棘	腸脛靱帯に移行（膝蓋骨，脛骨の外側顆）	上殿神経（L4～S1）	股関節の屈曲・外転・内旋
	中殿筋	腸骨翼の外面（前殿筋線と後殿筋線の間），腸骨稜外唇，殿筋膜	大腿骨の大転子の外側面	上殿神経（L4～S1）	股関節の外転・内旋（前部線維は屈曲，後部線維は伸展）
	小殿筋	腸骨翼の外面（前殿筋線と下殿筋線の間），下殿筋線	大腿骨の大転子の前外側面	上殿神経（L4～S1）	股関節の外転・内旋
	梨状筋	仙骨前面（上位3つの前仙骨孔の間およびその周囲），仙結節靱帯	大腿骨の大転子の上縁	仙骨神経叢の枝（L5～S2）	股関節の外旋・外転
	内閉鎖筋	閉鎖膜の内面，閉鎖孔の周囲	大腿骨の転子窩	仙骨神経叢の枝（L5～S2）	股関節の外旋・外転
	上双子筋	坐骨棘	大腿骨の転子窩（内閉鎖筋腱との共同腱）	仙骨神経叢の枝（L5～S2）	股関節の外旋・外転
	下双子筋	坐骨結節の上部	大腿骨の転子窩（内閉鎖筋腱との共同腱）	仙骨神経叢の枝（L5～S2）	股関節の外旋・外転
	大腿方形筋	坐骨結節の外側面	大腿骨の大転子の下部，転子間稜	仙骨神経叢の枝（L5～S2）	股関節の外旋
	外閉鎖筋	閉鎖膜の外面，閉鎖孔の周囲	大腿骨の転子窩	閉鎖神経（L3・4）	股関節の内転・外旋

付録表12　大腿の筋

筋名		起始	停止	神経支配	作用
伸筋群	縫工筋	上前腸骨棘	脛骨粗面の内側（鵞足を形成）	大腿神経（L2・3）	股関節の屈曲・外旋・外転，膝関節の屈曲
	大腿直筋	下前腸骨棘，寛骨臼上縁	膝蓋骨底（一部は膝蓋靱帯を介して脛骨粗面）	大腿神経（L2～4）	股関節の屈曲，膝関節の伸展
	外側広筋	大腿骨の大転子の外側面，大腿骨粗線の外側唇，外側大腿筋間中隔	膝蓋骨底（一部は膝蓋靱帯を介して脛骨粗面）	大腿神経（L2～4）	膝関節の伸展
	内側広筋	大腿骨の転子間線下部，大腿骨粗線の内側唇，内側大腿筋間中隔	膝蓋骨底（一部は膝蓋靱帯を介して脛骨粗面）	大腿神経（L2～4）	膝関節の伸展
	中間広筋	大腿骨体の前外側面	膝蓋骨底（一部は膝蓋靱帯を介して脛骨粗面）	大腿神経（L2～4）	膝関節の伸展
	膝関節筋	大腿骨体前面の下部	膝蓋上包	大腿神経（L2～4）	膝関節伸展時に膝蓋上包を上方に引く
内転筋群	恥骨筋	恥骨上枝，恥骨櫛，恥骨靱帯	大腿骨の恥骨筋線	大腿神経（L2・3） ※ときに閉鎖神経も加わる	股関節の屈曲・内転
	薄筋	恥骨体，恥骨下枝	脛骨粗面の内側（鵞足を形成）	閉鎖神経（L2・3）	股関節の内転，膝関節の屈曲・内旋
	長内転筋	恥骨結節の下部	大腿骨粗線の内側唇中1/3	閉鎖神経（L2～4）	股関節の内転・屈曲
	短内転筋	恥骨体，恥骨下枝の前面	大腿骨粗線の内側唇近位1/3	閉鎖神経（L2～4）	股関節の内転・屈曲
	大内転筋	内転部：恥骨下枝，坐骨枝 膝腱部：坐骨結節	内転部：大腿骨粗線の内側唇 膝腱部：内転筋結節	内転部：閉鎖神経（L2～4） 膝腱部：坐骨神経の脛骨神経部（L4）	股関節の内転・伸展（膝腱部は伸展位で屈曲，屈曲位で伸展）
	小内転筋	坐骨下枝，恥骨下枝	大腿骨粗線の内側唇の上端	閉鎖神経（L3・4）	股関節の内転
屈筋群	大腿二頭筋	長頭：坐骨結節の後内面（半腱様筋との共同腱），仙結節靱帯 短頭：大腿骨粗線の外側唇の下方1/2	腓骨頭	長頭：脛骨神経（L5～S2） 短頭：総腓骨神経（L5～S2）	股関節の伸展・外旋，膝関節の屈曲・外旋
	半腱様筋	坐骨結節の後内面（大腿二頭筋長頭との共同腱），仙結節靱帯	脛骨粗面の内側（鵞足を形成）	脛骨神経（L5～S2）	股関節の伸展・内旋，膝関節の屈曲・内旋
	半膜様筋	坐骨結節の後外面	脛骨内側顆の後部，斜膝窩靱帯，膝窩筋膜	脛骨神経（L5～S2）	股関節の伸展・内旋，膝関節の屈曲・内旋

付録表13　下腿の筋

筋名		起始	停止	神経支配	作用
伸筋群	前脛骨筋	脛骨外側面の近位1/2, 下腿骨間膜	内側楔状骨の内側面, 第1中足骨底	深腓骨神経 (L4・5)	足関節の背屈・回外
	長趾伸筋	脛骨の外側顆, 腓骨体の前縁, 下腿骨間膜	第2～5趾の趾背腱膜	深腓骨神経 (L5・S1)	第2～5趾の伸展, 足関節の背屈
	第三腓骨筋	腓骨体の前面下部	第5中足骨底	深腓骨神経 (L5・S1)	足関節の背屈・回内
	長母趾伸筋	腓骨前内側面の中部, 下腿骨間膜	母趾の末節骨底	深腓骨神経 (L5・S1)	母趾の伸展, 足関節の背屈
	長腓骨筋	脛骨の外側顆, 腓骨頭, 腓骨外側面の近位2/3, 前・後下腿筋間中隔, 下腿筋膜	内側楔状骨の外側面, 第1中足骨底	浅腓骨神経 (L5～S2)	足関節の底屈・回内
	短腓骨筋	腓骨外側面の遠位1/3, 後下腿筋間中隔	第5中足骨底	浅腓骨神経 (L5～S2)	足関節の底屈・回内
屈筋群	腓腹筋	外側頭：大腿骨の外側上顆 内側頭：大腿骨の内側上顆	踵骨隆起（踵骨腱を介して）	脛骨神経 (S1・2)	足関節の底屈, 膝関節の屈曲
	ヒラメ筋	脛骨後面のヒラメ筋線, 腓骨の内側縁, 腓骨頭, ヒラメ筋腱弓	踵骨隆起（踵骨腱を介して）	脛骨神経 (S1・2)	足関節の底屈
	足底筋	大腿骨の外側上顆, 膝関節包	踵骨の内側 （踵骨腱の内側面に合流）	脛骨神経 (S1・2)	腓腹筋の作用をわずかに補助
	膝窩筋	大腿骨の外側上顆, 膝関節包	脛骨体後面 （ヒラメ筋線の上部）	脛骨神経 (S1・2)	膝関節の内旋
	後脛骨筋	脛骨の後面, 腓骨の後内側面, 下腿骨間膜後面の近位部	舟状骨粗面, 立方骨, 内側・中間・外側楔状骨, 第2～4中足骨底	脛骨神経 (L4～S1)	足関節の底屈・回外
	長趾屈筋	脛骨体後面の中1/3, 下腿骨間膜後面の中部	第2～5趾の末節骨底	脛骨神経 (S2・3)	第2～5趾の屈曲, 足関節の底屈・回外
	長母趾屈筋	腓骨後面の遠位2/3, 下腿骨間膜後面の遠位部	母趾の末節骨底	脛骨神経 (S2・3)	母趾の屈曲, 足関節の底屈・回外

付録表14　足の筋

筋名		起始	停止	神経支配	作用
足背筋	短母趾伸筋	踵骨前部の背外側面	母趾の趾背腱膜，基節骨底	深腓骨神経（L5・S1）	母趾の中足趾節関節の伸展
	短趾伸筋	踵骨前部の背外側面	第２～４趾の趾背腱膜，中節骨底	深腓骨神経（L5・S1）	第２～４趾の中足趾節関節・近位趾節間関節の伸展
母趾球筋（足底筋）	母趾外転筋	踵骨隆起の内側突起，屈筋支帯，足底腱膜	母趾の基節骨底，第１中足骨頭内側の種子骨	内側足底神経（S1～3）	母趾の中足趾節関節の屈曲・外転
	短母趾屈筋	立方骨，外側楔状骨	母趾の基節骨底，第１中足骨頭内および外側の種子骨	内側頭：内側足底神経（L5・S1） 外側頭：外側足底神経（S1・2）	母趾の中足趾節関節の屈曲
	母趾内転筋	斜頭：第２～４中足骨 横頭：第３～５中足趾節関節包	母趾の基節骨底，第１中足骨頭外側の種子骨	外側足底神経（S1・2）	母趾の中足趾節関節の屈曲・内転
小趾球筋（足底筋）	小趾外転筋	踵骨隆起の内・外側突起	第５趾の基節骨底	外側足底神経（S1～3）	第５趾の中足趾節関節の屈曲・外転
	短小趾屈筋	第５中足骨底	第５趾の基節骨底	外側足底神経（S2・3）	第５趾の中足趾節関節の屈曲
	小趾対立筋	第５中足骨底	第５中足骨の外側縁	外側足底神経（S1・2）	第５足根中足関節の屈曲・内転
中足筋（足底筋）	短趾屈筋	踵骨隆起の内側突起，足底腱膜	第２～５趾の中節骨底	内側足底神経（L5・S1）	第２～５趾の中足趾節関節・近位趾節間関節の屈曲
	足底方形筋	踵骨底面の内・外側縁	長趾屈筋腱の外側縁	外側足底神経（S1・2）	長趾屈筋の作用の補助
	（足の）虫様筋	長趾屈筋腱の内側縁	第２～５趾の趾背腱膜	第１・２虫様筋：内側足底神経（S1～3） 第４虫様筋：外側足底神経（S1～3） ※第３虫様筋の神経支配は個体差が大きい	第２～５趾の中足趾節関節の屈曲，近位・遠位趾節間関節の伸展
	（足の）背側骨間筋	第１～５中足骨の相対する面（２頭）	第１背側骨間筋：第２趾の基節骨底内側 第２～４背側骨間筋：第２～４趾の基節骨底外側	外側足底神経（S1・2）	第２～４趾の中足趾節関節の外転・屈曲，近位・遠位趾節間関節の伸展
	底側骨間筋	第３～５中足骨の内側縁	第３～５趾の基節骨底内側	外側足底神経（S1・2）	第３～５趾の中足趾節関節の内転・屈曲，近位・遠位趾節間関節の伸展

3 筋の起始・停止部

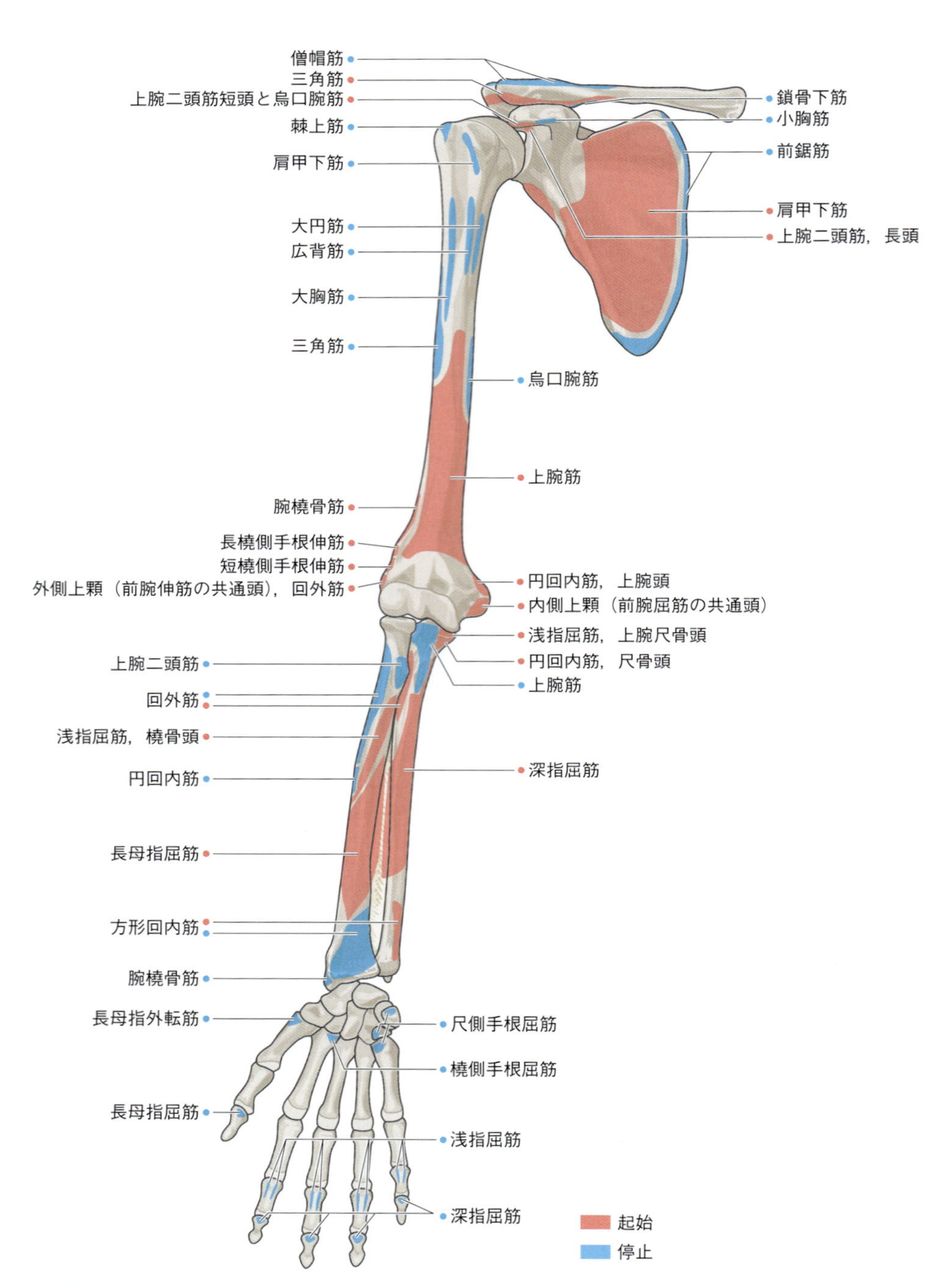

付録図29　上肢の骨（前面）への筋の付着部

「PT・OTビジュアルテキスト専門基礎　解剖学」（坂井建雄／監，町田志樹／著），羊土社，2018より引用.

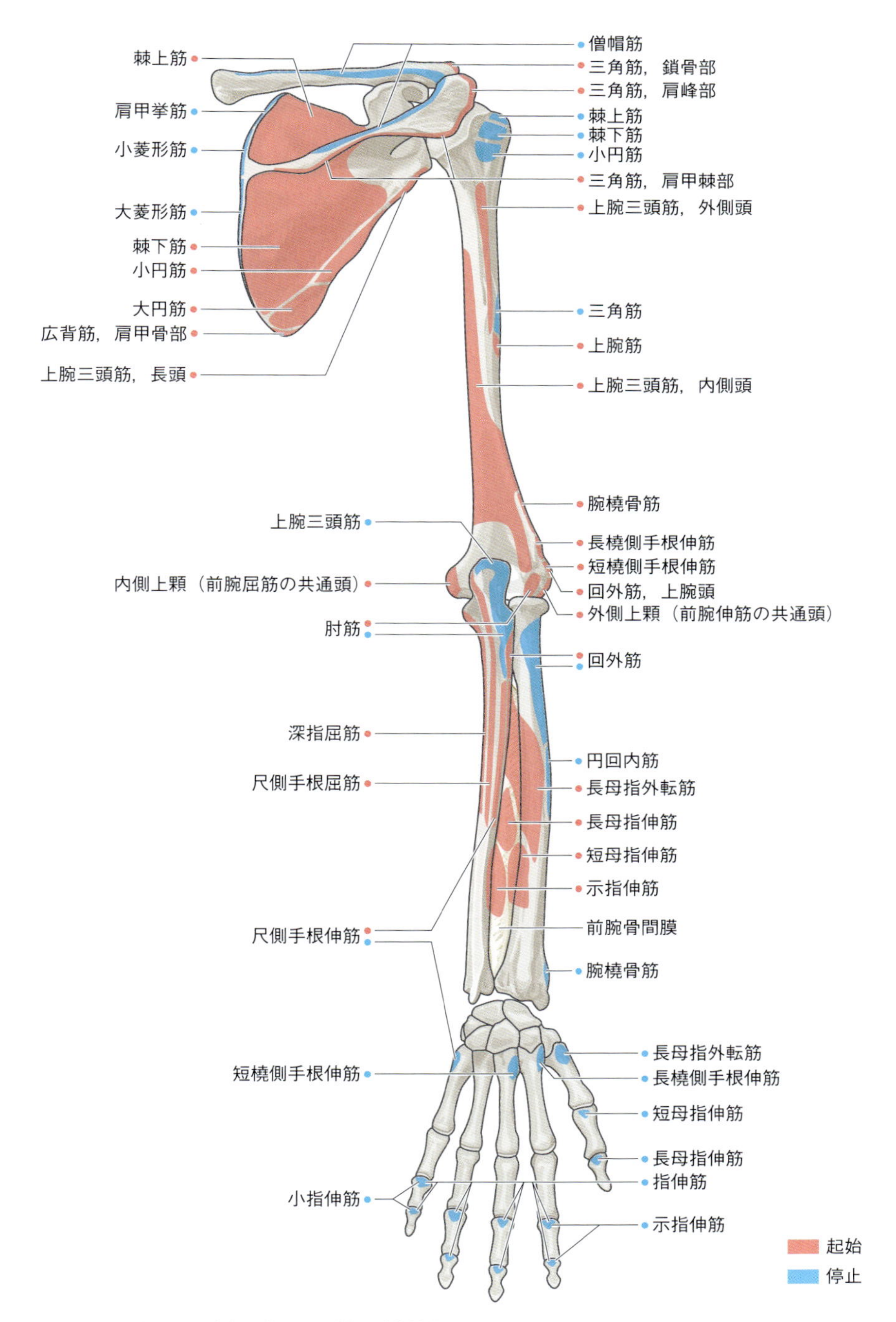

付録図30　上肢の骨（後面）への筋の付着部

「PT・OTビジュアルテキスト専門基礎　解剖学」（坂井建雄／監，町田志樹／著），羊土社，2018より引用．

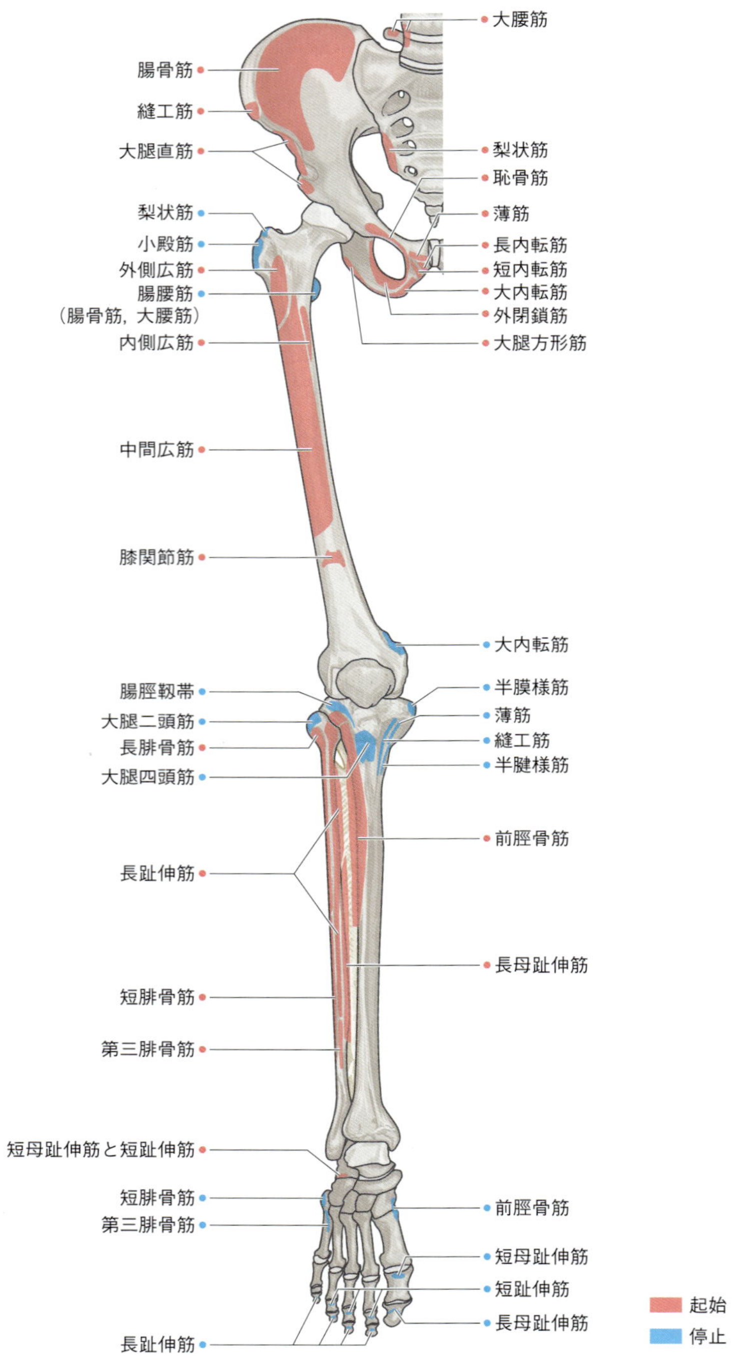

付録図31　下肢の骨（前面）への筋の付着部

「PT・OTビジュアルテキスト専門基礎　解剖学」（坂井建雄／監，町田志樹／著），羊土社，2018より引用．

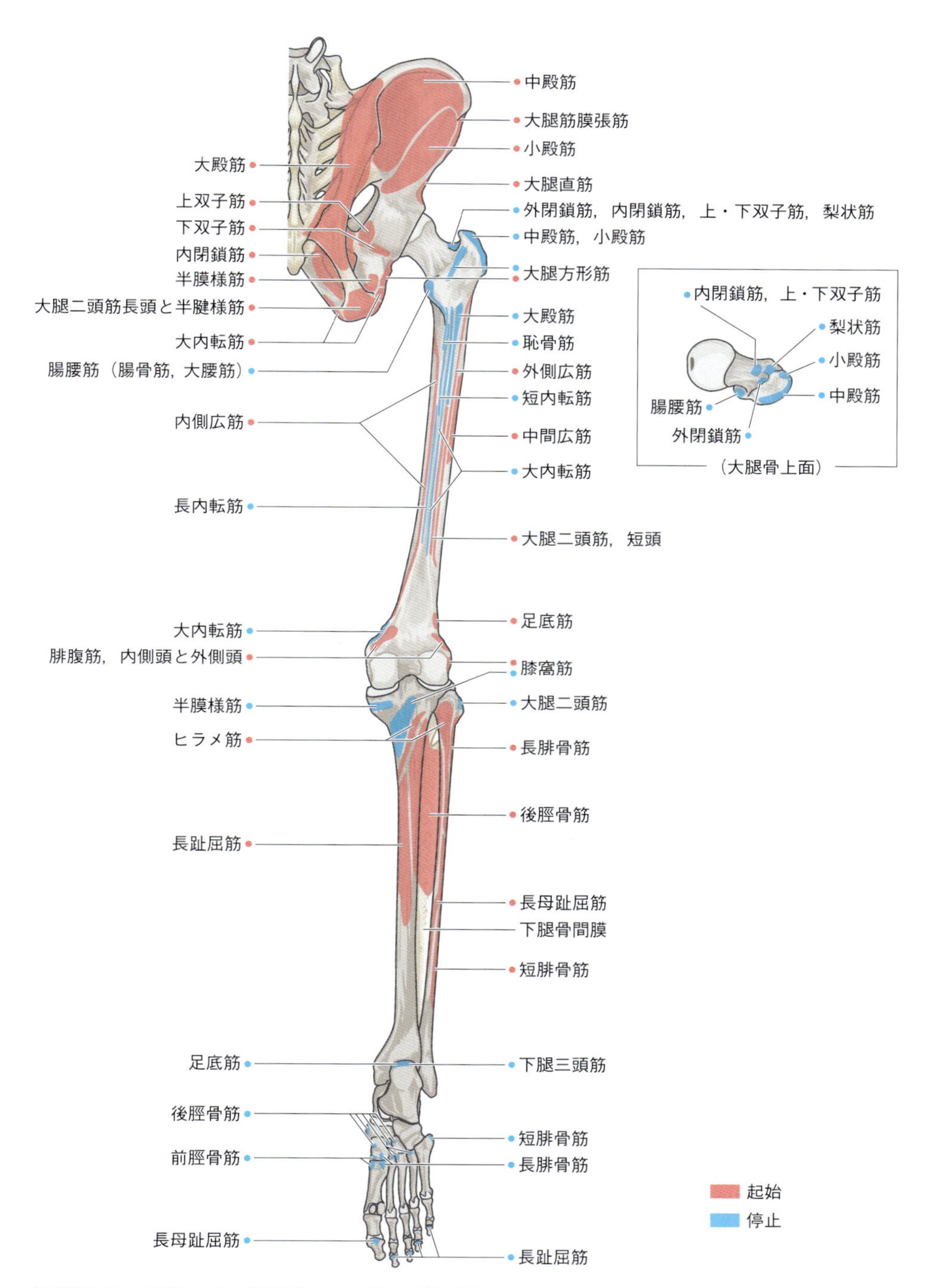

付録図32　下肢の骨（後面）への筋の付着部

「PT・OTビジュアルテキスト専門基礎　解剖学」（坂井建雄／監，町田志樹／著），羊土社，2018より作成．

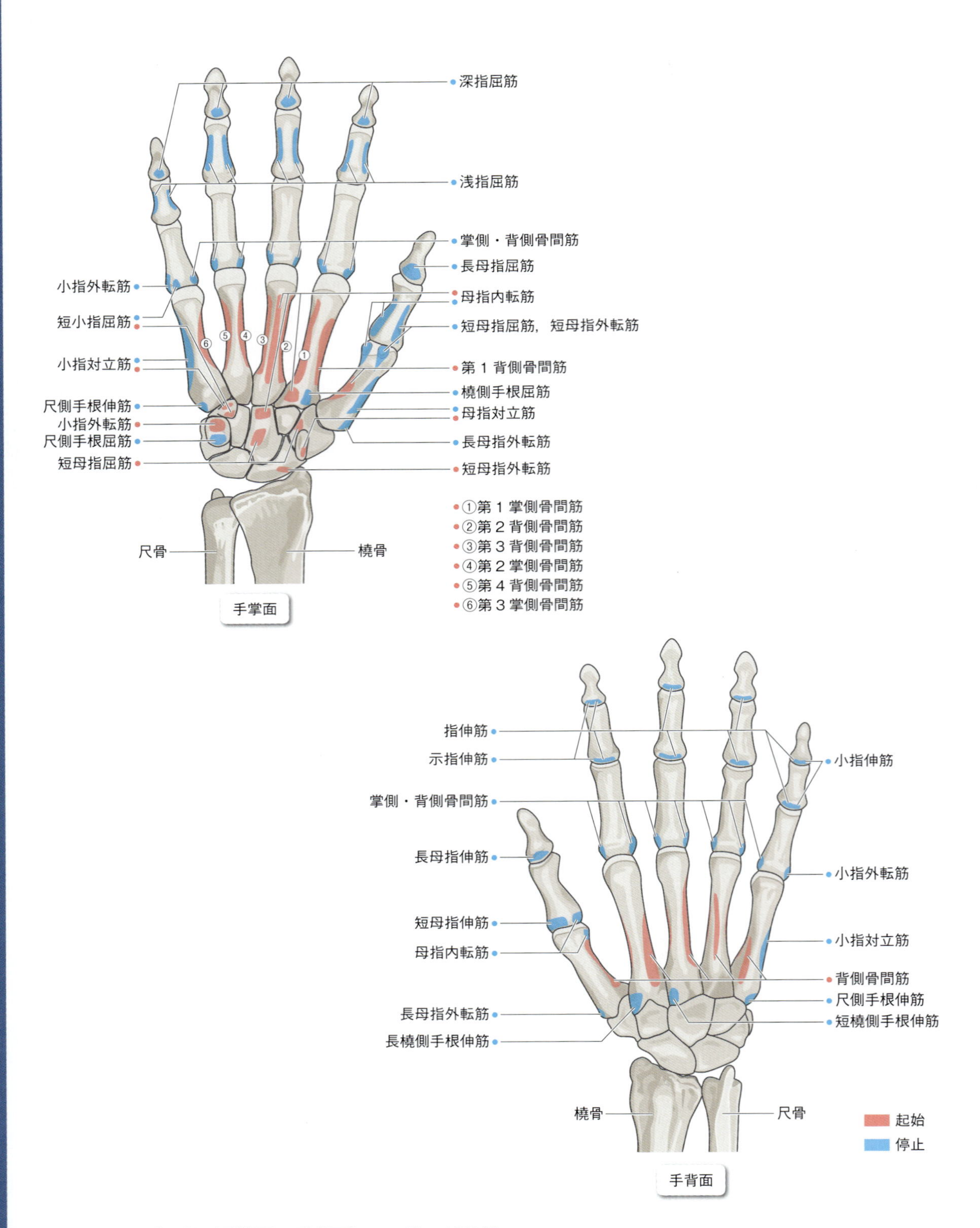

付録図33　手の骨（手掌面，手背面）への筋の付着部

「PT・OTビジュアルテキスト専門基礎　解剖学」（坂井建雄／監，町田志樹／著），羊土社，2018より引用．

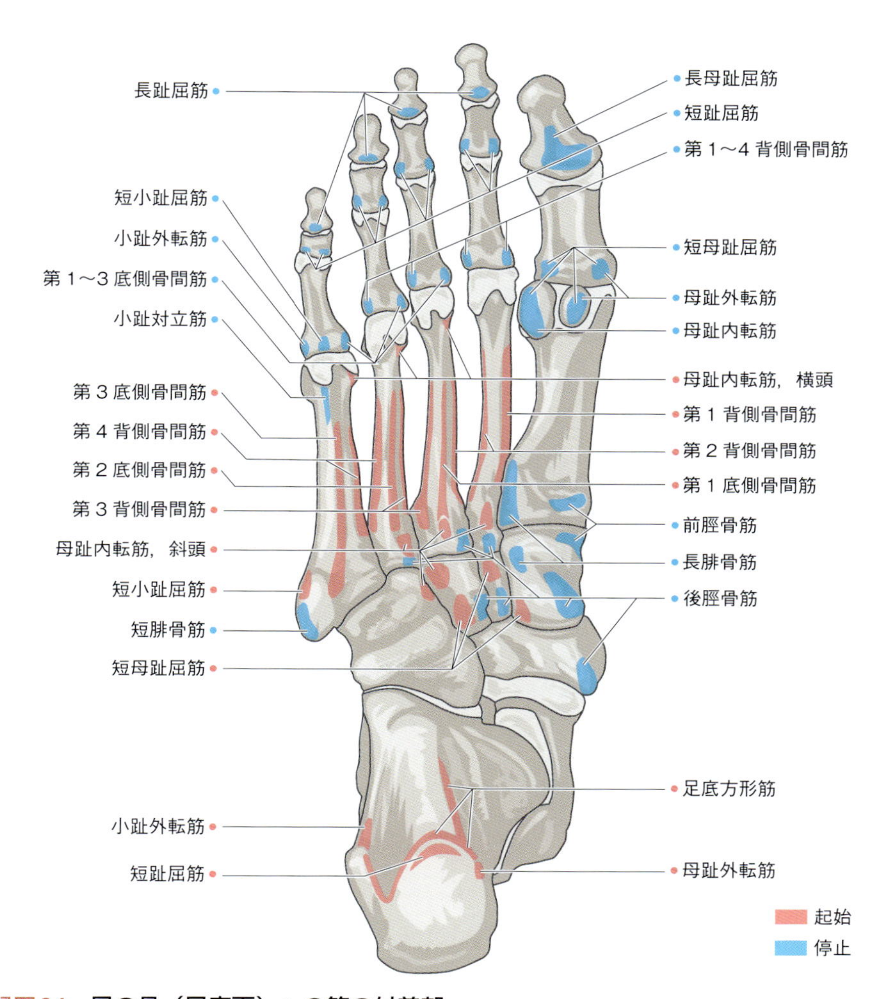

付録図34　**足の骨（足底面）への筋の付着部**

「PT・OTビジュアルテキスト専門基礎　解剖学」（坂井建雄／監，町田志樹／著），羊土社，2018より引用．

4 関節可動域表示ならびに測定法（2022年改訂版）

Ⅰ．上肢測定

部位名	運動方向	参考可動域角度	基本軸	移動軸	測定肢位および注意点	参考図
肩甲帯 shoulder girdle	屈曲 flexion	0-20	両側の肩峰を結ぶ線	頭頂と肩峰を結ぶ線		屈曲 0° 伸展
	伸展 extension	0-20				
	挙上 elevation	0-20	両側の肩峰を結ぶ線	肩峰と胸骨上縁を結ぶ線	背面から測定する．	挙上 0° 引き下げ
	引き下げ（下制） depression	0-10				
肩 shoulder（肩甲帯の動きを含む）	屈曲（前方挙上） forward flexion	0-180	肩峰を通る床への垂直線（立位または座位）	上腕骨	前腕は中間位とする． 体幹が動かないように固定する． 脊柱が前後屈しないように注意する．	屈曲 伸展 0°
	伸展（後方挙上） backward extension	0-50				
	外転（側方挙上） abduction	0-180	肩峰を通る床への垂直線（立位または座位）	上腕骨	体幹の側屈が起こらないように90°以上になったら前腕を回外することを原則とする． →［Ⅴ．その他の検査法］参照	外転 0° 内転
	内転 adduction	0				
	外旋 external rotation	0-60	肘を通る前額面への垂直線	尺骨	上腕を体幹に接して，肘関節を前方に90°に屈曲した肢位で行う．前腕は中間位とする． →［Ⅴ．その他の検査法］参照	外旋 内旋 0°
	内旋 internal rotation	0-80				
	水平屈曲 horizontal flexion（horizontal adduction）	0-135	肩峰を通る矢状面への垂直線	上腕骨	肩関節を90°外転位とする．	水平伸展 0° 水平屈曲
	水平伸展 horizontal extension（horizontal abduction）	0-30				
肘 elbow	屈曲 flexion	0-145	上腕骨	橈骨	前腕は回外位とする．	屈曲 伸展 0°
	伸展 extension	0-5				
前腕 forearm	回内 pronation	0-90	上腕骨	手指を伸展した手掌面	肩の回旋が入らないように肘を90°に屈曲する．	0° 回外 回内
	回外 supination	0-90				
手 wrist	屈曲（掌屈） flexion（palmar flexion）	0-90	橈骨	第2中手骨	前腕は中間位とする．	伸展 0° 屈曲
	伸展（背屈） extension（dorsiflexion）	0-70				
	橈屈 radial deviation	0-25	前腕の中央線	第3中手骨	前腕を回内位で行う．	0° 橈屈 尺屈
	尺屈 ulnar deviation	0-55				

Ⅱ．手指測定

部位名	運動方向	参考可動域角度	基本軸	移動軸	測定肢位および注意点	参考図
母指 thumb	橈側外転 radial abduction	0-60	示指（橈骨の延長上）	母指	運動は手掌面とする．以下の手指の運動は，原則として手指の背側に角度計をあてる．	橈側外転 尺側内転 0°
	尺側内転 ulnar adduction	0				
	掌側外転 palmar abduction	0-90			運動は手掌面に直角な面とする．	掌側外転 掌側内転 0°
	掌側内転 palmar adduction	0				
	屈曲（MCP） flexion	0-60	第1中手骨	第1基節骨		伸展 0° 屈曲
	伸展（MCP） extension	0-10				
	屈曲（IP） flexion	0-80	第1基節骨	第1末節骨		伸展 0° 屈曲
	伸展（IP） extension	0-10				
指 finger	屈曲（MCP） flexion	0-90	第2〜5中手骨	第2〜5基節骨	→［V．その他の検査法］参照	伸展 0° 屈曲
	伸展（MCP） extension	0-45				
	屈曲（PIP） flexion	0-100	第2〜5基節骨	第2〜5中節骨		伸展 0° 屈曲
	伸展（PIP） extension	0				
	屈曲（DIP） flexion	0-80	第2〜5中節骨	第2〜5末節骨	DIPは10°の過伸展をとりうる．	屈曲 0° 伸展
	伸展（DIP） extension	0				
	外転 abduction		第3中手骨延長線	第2，4，5指軸	中指の運動は橈側外転，尺側外転とする． →［V．その他の検査法］参照	0° 外転 内転
	内転 adduction					

Ⅲ．下肢測定

部位名	運動方向	参考可動域角度	基本軸	移動軸	測定肢位および注意点	参考図
股 hip	屈曲 flexion	0-125	体幹と平行な線	大腿骨（大転子と大腿骨外顆の中心を結ぶ線）	骨盤と脊柱を十分に固定する． 屈曲は背臥位，膝屈曲位で行う． 伸展は腹臥位，膝伸展位で行う．	屈曲 0°
	伸展 extension	0-15				伸展 0°
	外転 abduction	0-45	両側の上前腸骨棘を結ぶ線への垂直線	大腿中央線（上前腸骨棘より膝蓋骨中心を結ぶ線）	背臥位で骨盤を固定する． 下肢は外旋しないようにする． 内転の場合は，反対側の下肢を屈曲挙上してその下を通して内転させる．	外転 内転 0°
	内転 adduction	0-20				
	外旋 external rotation	0-45	膝蓋骨より下ろした垂直線	下腿中央線（膝蓋骨中心より足関節内外果中央を結ぶ線）	背臥位で，股関節と膝関節を90°屈曲位にして行う． 骨盤の代償を少なくする．	内旋 外旋 0°
	内旋 internal rotation	0-45				
膝 knee	屈曲 flexion	0-130	大腿骨	腓骨（腓骨頭と外果を結ぶ線）	屈曲は股関節を屈曲位で行う．	伸展 0° 屈曲
	伸展 extension	0				
足関節・足部 foot and ankle	外転 abduction	0-10	第2中足骨長軸	第2中足骨長軸	膝関節を屈曲位，足関節を0°で行う．	外転 内転 0°
	内転 adduction	0-20				
	背屈 dorsiflexion	0-20	矢状面における腓骨長軸への垂直線	足底面	膝関節を屈曲位で行う．	0° 背屈 底屈
	底屈 plantarflexion	0-45				
	内がえし inversion	0-30	前額面における下腿軸への垂直線	足底面	膝関節を屈曲位，足関節を0°で行う．	外がえし 内がえし 0°
	外がえし eversion	0-20				
1趾，母趾 great toe, big toe	屈曲（MTP） flexion	0-35	第1中足骨	第1基節骨	以下の1趾，母趾，趾の運動は，原則として趾の背側に角度計をあてる．	伸展 0° 屈曲
	伸展（MTP） extension	0-60				
	屈曲（IP） flexion	0-60	第1基節骨	第1末節骨		伸展 0° 屈曲
	伸展（IP） extension	0				
趾 toe, lesser toe	屈曲（MTP） flexion	0-35	第2〜5中足骨	第2〜5基節骨		伸展 0° 屈曲
	伸展（MTP） extension	0-40				
	屈曲（PIP） flexion	0-35	第2〜5基節骨	第2〜5中節骨		0° 伸展 屈曲
	伸展（PIP） extension	0				
	屈曲（DIP） flexion	0-50	第2〜5中節骨	第2〜5末節骨		伸展 0° 屈曲
	伸展（DIP） extension	0				

Ⅳ．体幹測定

部位名	運動方向		参考可動域角度	基本軸	移動軸	測定肢位および注意点	参考図
頸部 cervical spine	屈曲（前屈） flexion		0-60	肩峰を通る床への垂直線	外耳孔と頭頂を結ぶ線	頭部体幹の側面で行う．原則として腰かけ座位とする．	
	伸展（後屈） extension		0-50				
	回旋 rotation	左回旋	0-60	両側の肩峰を結ぶ線への垂直線	鼻梁と後頭結節を結ぶ線	腰かけ座位で行う．	
		右回旋	0-60				
	側屈 lateral bending	左側屈	0-50	第7頸椎棘突起と第1仙椎の棘突起を結ぶ線	頭頂と第7頸椎棘突起を結ぶ線	体幹の背面で行う．腰かけ座位とする．	
		右側屈	0-50				
胸腰部 thoracic and lumbar spines	屈曲（前屈） flexion		0-45	仙骨後面	第1胸椎棘突起と第5腰椎棘突起を結ぶ線	体幹側面より行う．立位，腰かけ座位または側臥位で行う．股関節の運動が入らないように行う．→［Ⅴ．その他の検査法］参照	
	伸展（後屈） extension		0-30				
	回旋 rotation	左回旋	0-40	両側の後上腸骨棘を結ぶ線	両側の肩峰を結ぶ線	座位で骨盤を固定して行う．	
		右回旋	0-40				
	側屈 lateral bending	左側屈	0-50	ヤコビー（Jacoby）線の中点に立てた垂直線	第1胸椎棘突起と第5腰椎棘突起を結ぶ線	体幹の背面で行う．腰かけ座位または立位で行う．	
		右側屈	0-50				

Ⅴ．その他の検査法

部位名	運動方向	参考可動域角度	基本軸	移動軸	測定肢位および注意点	参考図
肩 shoulder（肩甲骨の動きを含む）	外旋 external rotation	0-90	肘を通る前額面への垂直線	尺骨	前腕は中間位とする．肩関節は90°外転し，かつ肘関節は90°屈曲した肢位で行う．	
	内旋 internal rotation	0-70				
	内転 adduction	0-75	肩峰を通る床への垂直線	上腕骨	20°または45°肩関節屈曲位で行う．立位で行う．	
母指 thumb	対立 opposition				母指先端と小指基部（または先端）との距離（cm）で表示する．	
指 finger	外転 abduction		第3中手骨延長線	2，4，5指軸	中指先端と2，4，5指先端との距離（cm）で表示する．	
	内転 adduction					
	屈曲 flexion				指尖と近位手掌皮線（proximal palmar crease）または遠位手掌皮線（distal palmar crease）との距離（cm）で表示する．	
胸腰部 thoracic and lumbar spines	屈曲 flexion				最大屈曲は，指先と床との間の距離（cm）で表示する．	

Ⅵ．顎関節計測

顎関節 temporomandibular joint	開口位で上顎の正中線で上歯と下歯の先端との間の距離（cm）で表示する． 左右偏位（lateral deviation）は上顎の正中線を軸として下歯列の動きの距離を左右ともcmで表示する． 参考値は上下第1切歯列対向縁線間の距離5.0 cm，左右偏位は1.0 cmである．

「関節可動域表示ならびに測定法改訂について（2022年4月改訂）」，日本リハビリテーション医学会，日本整形外科学会，日本足の外科学会より引用．

索引

＊和文の索引語は見出しごとにカタカナ，ひらがな，漢字の順で並べている．漢字の索引語は１文字目の読みで五十音順とし，読みが同じ場合は，画数の少ない順で並べている．
＊下線は主要な解説ページを示す．

数字

欧文

A

B～D

F～I

L～O

P～T

Z

和文

あ

い

う

え

お

がん

き

きゅう

きょ，きょう，ぎょう

きょく

きん

く

け

けん，げん

たん，だん

ち

ちゅう

ちょう，ちょく

つ

て

へ

ほ

ま

み

む，め

も

や，ゆ

よ

ら

り

る，れ

ろ

わ

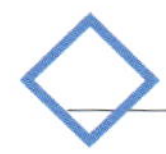

著者プロフィール

※所属は執筆時のもの

山﨑　敦（やまさき　あつし）

文京学院大学 保健医療技術学部 理学療法学科

1967年佐賀県生まれ．1988年3月西日本リハビリテーション学院理学療法学科を卒業し，理学療法士免許を取得．約8年間の臨床経験の中で，理学療法における運動学の重要性を痛感．1996年4月に着任した滋賀医療技術専門学校では，運動学の授業を担当．2003年4月より専門学校 柳川リハビリテーション学院，2006年4月より文京学院大学にて勤務，現在に至る．

執筆した運動学関連の書籍には，『消っして忘れない運動学要点整理ノート』（羊土社，2009年），『シンプル理学療法学シリーズ 運動学テキスト』（南江堂，2010年），『標準理学療法学・作業療法学 専門基礎分野 運動学』（医学書院，2012年），『こだわり抜く関節可動域運動』（文光堂，2021年），監訳・翻訳した書籍には『オーチスのキネシオロジー 身体運動の力学と病態力学 原著第2版』（ラウンドフラット，2012年）などがある．

■ 執筆協力（五十音順）

宇於崎　孝　びわこリハビリテーション専門職大学 リハビリテーション学部 理学療法学科

高田　雄一　北海道文教大学 人間科学部 理学療法学科

谷田　惣亮　佛教大学 保健医療技術学部 理学療法学科

中俣　　修　文京学院大学 保健医療技術学部 理学療法学科

PT・OTビジュアルテキスト専門基礎

運動学　第2版

2019年9月15日　第1版第1刷発行
2022年3月　1日　第2版第1刷発行
2024年2月15日　第2版第2刷発行

著　者　山﨑　敦
発行人　一戸敦子
発行所　株式会社　羊　土　社
〒101-0052
東京都千代田区神田小川町2-5-1
TEL　03（5282）1211
FAX　03（5282）1212
E-mail　eigyo@yodosha.co.jp
URL　www.yodosha.co.jp/
表紙・大扉デザイン　辻中浩一，吉田帆波（ウフ）
印刷所　広研印刷株式会社

ISBN978-4-7581-0258-2